O LIVRO DOS MORTOS

Lourenço Mutarelli

O LIVRO DOS MORTOS

Uma autobiografia hipnagógica[1]

COMPANHIA DAS LETRAS

1
"Hipnagógico: 1 que provoca o sono; hipnótico, sonífero; 2 referente ou associado ao entorpecimento que precede o sono." *Dicionário Houaiss.*

Ao médico Adriano Mendes Caixeta e equipe.
Por todos nós.

Sugestão de leitura. As notas são um complemento importante deste livro. Formam quase um livro à parte. Não visam explicar nada e tampouco contextualizar coisa alguma. Servem quase como ilustrações. São uma forma de dividir o que de mais marcante li em minha vida. E são, principalmente, uma forma de eu me dar mais. Elas contêm um tanto das intervenções que costumo fazer durante as aulas em oficinas de escrita, desenho, caderno de recortes e narrativa gráfica que têm sido meu ganha-pão nessa última década. Gosto muito das notas, mas elas podem mudar o ritmo da leitura. Gosto também porque elas mostram a forma como ordeno meus pensamentos e a maneira como construo minhas alegorias e metáforas. Portanto, sugiro que o leitor escolha se quer ou não ler as notas. Espero que desfrutem.

Sumário

Livro I
1 O encolhedor de cabeças, 12
2 Ele me fez rir em inúmeras cabeças, 66
3 A rainha e o lobo, 114
4 A festa de Momo, 177
5 O destino de tudo é ruir, 232
6 O espelho d'água, 297
7 O livro dos mortos, 364

Livro II
1 Até que a morte nos separe, 418

Apêndice, 491

LIVRO I

Lá estava sua mãe no umbral da porta, com uma vela na mão. Sua sombra escorria rumo ao teto, longa, estendida. E as vigas do teto a devolviam aos pedaços, despedaçada.

Juan Rulfo[2]

2
Pedro Páramo. Tradução: Eric Nepomuceno.

1
O encolhedor
de cabeças

I

Lourenço, fica com a gente.
Eu preciso dormir. O sono traga Pompeu, com força.
Não dorme, fica com a gente.
Ele parece normal. É outro quem diz isso.
Está falando normalmente. Ele insiste.
Eu preciso dormir. Pompeu implora.
Não durma!
Só um pouquinho. Implora.
Não, Lourenço! Fica com a gente. Você não pode dormir.

II

Ele se sentou no sofá
e ficou olhando o velho quadro na parede.
Ela voltou
trazendo um copo vagabundo
cheio de uísque.
Era dezembro
28
fazia calor
ele suava
e o suor escorria e empapava a camisa.
A ex-namorada deitou no seu colo.
E ele começou a acariciar seus cabelos
enquanto bebia
com sede.
E o toque era pra ele tão
agradável.
Era como se ele brincasse
com água.

Levemente morna.
Pois seu cabelo era liso
bem liso e fino
fazendo alguns delicados
cachos.
Era igual em cor e textura
ao cabelo dos anjos.
Igual os anjos
impressos
na velha lata de caramelos importados
que a sua avó guardava
sobre a penteadeira.
E ele bebia no copo
de requeijão.
E não dizia nada
apenas seguia com o cafuné
e admirava
impressionado
o tamanho
daquela cabeça
enorme.

III

Ele ensaia um pouco antes de apertar o interfone.
Oi? Aquela voz.
Sou eu. Ele diz com dificuldade.
Abriu?
Abriu.
Sobe os dois lances de escada com o coração batendo forte.
Fazia tempo que não voltava.

Temos o costume de chamar qualquer lugar onde moramos, ou tenhamos morado, de casa.[3]

Pompeu já morou em muitos lugares, mas só ali se sentiu em casa. Ele se sentiu assim, ali. Por um único dia. Um dia que nunca mais se repetiria.

Sarah abre a porta.

Ele queria ficar olhando pra ela por horas, mas logo baixou a cabeça.

Entra tomado de tristeza. Ela sempre o deixa triste.

Pompeu sente as orelhas quentes. O nariz ressecado.

Dá poucos passos e fica parado no meio da sala.

Senta.

Aqui?

É. Senta. Vou pegar algo pra gente beber.

Eu trouxe. Se quiser. Pompeu aponta para a sua mochila.

Eu tenho. Comprei.

Pompeu senta onde sempre sentava naquele sofá.

Próximo à porta de vidro que dá para a pequena varanda.

Ele olha para fora. Depois a segue com o olhar.

Aqueles cabelos.

Cabelo de anjo.

Olha seu corpo enquanto ela entra na cozinha.

Ele aproveita a deixa e retira de um pequeno bolso da carteira os trezentos e cinquenta reais, devidamente separados, e coloca sob o abajur que está a seu lado numa pequena mesa.

3

Em *O livro dos danados*, de Charles Fort (a quem voltarei a citar), lemos: "Uma estrebaria é uma casa, se alguém vive nela". Tradução: Edson Bini e Marcio Pugliesi.

Sempre pagou dessa forma.
Nunca entregava o dinheiro diretamente a ela.
Achava mais delicado.
Mais delicado consigo mesmo.
Então ele olha para o quadro na parede.
Pompeu foi uma criança muito solitária. Um menino pequeno. Baixinho. De aparência frágil. Havia algo em seu olhar que incomodava as pessoas. Irritava. Pompeu sempre se sentia cansado. As pessoas talvez interpretassem esse cansaço como desprezo ou arrogância.
Só agora ele se dá conta disso. Nesse momento. Em casa.
Depois de tanto tempo fora.
Ela volta trazendo a garrafa.
Você está bonito.
Ele ri. Ele odeia ouvir isso.
Ela põe a garrafa e os copos no chão e volta correndo para a cozinha.
Sarah veste aquele casaco de lã. Branco. Está quente, mas ela sempre tem frio.
Volta trazendo gelo em outro copo.
Coloca duas pedras em cada e despeja o Cavalo Branco.
A garrafa está na metade.
Tim-tim.
Ela ri feito criança.
Olha fixo em seus olhos e se acomoda bem perto dele.
Você está diferente.
Eu queria estar. Diferente.
Mas está.
Juro que queria. Queria não ser eu. Queria não ser este.
Vou pôr uma música. O que você quer ouvir?
Qualquer coisa. Quer dizer, que não seja jazz.
Sarah ri. Sabe que ele detesta jazz. Fica irritado.
Quer começar?

Aqui?
É, eu tô sozinha hoje.
Pompeu imaginou que iriam para o quarto.
Então ela se acomoda na outra extremidade do sofá e deita a cabeça em seu colo.
Pompeu dá um comprido gole.
Nossa, Pompeu! Você está quente. Tá com febre?
Eu me sinto com febre.
Então, com cuidado e medo, ele começa a acariciar seus cabelos.
Água morna.

Nesses últimos tempos em que esteve longe, Pompeu costumava aquecer um pouco de água no fogão. Punha a água morna numa pequena bacia de alumínio que sua avó usava para fazer as unhas. Então, levava para a sala e mergulhava a mão enquanto assistia televisão. Fazia pequenos e delicados movimentos com as mãos e sentia como se estivesse acariciando os cabelos de Sarah.

Ele não queria voltar pra casa.
Não queria se sentir tão miserável e pequeno.
Posso pôr um filme?
Claro. Pompeu responde. A voz sai baixa. Engasgada.
Ela aciona o YouTube na TV e digita "Aladdin".[4]

4
"Há uma história que é a mais famosa de *As mil e uma noites* e que não consta das versões originais. É a história de 'Aladim e a lâmpada maravilhosa'. Ela aparece na versão de Galland, e Burton procurou

Aparecem várias opções.
Ela escolhe *Aladdin Disney desenho completo*.
A TV está sem som. Ouvem a música.
Ela sempre começava com esse disco quando se encontravam.
Era um som meio espacial.
Sarah acreditava que Pompeu gostasse.
Me conta um segredo?
Ela sempre pede isso.
Um dia eu te conto um segredo que vai mudar tudo. Toda a forma como você vê a vida.
Você sempre fala isso. Me conta agora.
Um dia. Um dia eu conto.
Pompeu continuava acariciando os cabelos de anjo.

Quando ele era pequeno, pequeno e sozinho, gostava de entrar no quarto de sua avó e se sentar à penteadeira.
Ele gostava de examinar cada detalhe das coisas que a sua avó guardava lá.
Mas havia algo que realmente o encantava.
A penteadeira era um móvel de madeira pintado de branco.

---

inutilmente o texto árabe ou persa." Jorge Luis Borges, "*As mil e uma noites*", em *Borges, oral & Sete noites*, tradução: Heloisa Jahn. Borges já havia aludido ao tema em 1936, em *História da eternidade*, quando, no capítulo "Os tradutores d'*As mil e uma noites*", diz: "Devemos a esse obscuro assessor — cujo nome não quero esquecer e que, ao que dizem, é Hanna — certos contos fundamentais, que o original não conhece: o de Aladim...". Tradução: Heloisa Jahn.

Um móvel simples que só tinha as pernas, duas gavetas e um grande espelho oval.

O espelho tinha manchas ocre, amareladas. Quase douradas, que sugeriam formas.

Formas que para ele pareciam sombrias.

Era isso que ele via quando se olhava no espelho. Manchas.

Na verdade, quando ele era criança, tudo lhe parecia sombrio.

Mas, entre os poucos pertences que sua avó guardava ali, tinha a velha lata enferrujada de caramelos franceses. Nela a avó guardava as poucas joias que possuía.

O que o fascinava e entretinha não eram as joias, mas a imagem estampada na tampa da lata. O desenho, emoldurado numa forma ogival, representava uma jovem seminua sentada sobre um pequeno tronco de árvore coberto por um tecido que caía sinuoso sugerindo formas em seu panejamento. Naturalmente sombrias. Outro pedaço de pano, vindo do ombro, cruzava o peito da moça e caía sobre o ventre. Feito uma faixa de miss. Era um tecido quase mágico de tão transparente. A jovem penteava os cabelos enquanto dois pequenos anjos, um em cada lado da imagem, seguravam espelhos para que ela pudesse se enfeitar. O anjo à direita voava à altura do rosto da moça. Podíamos ver o reflexo do rosto dela nesse espelho. O outro anjo estava no chão. No canto esquerdo da pintura. De costas pra nós. Não podíamos ver seu rosto nem o que seu espelho refletia.[5] A

5

Muitos anos depois, ele encontraria num livro o quadro que deve ter inspirado o desenho estampado naquela embalagem: a *Vênus ao espelho*, de Velázquez. Ele nunca provou os caramelos. Desde pequeno, viu a lata ser usada como porta-joias. Encontraria tam-

forma como o cabelo dos anjos foi pintado, a finura e a leveza da sua representação o encantavam.

No fundo havia algumas árvores em perspectiva. E uma montanha rochosa. A moldura elíptica era representada por um padrão floral. Vegetações. Flores, galhos e pequenos frutos.

Embaixo, numa faixa, estava escrito:

Diana
Caramels hachés[6]

Ele segura o choro enquanto acaricia aqueles cabelos de anjo.
Tão finos, macios, leves e mornos.
Feito água.
Feito a água que aquecia para simular o que fazia agora.
E então, repleto da mais amarga tristeza, ele contempla aquela cabeça
enorme.

Agora eu serei outro.

IV

Pompeu caminha abatido.

---

bém uma mulher que tinha o corpo exatamente igual ao representado na lata.

[6] "Diana Caramelos picados".

Por ter esfriado bruscamente, Sarah lhe devolveu a camisa que havia roubado.

Sente cansaço ao pensar em todo o caminho que precisa fazer.

Começa a ver pelo chão uma trilha que parece sangue.

Sente uma presença.

Olha para trás e um homem muito pequeno o observa.

Pompeu fica surpreso com seu tamanho.

Não é um anão.[7]

Apesar de muito pequeno ele tem os membros proporcionais.

Tá lembrado de mim? O homenzinho lhe pergunta.

Um calafrio percorre a espinha de Pompeu.

Desculpe. Acho que não o conheço.

Da próxima vez vai lembrar.

Claro, da próxima vez eu já o terei visto.

Muitas vezes não nos lembramos.

Dizem que os mergulhadores, depois de um tempo submersos, não distinguem se a superfície está acima ou abaixo. Pompeu não sabe por que disse tal coisa.

Quem te disse isso?

7

Entre as coisas mais curiosas que li, está um relato em *Diabruras, santidades e prophecias*, texto de A. C. Teixeira de Aragão encaminhado ao conselheiro Manuel Pinheiro Chagas (1894, reimpresso em fac-símile em 2004 pela editora Alcalá), que diz o seguinte: "Paulo Zacarias (*Quaest Medicoly*, liv. VII, fol. 529) refere que a condessa Margarida, filha de um conde florentino em Hollanda, tivera de um só parto trezentos e cinquenta e cinco anões, que todos foram baptisados n'uma bacia, não excedendo cada um o tamanho de uma noz (!!)".

Eu não lembro.
O baixinho estende a mão.
Pompeu lhe entrega vinte reais.

V

Pompeu toma fôlego para abrir a porta.
Como se fosse mergulhar fundo.
Procura não fazer barulho.
Vai para a cozinha e acende a luz.
Enche um copo de água e joga uma Aspirina.
Senta num banquinho e acende um cigarro.
Alguém grita lá fora.
Pompeu não consegue entender o que esse alguém grita.[8]
É a voz de um homem.
Um homem furioso.

VI

Pompeu se anuncia.
Pode subir.

8

O músico uruguaio Alfredo Zitarrosa, que em dado momento se tornou muito popular em seu país, sofria de insônia, e uma ocasião, ao se levantar no meio da noite e ouvir uma rádio tocando ao longe, escreveu os seguintes versos para a música "La canción y el poema": "Não sei por que desperto, em certas noites vazias, ouvindo uma voz que canta e que, talvez, seja a minha" (em livre tradução).

Ele sempre sente um frio na espinha quando passa pelo saguão desse prédio velho.
Aperta o 8.
Toca no 82.
Mauro demora a abrir.
Quando abre, nem olha em seu rosto.
Logo dá as costas e diz:
Entra.
Ele está com os dentes.
Tudo bem?
Mauro não responde.
Dois gatos passam correndo.
Assustados.
Os dois parecem ser o mesmo gato. Desdobrado.
Quer um café?
Seria ótimo. Saí e nem... tive tempo.
Vou fazer.
Pompeu senta no sofá encardido.
Há uma camada de pó, gordura e pelo de gato que reveste tudo naquele cômodo.
Essa camada reveste absolutamente tudo.
Não apenas se acumula sobre os móveis.
Cobre e reveste também os incontáveis quadros nas paredes.
A enorme pilha de LPs.
A coluna de livros que escapa da estante.
O boneco do palhaço em tamanho natural.
O cavalo branco de um velho carrossel.
O teto.
Mauro pigarreia alto na cozinha.
Parece engasgado.
Tudo bem aí?
Esse pigarro maldito.
Pompeu vai até a porta da cozinha.

Mauro olha a cafeteira italiana que está no fogo.
Ao lado da cafeteira há uma imensa panela de alumínio que ocupa duas bocas do fogão.
Já deu a hora do cigarro, mas vou esperar o café. Mauro diz enquanto continua pigarreando alto.
De repente levanta os olhos.
Incomodado.
Espera lá na sala. Ele pede.
Claro. Pompeu assente sem graça.
Volta ao sofá.
Olha para o quadro que sempre rouba sua atenção.
Uma paisagem marinha.[9]
O apartamento é mal iluminado.
As lâmpadas são incandescentes. Amareladas.
Mauro volta trazendo a cafeteira e duas xícaras.
Você toma sem açúcar? Nunca lembro.
Pode ser sem.
Mauro dá um gole e acende um cigarro.
Não vai fumar?
Vou, vou, sim.
E então?
Eu a vi.
Viu? Onde foi?
Ela estava trabalhando no computador. Num café.
Onde?

9

No canto inferior direito da pintura a óleo, é possível ler, em vermelho, a assinatura do autor: "Em seguida encontra outro quadro que sempre o perturbou, uma pintura a óleo assinada por um tal de Natam". *A arte de produzir efeito sem causa.*

Ela estava numa mesa. Num canto.
Não, onde fica o café?
Na rua Cotoxó, 110, na Pompeia.
Você viu no que ela trabalhava?
Não. O computador... ela estava num canto perto da parede... não dava pra ver a tela.
Que tipo de computador ela usa?
Um laptop.
PC?
Não, Mac. Um desses fininhos. Pro alguma coisa. Air, se não me engano.
Droga. Achei que ela usasse PC.
Pois é.
Ela estava bonita?
Ela estava linda. Tão linda. Alta.
Alta? Muito alta?
Acho que mais de um metro e oitenta.
E os cabelos?
Escuros. Os olhos claros. Tão linda. Ela parece tão segura. Elegante. Tem algo tão doce e... não sei como dizer. Mas parece que ela está dançando, sabe?
Dançando?
É. Não dançando. Mas ela se move de uma maneira... seus movimentos são tão... bonitos.
Como ela estava vestida?
Uma calça prateada. Muito sensual. Uma dessas calças, não sei como chama. E uma camiseta cinza com umas listras horizontais bem fininhas.
Ela estava tomando café?
Sim.
Você tomou café?
Tomei. Dois.
Era bom?

Era bom.
Ela comeu algo?
Não. Quer dizer, só o biscoitinho que acompanhava o café.
E as mãos? Como eram suas mãos dessa vez?
Puxa vida. Suas mãos eram tão lindas. E a forma como se moviam, sabe? Essa coisa da dança que eu falei. Tudo nela, tudo naquele corpo, dança. Muito suavemente. Mas dança.
Eu quase posso ver.
Tão linda.

E você? Me fala um pouco de você.
Tudo bem. Vamos levando, como se diz.
Tem visto sua garota?
Nós terminamos, faz tempo. Não te falei?
Falou. E não a viu mais?
Eu fui lá ontem.
Não consegue ficar longe dela, não é?
Claro que consigo.
Então por que foi?
Eu não vou mais voltar lá. Tudo aquilo me faz mal. Foi a última vez. Fui me despedir. Não tem mais volta.
Mauro sorri incrédulo.
Pompeu ouve uma tosse que vem de um dos quartos.
Mauro apanha a carteira na primeira gaveta da direita que fica no móvel em forma de arca. Conta o dinheiro. Entrega oitenta reais a Pompeu.
A arca é repleta de porta-retratos. Todos vazios, exceto um.

VII

Me fala do circo.
Pompeu está lavando louça.
Eu falei das crianças?
Falou.
Elas pareciam crianças.
Mas não foi assim que o espetáculo começou. Da outra vez você não contou dessa forma.
Não, não estou falando do espetáculo. Essas crianças estavam sentadas na primeira fila.
Você me disse que começava com uma mulher muito sexy.
É. É verdade. Quando começou, teve isso.
Conta de novo.
Ela usava uma roupa tipo de fanfarra. Um collant cor de prata, uma saiinha muito curta e botas brancas que iam até os joelhos. Usava também um chapéu meio cilíndrico, com uma espécie de cordão que ligava uma coisa circular a outra. Eram três linhas dessas. Na frente do chapéu. Deve ter um nome esse tipo de chapéu, mas eu desconheço.
Barretina.
Sério?
É, esse é o nome. E os cordões que o enfeitam chamam francaletes.
E o arranjo com plumas que vai em cima? Como chama?
Isso eu não lembro.
No peito tinha também essas cordas. Barretina, sei lá.
Mas você disse que ela era muito provocante. Que te excitou.
Ela era muito provocante mesmo.
Te excitou?
É que o vestido era bem curto. E o jeito como ela se movimentava, sabe? Tinha uma coisa erótica na forma como ela se movia. E seu olhar. Seu olhar era terrível. E ela carregava

um bastão em cada mão. A forma como o segurava e às vezes passava no rosto... era... você sabe, fálico.

Báculo.

Isso.

E você ficou excitado?

Ah... eu não fiquei excitado. Acho que nunca disse pra você que aquilo me excitou. O que aconteceu é que eu fiquei, como posso dizer? Fascinado? Aquela mulher roubava toda a minha atenção. Era como se eu estivesse hipnotizado, eu não conseguia desviar o olhar.

Ficou de pau duro?

Que coisa chata isso. Mesmo que tivesse ficado excitado, eu também sou um corpo, caramba!

Eu só não entendo por que você não diz logo que ficou de pau duro? Assume.

A cafeteira começa a fazer barulho. Pompeu desliga o fogo.

E a mulher das flechas?

Pompeu apanha duas xícaras no armário.

Põe três colheres de açúcar numa delas.

Serve o café.

A mulher das flechas foi bacana. Pompeu fala sem vontade.

O que foi mesmo que disseram? Quais eram as palavras?

Tenho que ver. Eu anotei. Não lembro de cabeça.

Lê pra mim.

Está no meu caderno. Vamos tomar o café e eu procuro. Você ouve um choro?

Choro?

Só um minuto. Pompeu leva o dedo aos lábios pedindo silêncio. Tá ouvindo?

Não. Não ouço nada.

Uma mulher. Agora parou. Vinha de longe.

Eu ouço os pássaros.

Fazia tempo que não ouvia esses pássaros. Eles têm um canto triste.

Lê as palavras pra mim.

Vou pegar a nota. Escrevi num dos cadernos.

Pompeu atravessa a cozinha em direção à área de serviço. No fundo há um pequeno quarto fechado por uma pesada grade de ferro. Ele destranca e entra. O cômodo é pequeno e mal iluminado. Pega alguns cadernos num móvel de madeira e começa a folhear. Os cadernos são numerados. Não são datados. Pompeu usa um código para situar os registros no tempo. Na penúltima página do volume XXX encontra o que procura. Volta à cozinha. Enche novamente sua xícara de café. E lê.

Espírito, excessos, amor, falsa profecia, rei, rainha, transformação, consolidação, realizações, matéria, pai e mãe.

E a cada palavra ele lançava uma flecha? É isso?

Isso. O arqueiro proferia a palavra e lançava a flecha.

Numa moça de biquíni.

Isso mesmo.

Pouco machista, não?

Eram outros tempos. E, na verdade, a mulher representava uma deidade.

E qual divindade ela representava, você sabe?

Semíramis,[10] eu suponho. Na segunda vez que assisti o es-

10

Semíramis é uma importante divindade antiga que está presente em quase todas as culturas ancestrais. No *Dicionário mítico-etimológico* (1991), de Junito Brandão, "Semíramis" proviria do assírio *Shemiram*, "pomba", ou *Shemmuramat*, "amante das pombas". Curiosamente, Jacopo de Varazze, em sua *Legenda áurea*,

petáculo, as palavras não foram as mesmas. Instinto, cura, amor, eternidade, chama vital, feminino, a mente, criação, masculino, união, matéria escura e chama vital.[11]

> Você sabe que eu não estou aqui, não é mesmo?
> A tristeza curva o corpo de Pompeu.
> Sabe, não sabe?
> Sei.
> E sabe o porquê, não é?

---

com tradução de Hilário Franco Júnior, em "São Pedro (Apóstolo)", diz: "Pedro teve três nomes, o primeiro Simão Bar Jonas. Simão quer dizer 'obediente' ou 'aquele que se entrega à tristeza', Bar Jonas, 'filho de pomba'". No *Diccionario enciclopédico ilustrado de la lengua española* (Editorial Ramón Sopena, 1957), lê-se: "Rainha lendária da Assíria; supõe-se que viveu no século XII a.C. Fundou a cidade da Babilônia, fortificando-a e fortalecendo-a, onde fez construir os Jardins Suspensos, uma das sete maravilhas do mundo antigo. Reinou por quarenta anos" (em livre tradução). Outros dizem que a origem do nome seria "pomba branca". No livro *O poder secreto!*, o autor Armindo Abreu, citando como fonte *When God Was a Woman*, de Merlin Stone, e *The Book of Hiram*, de Knight & Lomas, relaciona mais de cem identidades alternativas para Semíramis.

11

Relacionadas: Espírito — Instinto; Excessos — Cura; Amor — Amor; Falsa profecia — Eternidade; Rei — Chama vital; Rainha — Feminino; Transformação — A mente; Consolidação — Criação; Realizações — Masculino; Matéria — União; Pai — Matéria escura; Mãe — Chama vital.

Sei.
Diz.
Pompeu cobre o rosto.
Diz. Eu quero que se ouça dizendo por que não estou aqui.
Mas eu já sei.
Mas quero que ouça. Ouça em voz alta.
Porque você foi embora.
E por que eu fui embora?
Você me deixou. Acabou. Você nunca me perdoou. Nunca perdoou minhas fraquezas.
O mundo não admite fraquezas.

VIII

Pompeu para em frente ao prédio.
Olha para a janela do segundo andar.
As luzes estão acesas.
Um vulto se projeta na cortina.
Pompeu bebe uísque numa garrafa de bolso niquelada.
Há vida lá dentro.
Outra vida talvez.
Sente uma presença a seu lado.
Um homem muito pequeno está parado bem próximo a ele.
No fim das contas, o que importa é que a comida seja boa. Não é mesmo? Diz o homenzinho.
O senhor me assustou.
Assustei?
Pompeu olha sério para o homenzinho.
Desculpe, será que você podia me deixar sozinho, por favor? Pede Pompeu.
Mais?

Sério mesmo. Eu quero ficar sozinho com meus pensamentos. Por favor.

Tá certo. Só vou dizer uma coisa e me vou, pode ser?

Se você simplesmente fosse, sem dizer nada, ia me deixar mais contente.

O homenzinho apanha a carteira e entrega vinte e cinco reais a Pompeu.

Quando Pompeu pega as cédulas, o homenzinho as segura firme e diz: Há o que olha para ela, o que olha para ele, e aquele que inscreve. Dito isso, ele solta as notas e vai. Então, Pompeu percebe que alguém o observa da janela que observava.

IX

Aperta o 8.
Toca no 82.
Mauro demora a abrir.
Quer um café?
Quero, sim.
Vou fazer. Espera lá na sala.
Pompeu olha o quadro com a paisagem marinha.
O apartamento é mal iluminado.
Você toma sem açúcar? Nunca lembro.
Pode ser sem.
Mauro volta trazendo a cafeteira e duas xícaras.
Você gosta desse quadro, né?
Na verdade, eu tenho medo dele.
Medo? Mauro ri. Como assim?
Eu já te falei que me perdi na praia quando era pequeno?
Não.
Foi horrível.
Me conta.

Acho que meu irmão nem tinha nascido. Então, eu devia ter menos de quatro anos. Foi isso. Eu estava brincando no mar[12] e, sem que me desse conta, a maré me levou. Não muito

---

12

Em muitas culturas, como veremos mais à frente na nota sobre Osíris (48), antes de tudo havia as águas primordiais. Segundo Jean Chevalier e Alain Gheerbrant em seu *Dicionário de símbolos*, "o mar é ao mesmo tempo a imagem da vida e a imagem da morte [...] a água pode destruir e engolir", assim como "A noção de águas primordiais, de oceano das origens, é quase universal [...] *Tudo era água*, dizem os textos hindus; *as vastas águas não tinham margens*, diz um texto taoista, Bramanda, o Ovo do mundo, é chocado à superfície das Águas. Da mesma forma, o *Sopro* ou *Espírito de Deus*, no Gênesis, *pairava sobre as águas*. A água é Wu-ki, dizem os chineses. O Sem-Crista, o caos, a indistinção primeira [...] Origem e veículo de toda a vida [...] De acordo com as cosmologias babilônicas, Tiamat (o Mar), depois de ter contribuído para dar o nascimento aos deuses, foi vencido e submetido por um deles. Atribuía-se a Jeová tal vitória, anterior à organização do caos; ele deveria ainda manter sob sujeição o Mar e os Monstros, seus hóspedes (Jó 7,12). Por isso o Mar é frequentemente na Bíblia o símbolo da hostilidade de Deus: Ezequiel profetiza contra Tiro e lhe anuncia a subida do abismo e das águas profundas (Ezequiel 26,19). O vidente do Apocalipse canta o mundo novo, onde o mar não existirá mais (Apocalipse 21,1)". Tradução: Vera da Costa e Silva, Raul de Sá Barbosa, Angela Melim e Lúcia Melim. Ou seja, o princípio e o fim. Em "Uma vindicação do falso Basílides", no livro *Discussão*, Jorge Luis Borges afirma que foi o discípulo do heresiarca Basílides, Valentim, "que *não* considerou como princípio de tudo o mar e o silêncio". Tradução: Josely Vianna Baptista.

longe. Me deslocou alguns metros à direita. Mas eu não sabia que isso acontecia. Quando saí da água, segui em linha reta. Na direção de onde estavam meus pais. Segui a mesma reta, o mesmo caminho que fiz quando entrei no mar. Realmente não podia imaginar que a maré havia me arrastado do ponto em que havia entrado. Corri na direção dos meus pais e eles não estavam lá. Eram outros que ocupavam aquele espaço. Eu fiquei tão desesperado.

Posso imaginar.

Tudo mudou nessa hora. Tudo. E aí eu comecei a chorar. Eu chorava e andava procurando por eles. Dessa forma fui me distanciando cada vez mais. Alguns adultos se aproximavam para tentar me ajudar, mas eu tinha medo deles. Sentia um medo profundo. Era tanto medo que distorcia tudo. Sentia como se eles quisessem se passar por meus pais. Como se quisessem me enganar. Senti que, ao sair do mar, eu havia entrado num outro mundo. Foi horrível. Naquele dia alguma coisa mudou em mim. Pra sempre.

E aí? Como você os encontrou?

Eu andei e andei e de repente avistei uma estátua de Netuno.

Ah! Então foi na Cidade Ocian.

Acho que sim. Era uma estátua tão sombria. Ameaçadora.

Você devia estar aterrorizado.

Foi pior do que isso. Aconteceu uma coisa, sabe? Uma coisa na minha cabeça.

Você era muito pequeno.

Alguma coisa aconteceu naquele dia.

O quê? O que aconteceu?

Eu não sei dizer. Algo com a realidade. Como se a realidade tivesse se rompido.

Nossa! Você está pálido. Quer um pouco de água com açúcar?

Pompeu sorri. Há séculos não me ofereciam água com açúcar. Minha avó fazia isso. Me dava um copo de água com açúcar quando eu estava nervoso.

Sou um cara antigo. Mauro ri.

Eu nunca mais fui o mesmo.

É como dizem, ninguém é o mesmo quando sai de um rio.[13]

Comecei a desconfiar que eu era outro. Que me desdobrei. Eu não era o mesmo. O mundo não era o mesmo. Era como se eu tivesse me duplicado, me desdobrado. E só um de mim encontrou a família.

E qual deles é você?

Não sei dizer. Honestamente não sei. Minha mãe contava depois para todos que via um menino perdido chorando e pensava: Que mãe desnaturada. Perdeu o filho e nem se dá conta. Ela falava exatamente assim. Mãe desnaturada. E ela contava isso rindo. Como se fosse uma piada. Quando, enfim, ela percebeu que era eu, correu em minha direção e me deu uns tapas. Disse para que eu nunca mais fizesse aquilo. Entende? Eu me perdi por desconhecer as leis do mar e ainda apanhei por isso.

Você sabe que pode não ser nenhum desses dois, não é?

Como assim?

Talvez você não seja nem o que se perdeu nem o que encontrou a família. Porque tudo se divide em três. Talvez você seja o outro.

Que seria?

13

Heráclito de Éfeso bem disse que ninguém entra duas vezes no mesmo rio (mais ou menos assim).

Eu não sei.
Eles terminam o café e fumam.

Mauro traz o copo de água com açúcar.
Me diz, você a viu?
Eu a vi.
Viu? Onde foi?
No Centro Cultural São Paulo. Rua Vergueiro, 1000.
E o que ela fazia lá?
Trabalhava. No computador. Numa das mesas do café.
Você viu no que ela trabalhava?
Consegui ver.
E o que era? O que ela fazia?
Escrevia nomes.
Nomes?
Nomes próprios.
Nomes próprios?
Isso. Consegui ler alguns.
Você lembra?
Lembro. Eu anotei.
Então fala logo.
Pompeu folheia o caderno.
Moacyr, Bennet, Thiago, Mauro, Suzana, Beatriz.
Só nomes?
Vários nomes.
E só isso? Ela não os adjetivava nem nada?
Não. Só escrevia nomes próprios.
Será que ela está grávida?
Acredito que não.
Isso parece coisa de quem está escolhendo nome.
Não sei por que ela fazia isso, mas não me pareceu grávida.
E ela estava bonita?

Estava linda. Tão linda. Alta.
Alta? Muito alta?
Acho que mais de dois metros.
Caramba!
Alta, alta.
E os cabelos?
Escuros. Os olhos claros. Tão linda. Tem algo tão doce e... não sei como dizer. Mas parece que ela está sempre dançando, sabe?
Dançando?
É. Não dançando. Mas ela se move de uma maneira, seus movimentos são tão bonitos.
Como ela estava vestida?
Uma saia preta ou azul sobre uma meia-calça igualmente preta ou azul. E uma camiseta leve. Estampada.
E você leu mesmo Mauro entre os nomes que ela escrevia?
Moacyr, Bennet, Thiago, Mauro, Suzana, Beatriz.

E você?
Eu?
Como você está vestido agora?
Assim.
Mauro o observa.
Essa camisa é nova?
Não e sim. Pompeu veste a camisa que recuperou.
O que está calçando?
Uma bota. Aquela clara.
Fala mais sobre ela.
Uma hora ela recebeu uma mensagem no celular e deu um sorriso tão lindo.
Você viu quem mandou a mensagem?
Não. Não dava pra ver. Mas ela sorriu tão gostoso.

E o que ela calçava?
Um tênis.
De que cor?
Eu diria que era da família dos vermelhos.
Ela estava tomando café?
Sim.
Você tomou café?
Tomei.
Era bom?
Era bonzinho.
Ela comeu algo?
Não. Só tomou café.
Fala mais.
É bom olhar para ela. A gente se esquece de tudo.
De tão bonita?
É. Claro que há algo que transcende a beleza. Ela não liga, sabe?
Não liga?
É, não se vale de sua beleza. Não é vaidosa.
E você já começou a trabalhar com a figura que te indiquei?
Começo amanhã cedo. Como é mesmo o nome dele? Tenho uma dificuldade imensa em guardar nomes.
Mauro. É uma figura. Um sujeito muito culto, sabe? Eu o conheci numa festa. Uma festa na casa de uma grande amiga. O sujeito é uma enciclopédia. E é muito divertido.

Mauro apanha a carteira na primeira gaveta da direita que fica no móvel em forma de arca. Conta o dinheiro. Entrega duzentos reais a Pompeu.

A arca é repleta de porta-retratos. Todos vazios, exceto um.

X

O homem está sentado todo torto numa imensa poltrona de couro preto.

Fuma um enorme charuto.

Há um generoso copo de uísque na mesinha.

Ao lado do copo, uma caixa laqueada.

Porque são sempre três, você me entende?

A frase traz Pompeu de volta.

Estava tão longe que era como se não existisse.

Ao ouvir a frase, num átimo, ele foi obrigado a montar toda a sua vida.

Para mostrar que estava ali e atento, ele repete a frase.

De alguma forma, apesar de nem existir por um tempo, ele a apreendeu.

Eram três. Ele diz ao homem torto na poltrona.

Foi o que eu disse.

Eu sei. É que me distraí um pouco com o rótulo da garrafa.

Que é que tem o rótulo?

São só palavras. São só informações.

O homem apanha a garrafa The Balvenie e observa o rótulo.

Não tem nenhum desenho pra criar alguma atmosfera. Observa Pompeu. A publicidade sempre faz isso para nos iludir. Enche tudo de imagens para nos distrair. Nos iludir.

Tá, mas, como eu dizia, o primeiro é como se fosse a pessoa. Certo?

Certo.

Então, depois de um tempo, entra o segundo. Que é, podemos dizer, o outro.

Hum-hum.

Enfim, chega o terceiro. Que é o mentiroso.

Entendi.

Porque sempre se dá dessa forma. Não nessa ordem, mas sempre dessa forma.

Acho que consigo acompanhar.

É mentira. Pompeu, na verdade, não se importa muito. Pompeu sempre procurou entender as coisas por si mesmo. Nunca se importou muito com os outros, suas realidades ou certezas. Ele apenas concorda. Assim se livra mais fácil. E neste momento o esforço é para lembrar do nome desse homem que fala tão alto. Pompeu não sente muita empatia por ele. É um homem culto que vive fazendo citações e relações igualmente tortas, feito sua postura. Sempre que Pompeu está com ele, se lembra do velho ditado: "Não tem almoço grátis".

Tem um, tem o outro, e tem o mentiroso.

O torto espera que Pompeu diga algo.

Certo...

Mas você deve saber, eles não entram sempre assim, nessa ordem. Me entende?

Claro, claro. O senhor falou.

Então, você precisa estar sempre muito atento. Preste atenção, hein?

Claro.

Não dá pra saber qual é qual e nem quem é quem. Dito isso, o torto solta uma gargalhada horrivelmente alta. E esse riso vira tosse. E voam grandes perdigotos projetados de sua boca. E eles caem sobre a mesinha de ébano que está entre eles. Pompeu fica olhando as gotas espumosas. Ele vê as pequeninas bolhas estourarem.

E um deles me disse isso e quase me mata de rir.

Qual deles?

Eu acho que foi o mentiroso. São sempre os mais carismáticos. Até mesmo os mais convincentes.

Entendi. Então, foi um deles quem te ensinou isso.

Não! Isso eu aprendi sozinho. Eu aprendi tudo sozinho. Eu

nunca tive um professor ou mestre. Aprendi tudo com as notas de rodapé.[14] Nova gargalhada e tosse. "Você pode não ter ancestrais escoceses, mas, do jeito que bebe uísque, vai acabar tendo descendentes." Foi isso que ele disse. Novo jorro.

O torto tem sempre um pouco dessa baba espumosa nos cantos da boca.

De quando em quando ele passa os dedos pra remover.

O indicador e o polegar.

Feito uma mosca.

As moscas fazem algo parecido com as patinhas.

Ele seca os dedos na calça.

E então? O que tem pra mim? A encontrou?

Ainda não. Às vezes é assim. Demora.

Puxa vida.

E o que são os outros?

―

14

"'Antes só que mal acompanhado', diz o povo com razão. Não pretendemos, com estas palavras, acusar ninguém, mas apenas tranquilizar os que, aparentemente menos felizes, só podem contar consigo, com os próprios livros e com o raro companheiro de trabalho ou de café, em suas tentativas de estudo sério. Se um testemunho obscuro pode estimular algum desses leitores, contar-lhe-ei, muito em segredo, que eu próprio li *Os lusíadas*, pela primeira vez, servindo-me de edição antiga, sem quaisquer notas, por mim descoberta em casa de meus pais. Sem tudo entender (mal inevitável!), quantas emoções, das que guardo para o resto da vida, me ficaram dessa incipiente leitura sem guia nem mestre!" Emanuel Paulo Ramos, em nota à edição de *Os lusíadas*, de 2006, da Porto Editora.

Como assim?

Um é o mentiroso, e os outros?

Vou repetir, hein? Faz a mosca. Limpa na coxa.

Tem esse, aquele e o mentiroso. Ele repete de forma diferente. Então, Pompeu julga que agora ele é outro. Pois, se fosse o mesmo, repetiria exatamente igual.

E olha que estou te dando isso de lambuja. Ao dizer isso, solta outra gargalhada que vira tosse. Vai ser a sua herança. Gargalha. Por falar nisso, conta aquela história do seu pai. Eu adoro essa história.

Mas você já a conhece.

Não importa. Eu adoro ouvir você contando. Adoro o jeito que você conta.

Bom, ele me disse isso: o homem tem...

Não. Conta direito, pô! O torto o interrompe. Conta do começo. Tem que falar da moça gótica. Tem que contar a porra da história toda.

Sério? Mas você já conhece.

Vai regular? Eu te dou o maior ensinamento da sua vida e você vai me regular uma história? Vai ser tão mesquinho assim?

Tá bom. Eu tava namorando com essa moça e, a propósito, ela não era gótica. Era uma pré-gótica. Mais precisamente.

Você sabe que não me refiro ao gótico, gótico? Não é mesmo?

Claro que sei.

Mesmo assim não está contando direito. Já tá namorando com ela? Eu quero saber da história toda. Quero saber do começo.

Sério mesmo?

Sério. Como dizem nas telenovelas, "nunca falei tão sério em toda a minha vida".

Pompeu coça a cabeça. Tá legal, vamos lá. Antes eu preciso te fazer uma pergunta, mas, por favor, não quero te deixar chateado. Pompeu fala com constrangimento e delicadeza.

Vamos lá, desembucha.

Eu tenho muita dificuldade com nomes, já te falei sobre isso?

Isso não importa. Você pode ter falado e eu posso ter esquecido.

Pois é. Não falei sobre o nome da minha mãe, do meu pai e dos meus avós?

Não. Isso você não falou.

É o seguinte, eu me chamo...

Pompeu. A mosca rapidamente o interrompe.

Isso, e meu pai se chamava Pompeu.

Você é Júnior?

Sou.

Ah! Juninho, Juninho! O torto gargalha dando tapas nas próprias pernas. Reage como se Júnior fosse uma piada muito divertida.

Minha mãe se chama Sondra. E minha irmã se chama Sondra. Meu avô se chamava Francisco e minha avó, Francisca.

O torto aplaude.

É isso. Só o meu irmão tinha um nome diferente. Eu acredito que por isso eu não consigo guardar nomes. Primeiro porque meu núcleo era assim. E, principalmente, porque não consigo associar os nomes. Porque, apesar de termos os mesmos nomes, éramos muito diferentes. Então, se eu conheço um Paulo, não consigo relacionar esse Paulo com qualquer outro Paulo que eu conheça. Preciso fazer outro tipo de relação.

Mauro.

Mauro?

É. Meu nome é Mauro.

Claro. Pior que agora lembrei.

Vamos lá, Juninho, me conta a história toda.

Só queria fazer um parêntese pra concluir.

Faça.

Meu irmão se chama Paulo. E acho que isso fez com que esse detalhe o prejudicasse muito. A questão de sua toxicodependência, me entende?

Claro.

Não estou falando que esse é o motivo, mas acredito que é parte. Além disso, minha mãe escolheu esse nome porque era o nome de uma antiga paixão.

Tá. Agora me fale daquele domingo. Daquele dia em que você viu a gótica pela primeira vez.

Sério mesmo?

O torto dá uma golada no copo.

Garoto! Para de ser preguiçoso. Me dá a história completa. Tem certeza que você não quer um copo?

Eu estou tentando parar.

Por quê?

Porque tenho me excedido. Demais.

Sobre os excessos, um dia vou te contar uma história. Mas, vamos lá, desembucha.

Ai, ai. Você sabe que eu tenho um problema com o meu passado, né? Um problema sério.

Miserável. O torto diz soltando uma baforada do charuto. Para de ser mesquinho. Conta logo, pombas!

Pombas. Ele não precisava usar essa expressão.

XI

Pompeu despeja a água da chaleira numa bacia de alumínio.

Leva a bacia para a sala.

Um pouco da água cai no caminho.

Liga a TV.

Zapeia.

Deixa num filme em que um homem vestido de macaco conversa com uma mulher que não veste nada. Corte. Vemos uma mulher de biquíni estampado encostada num imenso alvo. O contraplano nos revela um arqueiro. Ele começa a atirar flechas no alvo bem rente ao corpo da moça. Antes de cada flecha lançada, o arqueiro profere uma palavra.

Pompeu aciona a tecla mute e mergulha a mão na bacia enquanto olha para a tela.

Pompeu acaricia a água.[15]

XII

Era um domingo de 1982. Eu estava com meus amigos numa rua. Uma rua onde quase não passava ninguém. Uma rua onde sempre ficávamos fazendo hora. Pompeu procura seguir.

Calma. Tá muito rápido. Assim não dá tempo de eu montar as imagens na minha cabeça. Conta direito. Parece que eu tô ouvindo o turfe. Fala mais devagar. O torto, impaciente.

Desculpa. Era uma rua muito deserta. De vez em quando passava um carro. Mas quase não passavam pessoas a pé. Com exceção dos empregados das luxuosas mansões que tinha naquelas ruas.

Você está esquecendo de falar sobre o domingo. Quando

15
"Águas na mata escura e densa, águas terrivelmente negras, estais tão quietas. Estais terrivelmente quietas. Vossa superfície não se move quando há tempestade na mata e os pinheiros começam a dobrar-se e as teias de aranha entre os ramos se rasgam e começam a estalar as lascas de madeira. Estais no fundo da caldeira, águas negras, os ramos caem." Alfred Döblin, *Berlim Alexanderplatz*, tradução: Lya Luft.

me contou pela primeira vez, você foi muito mais detalhista. Falou do clube, dos Trapalhões. Vamos lá, quero a história toda. Com o delicioso sabor dos detalhes. A mosca, novamente. E do jeito que está contando, apressado, me dá a impressão que você morava nessa rua. Que morava nas mansões.

Ok. Eu sempre odiei os domingos.

O torto esfrega as mãozinhas.

Os domingos me traziam profunda depressão. Tinha o lance de irmos ao clube aos domingos. O clube em Itapevi. E lá era um lugar que me fez muito mal. A expressão de Pompeu se torna pesada. Não só a mim. Aquele lugar atingia as crianças mais sensíveis. Tínhamos um grupo de crianças e jovens colegas, eu diria, não eram amigos. Convivíamos aos domingos. Todos os domingos.

Agora, sim. Agora estou sentindo emoção. Mauro o encoraja.

Tristeza, você quer dizer.

É uma emoção, não?

Vamos lá. Dois desses meninos que faziam parte do nosso grupo, se mataram.

Juntos? Feito um suicídio coletivo?

Não. Em lugares distintos. Em épocas distintas. Nós já éramos maiores quando isso aconteceu. Eu já devia ter uns quinze anos na época. Um se enforcou na garagem de sua casa. O outro disparou um tiro na cabeça com o revólver do pai.

Como era o nome deles? Vamos lá, não poupe os detalhes.

Não me lembro.

Como, não se lembra?

Já te disse, tenho um sério problema em guardar nomes.

Continue.

Aquele lugar não nos fazia bem. Foi lá que eu avistei aquela entidade. Aquela mulher gigante. E tantas outras coisas ruins. Lá era um lugar onde a realidade não conseguia se manter. As coisas que se davam lá não tinham tanto compromisso com as leis do mundo.

Bonito isso. Bem bonito, "um lugar que não tem compromisso com as leis do mundo".

Naqueles dias, eu falo de 1972, mais ou menos, acho que até um pouco antes. Frequentei aquele clube até 78 ou 79 talvez. Íamos todo santo domingo naquele maldito clube. Porque para os pais era um sossego. Eles nos largavam lá. Tinham seus grupos de amigos. Íamos cedo e voltávamos bem tarde. À noite eles jogavam cartas, os adultos. E nós ficávamos numa sala, longe deles, assistindo televisão. Foi nessa época que estreou *Os Trapalhões*, que eu odiava e odeio até hoje.

E por que você odiava?

Porque só a música já era um anúncio de que era domingo e que o dia estava acabando. E, embora o domingo fosse triste e horrível, segunda seria pior. Além disso, o programa começava quando a tarde caía. Quando escurecia. E anunciava que a seguir viria o *Fantástico*. E logo seria segunda-feira e teria escola. E eu tinha sérios problemas com a escola.

O torto sorri. Ainda esfrega as mãos.

E, como disse, o *Fantástico* era ainda pior. Sinto por esse programa algo ainda mais intenso do que ódio. Eu já te disse que, quando surgiu esse programa, ele fazia jus ao nome.[16]

16

"Geralmente o fantástico é definido como uma violação das leis naturais, como a aparição do impossível. Para nós não é nada disso. O fantástico é uma manifestação das leis naturais, um resultado do contato com a realidade quando esta nos chega diretamente, e não filtrada pelo véu do sono intelectual, pelos hábitos, pelos preconceitos, pelos conformismos." Louis Pauwels e Jacques Bergier, *O despertar dos mágicos*, tradução: Gina de Freitas.

Além de ser meio uma revista semanal, as matérias eram sobre o sobrenatural. Por isso, fantástico. Justamente o oculto e a quebra da realidade. Os fenômenos paranormais. Uma matéria em especial me marcou fundo. Apresentava um jovem japonês que imprimia fotos Polaroid com a mente. Fotos mentais. Ele emitia algo como um grito e então a imagem surgia na foto.[17] Borrada, difusa, onírica. Na época, a porra da musiquinha de abertura tinha uma letra. Uma letra estúpida. E nós odiávamos tanto o programa que fizemos uma paródia. Não lembro, de verdade, a letra original, mas nossa versão eu não vou esquecer nunca.

Canta, canta!

Não...

Da primeira vez você cantou. Você tem que me contar como contou da primeira vez.

A primeira vez que te contei essa história, eu estava bêbado.

Não seja por isso. Pega um copo. Bebe comigo.

Eu não vou beber hoje.

Só um golinho.

Eu não quero beber.

—

17

Em 1978, o programa *Fantástico* exibiu uma série dividida em três episódios intitulados "A parapsicologia", nos dias 5, 12 e 19 de março. Eu tinha treze anos na época. O episódio que mais me impressionou foi o de um jovem que imprimia fotos Polaroid com a mente. Era Masuaki Kiyota, de catorze anos, que foi acompanhado e analisado pelo professor de física da Universidade de Tóquio, Miyaushi, e pelo especialista em fotografia doutor Fukuda. Esse episódio foi ao ar na noite de 12 de março.

Um golinho.
Você sabe que, se eu começo, não paro.
Um golinho.
Tá legal.
Pega um copo ali no oratório.
Pompeu se levanta e apanha o copo.
Tem gelo?
Claro. Mauro aperta o botão de um antigo aparelho que está sobre a escrivaninha a seu lado. Traga gelo.
Eu preciso mesmo cantar a musiquinha?
Agora não. Agora você deve esperar o gelo. Não quero que seu raciocínio seja interrompido. Vamos aguardar seu gelo. Mauro reacende o charuto. Eu estou com uma ferida terrível aqui na gengiva. Vira e mexe ela aparece. Você já imaginou a hora que for defrontar, de verdade, sua mortalidade? Já imaginou?
Claro. Desde pequeno imagino isso. Lembro da primeira vez que tive o vislumbre da morte. Eu era muito pequeno quando percebi isso.
Mas consegue imaginar quando de repente todo o seu corpo é tomado por uma metástase terrível e tudo que irá sentir vai ser dor e desengano?
Não sei se imagino meu fim dessa forma. Às vezes me imagino numa fila do sus com uma terrível dor no peito. Uma dor tão forte que me leva à convulsão e então eu morro. Literalmente de dor.
Imagine quando, na tentativa desesperada de uma sobrevida miserável, eles começarem a arrancar pedaços da sua cara na esperança[18] de deter o inevitável? Você conheceu o Amélio?

18
Dizem que Voltaire teria dito: "Minha única esperança é perdê-la".

Amélio?
É, o amigo de seu pai.
Amélio?
Eles arrancaram sua mandíbula. E ele viveu por muitos anos assim. Meia boca, poderíamos dizer. Estrondosa gargalhada. É preciso brincar com o horror.
Batem à porta do gabinete.
Entra! Berra Mauro.
Um homenzinho muito pequeno vestido de branco, em trajes de garçom, pede licença e entra carregando um balde de prata.
Sirva o meu amigo. Mauro aponta para Pompeu.
Com licença.
Nossa, você é tão familiar.
Quantas *perdas*, senhor?
Perdas?
De gelo. Diz o homenzinho.
Você disse *perdas*.
Não, senhor, disse *pedras*. Quantas pedras de gelo, senhor?
Duas.
Esse é o gelo mais puro que você já ousou provar. Pode acreditar. Se gaba Mauro. Pronto, Pompeu, agora vai.
Oi?
O homenzinho pede licença, deixa o balde sobre a mesinha de ébano e vai.
Continue, continue.
Você disse "Pompeu"?
É, é o nome dele.
Esse pequeno homem se chama Pompeu?
Sim. Pompeu. Por quê?
É o meu nome. Pompeu é o meu nome também. Pompeu dá um gole lento e sedento.
É o teu xará. Vamos lá! Agora que molhou a goela, tem que cantar a musiquinha.

Tô me preparando.
A mosca parece uma criança feliz.
Pompeu pigarreia. E esvazia o copo. Olha para Mauro.
Vai, homem, serve outra dose pra gente.
Pompeu os serve. E então, sem graça, começa a cantar.
É fantástico, o pinto de plástico, buceta de elástico, o cu da vida.

XIII

Eu a observo agachada. Ela pega algo debaixo da cama. Olho ao redor. Estou zonzo. A cabeceira da cama é de ferro. Pintado de amarelo. De cada lado da cama, uma peça faz as vezes de criado-mudo. À direita, um móvel branco de três gavetas. Eu gosto de observar as coisas. Gosto de observar os acessórios, móveis, e tudo o que compõe o ambiente das pessoas. Gosto de ver os detalhes. Sobre essa peça à direita, há um monte de produtos, imagino que sejam cremes e coisas de beleza, uma pequena caixa de som, um elefante talhado em madeira e um enfeite que parece um grande ovo. No móvel à esquerda, um criado-mudo mais tradicional, vejo algumas caixas de remédio, um abajur e uma lata enferrujada. É então que percebo alguém tentando se esconder atrás desse móvel. Rapidamente desvio o olhar, fingindo não ter visto. A pessoa está acocorada na penumbra, no vão entre o criado-mudo e a parede. Assustado, disfarço. Finjo não a ter visto. Olho em direção à janela. Nisso a mulher que procurava algo debaixo da cama se levanta e me encara. Ela se parece com a moça que se casou com o meu sobrinho, cujo nome não lembro. Não tenho certeza se é ela. Ela também se parece com a mãe do meu sobrinho.
Não consigo encontrar. Ela diz.
Quer que eu ajude?

Não adianta. Já olhei em toda parte.

Tudo bem. Digo, tentando confortá-la. Eu não sei o que procura.

No parapeito da janela um tubo de inseticida e uma imagem de Buda. É uma estatueta de gesso pintada de marrom. Uma das enormes orelhas está lascada. Revelando a brancura do gesso.

Há alguns anos tive um pesadelo horrível com uma estátua do Buda. O inseticida também me faz pensar em minhas noites de insônia.[19] Pra puxar conversa, falo sobre isso.

É incrível como os pernilongos zunem na nossa orelha justamente quando estamos no exato momento de transição, não é mesmo?

Transição?

É. Quando vou mergulhar no sonho. Não é assim com você?

Não sei. Não consigo lembrar.

19

"Mosquitos. Estava pegando no sono. Por sorte descobri um deles a uma boa altura na parede da cabeceira e dei-lhe uma chinelada certeira. Já que estava de pé, aproveitei para ir ao banheiro. Havia outro, enorme, perto do teto. Fui buscar o inseticida e joguei-lhe uma nuvem. Caiu no mesmo instante no chão e ali ficou se revirando. Na dúvida, pisei nele. Cometi, talvez, o erro de ceder à apreensão e continuei soltando essas nuvenzinhas de inseticida por alguns outros lugares da casa. Agora estou longe do odor. Acho que perdi o sono. Acendi um cigarro. Não devia usar inseticida; o cheiro ficará por um bom tempo e me trará problemas respiratórios. O cigarro também." Mario Levrero, *O romance luminoso*, tradução: Antônio Xerxenesky.

É como se eles sentissem a mudança de frequência em minhas ondas mentais. Tento ser mais preciso.

Ela se agacha novamente e volta a procurar algo sob a cama. De soslaio, percebo que a figura escondida detrás do criado-mudo parece olhar fixamente pra mim.

Eu acho que é melhor eu ir. Digo isso porque me sinto confuso. Quando ela se levanta, seu rosto está desfigurado. O nariz muito perto da boca. Ela já não parece ninguém. Ninguém que eu conheça. Não parece nem ao menos um ser vivo. Então leio seu nome escrito numa das paredes. Escrito numa grafia grosseira. Ela puxa as cobertas e se deita na cama. Tento decifrar o que está tatuado em seu antebraço direito.

Eu preciso te contar uma história. Ela diz. Seu rosto não é mais humano. Eu estava na casa de uma mulher. Ela estava aflita. Procurava algo e não encontrava. Olhava debaixo da cama. Estávamos em seu quarto. Vi na janela, no parapeito da janela, uma imagem de Buda. Ela diz.

Leio seus nomes nas paredes enquanto ela me conta essa história.

A Névoa.

A Neblina.

A Confusão.

XIV

Pompeu dá um gole lento e sedento.

Agora tem que cantar a musiquinha.

Tô me preparando.

A mosca parece uma criança feliz.

Pompeu pigarreia. E esvazia o copo. Olha para Mauro.

Vai, homem, serve outra dose pra gente.

Pompeu os serve. E então, sem graça, começa a cantar.
É fantástico, o pinto de plástico, buceta de elástico, o cu da vida.
O torto gargalha como nunca. Gargalha, tosse e cospe.
É isso! Ele diz entre os espasmos.
Mauro não consegue parar de rir.
E nós, aquelas crianças, fazíamos o sobrenatural se manifestar. Pompeu se recompõe.

Fala do menino que pegava no seu pau e da menina que deixava vocês encoxarem o rabo dela. Muito entusiasmado, o torto gesticulava freneticamente.

Tem isso, mas vou voltar à gótica. Ou não termino essa história. Na verdade, o que você me pediu foi só o conselho que meu pai me deu. Eu podia ir direto ao assunto.

Nada disso, nada disso, mas de jeito nenhum!

Bom, o domingo me torturava. Me deprimia profundamente.

Não te deprime mais?

Não da mesma forma e nem com a mesma frequência. Só às vezes ainda me atinge. Mas é isso, num domingo, estava com meus amigos naquela rua.

Você não foi ao clube nesse domingo?

Não, eu já estava na adolescência. Nessa época deixei de ir. Acho que nem os meus irmãos iam mais. Acho que, quando completei quinze anos, deixei de ir. E meus pais já não se importavam. Pompeu vira mais uma dose. Posso pegar mais um gole?

Claro.

Pompeu completa o copo.

Quando tinha uns quinze anos, na época que os meninos se mataram, um pouco antes talvez, eu deixei de ir ao clube. Ficava com os meus amigos do bairro. Eu morava num bairro bem desigual socialmente. Já te falei sobre isso. Eu morava entre a favela e as mansões. E tinha amigos nos dois extremos. Para os favelados eu era filhinho de papai. Para os ricos eu era favelado.

Sensacional, sensacional! E como chama a rua, como chama a rua onde você viu a gótica pela primeira vez?

Hoje, acho que chama Laplace. Laplace, esquina com a Palmares. Campo Belo, ou Brooklin Velho. Mas, se não me engano, chamava Martim Francisco. Não tenho certeza. De verdade. Tenho dificuldade com nomes. É incrível como as lembranças se apagam.

Às vezes não se apagam, mas sempre mudam. Como cantou John Cage, no que é pra mim sua melhor obra, *Indeterminacy*. Citando, se não me engano, Willem de Kooning. Ele diz algo que teriam perguntado a Kooning. Alguém lhe perguntou quais artistas do passado o teriam influenciado. Sua resposta pode parecer extremamente arrogante, mas há uma sabedoria profunda. Ele teria dito: "O passado nunca me influenciou, eu influencio o passado".[20]

20

"Há duas teorias do tempo. Uma delas, acho que a adotada por quase todos nós, vê o tempo como um rio. Um rio que flui desde o início até nós. Depois temos a outra, a do metafísico James Bradley, inglês. Bradley diz que acontece o oposto: que o tempo flui do futuro para o presente. Que aquele momento no qual o futuro se torna passado é o momento que chamamos presente." Jorge Luis Borges, "O tempo", em *Borges, oral & Sete noites*, tradução: Heloisa Jahn. Gosto da definição de Boécio (Anicius Manlius Torquatus Severinus Boethius), citada por santo Tomás de Aquino em *Suma teológica I*, questão 10, artigo 2, "Sobre a eternidade de Deus": "O agora que flui faz o tempo; o agora que permanece faz a eternidade". Ao que Tomás de Aquino rebate: *"Deus é o autor da eternidade.*

É. Realmente faz sentido. Eu devia me desprender disso tudo, não é mesmo? Por que essas coisas ainda me afetam tanto? Você está tentando, está tentando. Mosca. De qualquer forma... Mauro se empolga. Só pra concluir, porque música é a minha religião, e estou falando de algumas obras que não só me encheram de graça e inspiração mas, além disso, me educaram. Me instruíram. E falo, apesar de um pequeno adendo que é preciso ser feito, porque *Indeterminacy*[21] é um disco ma-

---

Logo Deus não é eterno. Ainda mais, o que é anterior e posterior à eternidade não pode ser medido pela eternidade. E Deus é anterior e posterior à eternidade" (em livre tradução).

21

Indeterminacy (1959). No encarte do CD duplo *John Cage: Reading/ David Tudor: Music: Indeterminacy, Then and Now: 1992*, Richard Kostelanetz diz: "A ideia por trás da *Indeterminacy* era, como muitas ideias 'cageanas' [*Cagean ideas*], essencialmente simples, embora audaciosamente original". No seu livro *Silêncio*, de 1961, o próprio Cage discorre sobre o processo de *Indeterminacy*. Transcrevo aqui, de forma muito abreviada, algumas de suas observações com tradução de Beatriz Bastos e Ismar Tirelli Neto: "Na apresentação oral da palestra, conto uma história por minuto. Se é uma história curta, preciso ralentá-la; quando chego a uma longa, preciso falar o mais rápido que consigo [...] Desde a gravação, continuo a escrever histórias tal como elas se apresentam a mim, de modo que o número, neste momento, chega a mais de noventa". Ilustro com duas dessas pequenas histórias: "No concurso de poesia na China mediante o qual foi escolhido o Sexto Patriarca do Zen-Budismo, havia dois poemas. Um dizia: 'A mente é como um espelho. Ela junta poeira. O problema é remover a poeira'. O outro poema, o vencedor, era, na

ravilhoso. Ele vai contando histórias significativas da vida de Cage, pontuadas por músicas, ou interferências sonoras criadas na hora. Devemos fazer um paralelo com a obra-prima de Atahualpa Yupanqui, *El payador perseguido*.[22] Embora não seja casual nem sequer indeterminado. Nesse trabalho de Atahualpa, ele também vai entremeando sua história com as músicas. A única ressalva que preciso fazer é que, para mim, esse trabalho de Cage não existiria se antes Harry Partch não nos tivesse dado sua brilhante música amarga. O sensacional *speech-music*, que tece a esplendorosa *Bitter Music* composta em 1935. Um trabalho majestoso igualmente feito a partir de seu diário. Uma autobiografia, ao menos uma autobiografia de um período de sua existência. Perdoe essa minha digressão, talvez ela possa parecer muito sem sentido no momento. Mas isso é muito importante pra mim. Além disso, e talvez ainda mais importante, sobre as autobiografias, ou registros

---

realidade, uma resposta ao primeiro. Ele dizia: 'Onde está o espelho e onde está a poeira?'". "Em uma manhã de primavera bati à porta de Sonya Sekula. Ela vivia do outro lado do corredor. Nesse momento, a porta abriu-se um pouco e ela disse rapidamente: 'Sei que você está muito ocupado; não vou lhe ocupar nem um minuto'."

22

Para esclarecer melhor a relação que faço entre *Indeterminacy* e *El payador perseguido*, uso aqui uma nota de rodapé da tradutora Heloisa Jahn para o termo *payador* em *O Martín Fierro, para as seis cordas & Evaristo Carriego*, de Jorge Luis Borges: "No campo argentino, *payador* é um cantor popular que improvisa sobre os mais diversos temas, acompanhando-se ao violão; cantador repentista".

de passagem, não posso deixar de citar o maravilhoso livro de William Burroughs, *My Education*, talvez a autobiografia mais original que se tenha feito. Porque nessa obra Burroughs conta a sua história não a partir do estado de vigília, e sim de seus sonhos. Ele conta sua vida onírica. Relata, em ordem cronológica, os sonhos marcantes que teve. Me desculpe, de verdade. Mosca. Às vezes eu me perco em minhas paixões.[23] Por favor, continue a contar essa deliciosa história.

Onde eu estava mesmo?

Num domingo de 1982. Com seus amigos na rua das mansões.

Isso, isso mesmo. Nós estávamos lá e começava a anoitecer. Pompeu parece ver o que narra. Estava aquele lusco-fusco. Quando ela surgiu.

Diz o que fazia lá com seus amigos naquele triste domingo.

Nós cheirávamos benzina e explodíamos umas bombinhas gigantes.

Gargalhada descomunal. E aí? E aí?

A depressão já me atingia com força.

Fala o apelido dos seus amigos. Novamente Mauro, o Torto, o interrompe.

Tava eu, o Teta, o Múmia, o Cabeção e o Lombriga.

O torto quase sufoca de tanto rir. E o seu apelido? Fala o seu apelido!

Penca.

23

Muitos anos depois, fui apresentado por meu querido irmão Carlos Jeucken ao trabalho surreal de Dion McGregor. *The Dream World of Dion McGregor* foi lançado pela Decca Records em 1964. McGregor falava enquanto dormia e o disco reúne parte dessa experiência.

Ele dá tapas fortes nas coxas. E espuma. Seu rosto fica roxo. O riso é tão alto que Pompeu quase tapa os ouvidos.

Vai, Penca! Fala, Penca!

Então ela surgiu.

Maravilhosa! A vida é maravilhosa, não é?

Eu a vi de longe. Bem longe.

Lindo, lindo!

Vi ela surgir. Os olhos de Pompeu se enchem de domingo. A velha tristeza o atinge.

De onde ela vinha?

Eu a vi surgir a minha direita. Lá longe. Bem longe. Ela roubou minha atenção desde que era quase só um ponto no horizonte. Longe, longe.

Como ela estava vestida? Como ela estava vestida?

De preto. Ou azul-escuro.

Preto. Era preto!

É possível.

Que outra cor poderia ser? Não é mesmo?

De fato, é bastante simbólico.

Fala da roupa, fala a roupa toda.

Ela estava toda de preto. Camiseta preta, sem estampa. Uma jaqueta leve e uma calça extremamente justa.

E aí? E aí?

Aí, quando ela se aproximou, eu disse pra quem estava ao meu lado, não tenho certeza se era o Cabeção ou o Teta, apontei pra ela e disse: "Eu quero".

Hahahahahah, eu quero! Eu quero!

Tirando um ou outro brinquedo que tive na infância, eu nunca tinha desejado nada até então. Não dessa forma.

E aí?

Aí eu quase a absorvi de tanto que olhei pra ela.

Seus olhos ainda brilham quando conta! Puta que pariu,

isso foi há trinta e nove anos! Trinta e nove anos e seus olhos ainda brilham!

Não sei se ainda brilham. Mas tudo ainda dói.

Maravilhosa a vida, puta que pariu!

Eu estava lá. Apesar de toda a benzina que enevoava meu cérebro. Eu fiquei vendo ela passar e, quando se afastou, segui seu caminho pra ver aonde ela ia. Ela acabou entrando na casa de uma garota que, embora eu não conhecesse, eu sabia quem era. Tinha outro amigo, o Zoião, que pegava essa garota de vez em quando. Ela se chamava Sondra.

A gótica?

Não, a amiga.

Continua, continua.

Sério mesmo que você quer que eu conte de novo essa história? Pompeu cobre o rosto. Visivelmente abalado. Tocado.

Vai, não perde o fio. Vamos, vamos!

Bom, eu armei um jeito de me aproximar da Sondra. Ela estudava no mesmo colégio. E descobri que ela ia de ônibus. Na época eu tinha um Passat. Tinha feito dezoito anos há pouco tempo e meu pai me deu um Passat velho. Eu ia de carro. Descobri a hora em que ela pegava o ônibus e então um dia parei o carro no ponto. Ela estava sozinha e eu perguntei se ela não era a namorada do Zoião. Me apresentei e ofereci carona. Ela disse que lembrava de mim. De vista. A partir daí eu dei carona a ela todos os dias. Fui ficando amigo. Até que um dia ela me apresentou pra gótica. Foi isso.

E como chamava a gótica? Você nunca me falou.

Não quero falar o nome dela.[24]

24

"O nome pelo qual se fazia passar quando a conheci era Helen

Então não diga. Não importa. É só um nome. E aí vocês namoraram?

Namoramos. Na verdade, fizemos um acordo. Porque ela gostava de um cara. Mas ele não dava bola pra ela. Então ela aceitou namorar comigo enquanto o sujeito não a quisesse.

E você aceitou.

Claro. Eu aceitei.

E quanto tempo vocês namoraram, ou viveram em acordo?

Três anos e meio.

Caramba! Não lembrava que tinha sido tanto tempo.

Pois é.

E por que terminaram? O cara a quis?

Não. Não que eu saiba. Terminamos porque ela quis terminar. Foi feio. Nos machucamos um bocado.

E o que foi que o seu pai falou?

Quando ele a conheceu, acho que foi depois da primeira vez em que foi na casa dela, um dia ele entrou no meu quarto... eu estava fazendo algo de pé, não lembro o quê. Ele se sentou numa das camas e disse pra que eu me sentasse. Eu sentei e acho que foi o primeiro conselho que meu pai me deu na vida.

Conta, conta o que ele te aconselhou.

Ele disse: "Filho, um homem tem duas chances de ficar rico na vida. Uma é quando nasce, e essa você já perdeu, a outra é quando casa". Aí ele agarrou meus ombros, me sacudiu, e disse: "Pelo amor de deus, não me perde essa!".

Vaughan, mas não poderia dizer qual é seu verdadeiro nome. Não creio que tivesse um nome. Não, não nesse sentido, não. Só os seres humanos têm nome." Arthur Machen, *The Great God Pan* (em livre tradução).

Maravilhoso! Maravilhoso!

Porque, coitado do meu pai, pra nós ela era rica. Para nosso padrão.

Sensacional.

Eu preciso ir.

Que nada! Que nada! Vai me deixar sem o filé? Pode ir contando sobre as torturas sexuais que a gótica fazia.

Isso não dá pra eu falar agora. Eu realmente preciso ir. E sei muito bem como você fica quando te conto essas histórias. Além disso, você queria saber sobre o conselho que meu pai me deu. E foi isso.

Então só fala dos outros conselhos. Os outros dois.

Bom, ele pediu para que eu nunca fizesse apologia das drogas. E o último conselho ele me deu quando eu estava morrendo.

Você?

O quê?

Você estava morrendo?

Ele. Ele estava morrendo.

Que foi?

Você conhece muito bem.

Não interessa se eu conheço ou não. Qual foi?

"Diminui a outra metade."

Isso mesmo, isso mesmo. E você diminuiu?

Uma vez ele me deu uma matéria que continha as piores gafes ou respostas compiladas em exames de universidades norte-americanas. Não lembro de todas, mas recordo as melhores. Uma dizia que as múmias eram habitantes do antigo Egito. Outra: quando pediram para relacionar seis animais árticos, o sujeito respondeu: "Três ursos e três pinguins". E a que faz sentido como último conselho dado por meu pai, ao perguntarem as cores da bandeira francesa, um jovem disse que ela era metade azul, metade branca e metade vermelha. Nesse sentido, eu diminuí uma das três metades.

Isso me lembra da porra do paradoxo de Zenão de Eleia.[25] O paradoxo da dicotomia. Era do cigarro, né? Era disso que ele falava?

É. Minha mãe perguntou se eu estava fumando muito. Eu disse que não. Disse que estava fumando metade do que fumava antes. Meu pai tomou fôlego e disse isso com muita dificuldade. "Diminui a outra metade." Logo depois aplicaram a injeção de morfina.

Eu acho que não existem pinguins no Ártico. Diz o torto.

Na verdade, eu nem sei se acredito que o Ártico exista. Retruca Pompeu.

Mauro, o Torto, entrega a caixa laqueada a Pompeu.

Na tampa, um belíssimo desenho pintado à mão.

Sete veados fogem de um javali.

As árvores representadas são desproporcionalmente pequenas.

Abre. Mauro ordena.

Pompeu abre. Tem um bloco de dinheiro preso por um elástico.

25

"Em outras palavras, para serem duas, as coisas devem ser três, e para serem três, devem ser cinco, e assim por diante. [...] Consequentemente, o objetivo nunca pode ser alcançado." *Enciclopédia britânica*. Ganhei de presente de minha querida amiga Regina Junqueira Agnelli a edição impressa da *Encyclopædia Britannica* (William Benton, 1964). Regina se faz personagem neste livro. Ela é a Rê, Regina e a Rainha.

Pode contar. Tem quatro mil, quinhentos e vinte e quatro reais.

Pompeu não conta.

Apenas chacoalha o bolo como que agradecendo e guarda no bolso do blazer.

Lembrei mais um conselho do meu pai. "Negue, negue até a morte."

Seu pai era a porra de um sábio.

Eu odeio a minha história.

Odeia nada.

Ok. Eu odeio ter vivido a minha história. Dito isso, Pompeu vai embora.

XV

Pompeu destranca a porta e entra.

Aciona o interruptor, mas a luz não acende.

Liga a lanterna do celular.

Abre a segunda gaveta do armário da cozinha. Só há um toco de vela.

Acende.

Corre ao banheiro.

Está apertado. Precisa mijar.

De tão afobado acaba mijando no próprio joelho.

Encharca a calça.

Depois corrige o jato em direção à privada.

Quando atravessa a sala pra voltar à cozinha

sente uma presença no sofá.

Ao dirigir a chama

vê três crianças sentadas.

Elas riem.

Elas aparentam ter entre sete e nove anos.

Há algo errado com elas.
Parecem cobertas de lama.
Pompeu aproxima a vela.
Então consegue ver que não são crianças.
É um monte de sapos.
Amontoados.
Cada monte tem a forma de uma criança.
No que seria a boca, cada qual tem uma dentadura.
O resto é sapo.

2

Ele me fez

rir em inúmeras

cabeças

I

Pompeu está recolhendo as roupas no varal quando o interfone toca.
Fala, Ramalho.
Sua mãe está subindo.
Eita! Valeu.
Pompeu destranca a porta e espera.
Ele sempre faz isso quando ela vem.
Na tentativa de disfarçar a aldrava.
Um demônio é o convite para entrar.
Sua mãe se considera muito religiosa.[26]
Implica com a forma como o filho simpatiza com as coisas infernais.
Desce do elevador no sentido errado.
Sempre faz isso.
Sempre erra o sentido.
Ao se virar e avistar Pompeu, diz:
Você está com a boca torta?
Boa tarde, mãe.
Vai deixar a barba?
Não. Só não fiz a barba hoje.
Essa barba não é de hoje.
Pompeu beija o rosto da mãe.

26

"E tudo isso conseguem fazer os demônios por sua própria natureza, com a permissão de Deus." Heinrich Kramer e James Sprenger, *O martelo das feiticeiras. Malleus Maleficarum*, capítulo IV: "Como as bruxas copulam com os demônios conhecidos como íncubos".

Entra.
A mãe entra analisando a bagunça.
A Dalva não veio esta semana?
Ela tem vindo a cada quinze dias.
E você não podia tirar o pó e dar uma varrida?
Eu tenho trabalhado muito.
Quanto tempo você precisa pra varrer um apartamento desse tamanho?
Quer café?
Quero.
Ela o acompanha à cozinha.
Começa a lavar a cafeteira e percebe a sujeira do fogão.
Quando sabe que a mãe vai aparecer, faz uma faxina.
Ela veio de surpresa dessa vez.
Teu irmão tem te amolado?
Não, até que ele está tranquilo esta semana.
Eu vou internar ele de novo.
Pode ser bom. Eu acho que não tem mais jeito mesmo. E ele tem andado muito agressivo.
Não dá. Eu fiquei muito magoada com ele. Ele ficou gritando e me chamando de louca. No meio da rua, na frente dos vizinhos.
Eu me preocupo com isso. E ele está cada vez mais agressivo.
Eu quero internar ele pra sempre.
Você sabe que eu sempre fui contra, mas acho que realmente não tem mais jeito. Ele está cada vez pior. E ao menos comigo ele não era agressivo. Das últimas vezes ele foi muito agressivo. Eu me preocupo. Sei que com vocês ele pega mais pesado.
E você? Está trabalhando?
Tô com dois servicinhos aí.
Tá muito endividado?
Um pouquinho.

Toca o interfone.
Fala, Ramalho.
Sua mãe está subindo.

Tá esperando alguém?
Não estava.
E a Lu?
Tá bem.
Tá bem, ou do mesmo jeito?
Do mesmo jeito.
Batem na porta.
Pompeu abre.
É sua mãe.
Oi, mãe.
Vai deixar a barba?
Não. Vou fazer. Entra. Tô fazendo café.
Quando entra na cozinha, ela se desculpa.
Não sabia que estava acompanhado. Eu tentei te ligar, mas só dava caixa postal.
Acho que acabou minha bateria. Vocês se conhecem?
Elas se cumprimentam.
O interfone toca novamente.
Pompeu dá trinta reais para cada.

II

Pompeu atravessa o saguão que lhe dá calafrio.
Aperta o botãozinho redondo com o número 8 no centro.
Não há espelho nesse elevador.
Toca no 82.
Mauro demora a abrir.

Quando abre, nem olha em seu rosto.
Logo dá as costas e diz: Entra.
Ele está com os dentes.
Tudo bem com você? Pergunta Pompeu.
Mauro não responde.
Dois gatos passam correndo.
Assustados.
Os dois parecem ser o mesmo gato.
Quer café?
Seria bom. Um café é sempre bom.
Vou fazer.

Pompeu vai para a sala. Sabe que Mauro não gosta que ele fique na cozinha. Senta no sofá encardido. Olha a paisagem marinha.

O apartamento é mal iluminado.
As lâmpadas são amareladas.
Mauro volta trazendo a cafeteira e duas xícaras.
Você toma sem açúcar? Nunca lembro.
Pode ser sem.
Mauro dá um gole e acende um cigarro.
Não vai fumar?
Vou, vou, sim.
E então?
Eu a vi.
Viu? Onde?
Num café.
Onde?
Na rua Cotoxó, 110, na Pompeia.
O que ela fazia?
Lia um livro.
Qual livro?
Não consegui ver o título.
Como, não conseguiu?

Não consegui.
Mas que livro seria?
Não faço ideia.
Que descuido.
Não, não é descuido. Eu não enxergo bem de longe.
E você estava longe?
Não. Mas também não estava perto o suficiente pra conseguir ler o título.
E como ela estava?
Parecia um pouco preocupada.
Preocupada? Com quê?
Não sei. Parecia um pouco aflita. Talvez tivesse algum compromisso, porque de vez em quando olhava as horas.
Ela usa relógio?
Sim. Um reloginho bonito. Prateado.
De pulso?
É. Naturalmente.
E como ela estava?
Linda. Mas tão linda. Às vezes até dói olhar pra ela.
Dói?
De tão linda. E ela dança. O tempo todo.
Dança? Ela dançava enquanto lia? Enquanto tomava café?
Ela dança o tempo todo.
E como estava vestida?
Ela usava um casaco branco. Impermeável.
Estava frio?
Tinha esfriado. E estava garoando fininho.
E o que mais ela vestia?
Uma saia.
Curta?
Não. Não era curta.
E o que calçava?
Uma bota. Uma bota de cano curto. E meia-calça.

E estava linda?
De doer. É tão gostoso olhar pra ela. Não cansa, sabe?
Sei.
Pompeu dá o último gole da xícara. Um rosto se forma com a borra.
Fala das mãos.
Tão lindas. Os dedos longos.
Ela estava alta?
Ah... mais de dois metros.
Meu deus.
Linda, linda, linda.

III

Pompeu acorda com o coração
disparado.
O travesseiro empapado de suor.
Há algo deitado a seu lado.
Por isso não acende o abajur.
Vai para a sala.
Anda feito um cego.
Confere a hora.
Três e trinta e três.
Apanha o dicionário na estante.
Não consegue dormir?
Que susto.
Desculpa.
Eu acordei com o coração disparado.
Tá preocupado?
É, mais ou menos.
O que quer no dicionário?

Tava em dúvida de como se escreve uma palavra. Às vezes tenho isso. Às vezes não lembro.

Que palavra não está lembrando?

Não é que não lembre a palavra, fico em dúvida da grafia, sabe?

E que palavra é?

Tenho vergonha de dizer.

Vergonha?

É. Agora que me certifiquei. Era tão óbvio.

Que palavra era?

Deixa pra lá. Mas olha que coisa interessante. Enquanto procurava, me deparei com "energúmeno".

E?

Você sabe o significado de "energúmeno"?

Claro. É o mesmo que "imbecil".

Vou ler o *Aurélio* pra você:

> e·ner·gú·me·no
> (grego *energoúmenos*, particípio presente de *energéô*, estar em ação, sofrer uma ação sobrenatural)
> substantivo masculino.
> 1. [Antigo] Pessoa dominada pelo demônio. = POSSESSO
> 2. [Figurado] Pessoa que, dominada pela paixão, tem atitudes ou comportamentos excessivos.
> 3. [Figurado] Fanático intolerante.
> 4. [Pejorativo] Pessoa considerada ignorante ou muito básica. = BOÇAL.

Nossa! Pessoa dominada pelo demônio.

Interessante, não é?

Foi essa dúvida que o acordou?

Não, meu coração disparou. Devo ter sonhado algo ruim.

Não lembra o sonho?

É tão difícil eu recordar um sonho. Geralmente meus sonhos são tão cotidianos, corriqueiros, que quando acordo não tenho certeza se foi um sonho ou algo real.

Me fala a palavra?

Vou ler um dos significados, pode ser?

Opa, um joguinho. Diz.

Só um.

Tá bom.

Pompeu procura. "Pensar com insistência."

Insistir?

Não.

Pode dizer? Ficou em dúvida se era com "c" ou com "s"?

Minha dúvida foi exatamente essa, "c" ou "s", mas era outra palavra.

Alguém grita na rua.

Vá deitar, vou fumar um cigarro antes de voltar para a cama.

Sorteia uma palavra.

Como assim?

Folheia o dicionário e para num ponto. Diz a primeira palavra que vir.

Pompeu faz um movimento rápido. Uma palavra no canto superior esquerdo rouba sua atenção. Não é o primeiro verbete da página, é o segundo. "Distrato."

Leia o significado.

"Ato de distratar; rescisão ou anulação de contrato."

Pompeu estende o dicionário. Sua vez.

IV

Porque são sempre três, entende? O homem está sentado todo torto numa imensa poltrona de couro preto. Fuma um enorme charuto. Há um generoso copo de uísque ao lado de uma caixa laqueada. Faz a mosca. Esfrega as mãozinhas.

Eram três.

O primeiro é como se fosse a pessoa. Certo?

Certo.

Então, depois de um tempo, entra o segundo. Que é, podemos dizer, o outro.

Certo.

Enfim, chega o terceiro. Que é o mentiroso.[27]

Entendi.

Outra coisa importante: você deve contar sua história sempre a três pessoas diferentes.

Por quê?

É um conselho. Agora me diz, encontrou alguém pra mim?

Ainda não. Às vezes é assim, leva um tempo.

Então vamos lá, me conta da primeira vez que sentiu o cheiro de uma buceta.

Cacete. Sério?

―

27

"Olhe, uma pessoa de meu conhecimento dividia os seres em três categorias: os que preferem não ter nada a esconder a serem obrigados a mentir; os que preferem mentir a não ter nada a esconder, e, finalmente, os que amam ao mesmo tempo a mentira e o segredo. Deixo à sua escolha a classificação que melhor me convém." Albert Camus, *A queda*, tradução: Valerie Rumjanek. Aos vinte e poucos anos me tornei ávido leitor de Camus. Há alguns anos, quando participei de um evento literário em Iguape, no Vale do Ribeira, meu amigo Reynaldo Damazio me levou para tomar umas num bar que Camus visitou. Em 1949, Oswald de Andrade levou Camus para conhecer Iguape.

É. Mas eu quero a história toda. Do jeito que me contou da primeira vez.

Puta merda.

Tem que começar com o seu tio piadista, depois a mulher gigante de Itapevi, os marimbondos e, por fim, a buceta perfumada. O torto gargalha até ficar roxo.

Sério que você quer que eu volte àquele lugar?

Mas é claro. E eu quero com todos os detalhes.

Puxa, eu fico tão mal de lembrar daquele lugar.

Vai, começa com uma das piadas do titio.

O homenzinho vestido de branco entra no gabinete trazendo o balde de gelo. Coloca sobre a mesa de ébano. Depois sussurra algo no ouvido de Mauro e deixa a sala.

Pompeu joga duas *perdas* no copo e despeja o uísque.

Vamos lá, saúde.

Saúde. Pompeu levanta o copo em direção a Mauro.

Sabe, na verdade eu não tenho certeza se eram vespas ou marimbondos. Também não sei a diferença entre vespa e marimbondo. Nem sei se há alguma diferença ou se é só uma forma diferente de falar da mesma coisa.

Isso não importa. Vamos, conta uma piada do titio.

A avó leva o menino ao zoológico. Quando chegam na jaula do leão, ele está montando na leoa. O netinho pergunta pra avó: "Vovó, o que o leão tá fazendo?". A avó responde: "Ah! É que o leão machucou a patinha e a leoa está ajudando ele a se levantar". Então o garoto diz: "Bem que o vovô falou que quem ajuda os outros sempre toma no cu".

Chuva de perdigotos.

Discretamente, Pompeu seca um pouco do cuspe que voou no seu rosto. No canto de sua boca. Parece que Mauro vai morrer de tão roxo. O corpo todo convulsiona. Ele estapeia as próprias coxas.

É a vida, caralho! É a vida! Porra! Isso não é piada, é filosofia. Maravilhosa. Caralho, a vida é maravilhosa. Vai, Pompeu, fala do seu tio.

Tinha esse que nos contava as melhores piadas. Era um tio rico. Os únicos que tinham dinheiro em nossa família. Esse tio me odiava. Passou a me odiar.

Por quê? Por que acha isso?

Eu não acho. Eu tenho certeza.

Por quê?

Porque ele nunca entendeu que eu era criança. E ainda não sabia um monte de coisas. Nós fomos pra praia uma vez. Às vezes a gente ia passar o dia na praia.

Você e seu tio?

Não, eu e minha família. Meu pai, minha mãe e meus irmãos. Passávamos o dia na praia e depois voltávamos no fim da tarde. Os farofeiros, sabe? Era tão bom ir, mas horrível voltar. Naquela época não existia protetor solar. Só bronzeador. E minha pele sempre foi muito sensível. Você sabe que até hoje não consigo usar bermuda?

Como assim? Por que não consegue?

Porque sou muito branco. Igual a minha mãe. E, quando eu era criança e ia sair de bermuda, ela dizia: "Não vai sair assim. Com essas pernas brancas. Bota uma calça".

E por que ela dizia isso?

Porque eu tinha a pele igual à dela. Eu sempre fui muito mais parecido com minha mãe do que com meu pai. Ao menos fisicamente. E minha mãe tinha vergonha. Vergonha de si mesma.

Tá, mas e o titio?

Bom, eu dizia que tinha muita aflição da areia. E, quando voltávamos, minha pele estava incandescente e a areia arranhava. Só íamos tomar banho em casa. E eu me sentia muito desconfortável. Além disso, meu pai tinha um fusquinha 1959 e subir a serra com ele era um pesadelo. E éramos cinco na hora do banho. Um banheiro só, pra cinco pessoas. Isso, depois de tantas paradas pra esfriar o motor na subida da serra. Tinha uma fila hierárquica. Eu era o penúltimo a tomar banho. Você percebe como a minha cabeça vai se perdendo? Percebe como salto de um assunto pro outro? Mas eu sempre amarro no final. É quase um malabarismo mental. Uma coisa me leva a outra que me leva a outra... e assim vou indo. Mas acabo amarrando tudo no final. Talvez fosse mais fácil se eu pudesse inscrever tudo isso.

Eu gosto disso. Da forma como se perde.

Num desses passeios, quando eu brincava no mar, eu amo a água, um dia preciso falar sobre isso, eu vi meu tio no mar.

Ele não tinha ido com vocês?

Não. Eu estava brincando no mar e o vi mais no fundo. Ele ensinava um jovem a boiar. Tinha uma mulher com ele. E eu gritei o seu nome. Eu fiquei realmente muito feliz de encontrar com ele no mar. Por isso eu gritava e gritava o seu nome. E, quando ele ouviu e me avistou, em vez de cumprimentar, ele mergulhou. E eu percebi que ele tentava se esconder. Até que realmente o perdi de vista. Voltei para a areia muito triste e fui contar aos meus pais. Eu disse: "Eu vi o tio Moacyr, mas ele fingiu não me ver". Eles disseram que eu devia ter me confundido. Disseram que não devia ser ele. Então, voltei a avistar meu tio e apontei para que meus pais também o vissem.

E eles viram?

Viram. Só na volta, com a pele ardendo muito e a areia arranhando e me causando desconforto, é que fui entender. Eu não sabia o que era infidelidade. Eu era muito pequeno, não imaginava o que era ter outra família ou traição. Traição, até hoje discordo desse conceito, mas não importa. Na volta entendi por que meu tio se escondia. E a história no fim é até bonita. Porque ele manteve esse caso até a minha tia-avó morrer.

E quando ela morreu, dez anos depois, ele assumiu esse romance. E viveu com essa mulher, Ruth, até o fim da vida. Mas como fui eu, uma criança com seis ou sete anos, que de certa forma o desmascarou, ele passou a me odiar. Quando nos encontrávamos, ao me cumprimentar, ele apertava a minha mão até eu chorar. Mas, como estava acostumado a levar porrada, eu aguentava. Mesmo assim ele só soltava minha mão quando via uma lágrima escorrer de meus olhos. E, se eu chorava, ele dizia: "Ih! Mulherzinha". E meu pai ria. E ele me olhava feio, mas eu já tinha olhado nos olhos do Diabo.[28]

Foi isso que te fez lembrar a piada?

É, da primeira vez que te contei, começamos com a mulher gigante. Aí acabei chegando nas vespas ou marimbondos e ao fato da Sondra ter cuidado de mim. E isso me levou à piada.

Então vamos lá, quero tudo de novo. A história toda.

Tem uma coisa mais estranha nessa história. Como disse, no momento que o vi, ele ensinava um jovem, um jovem de uns dezesseis anos, a boiar. Só eu vi esse jovem. E Ruth não tinha filhos. Meus pais também não o viram. A memória é algo estranho mesmo. Pouco confiável.

E a piada?

Eu contei como aprendi a nadar? Foi outro tio que me ensinou. Esse tio, que se chamava Mauro, era um sujeito incrível.

28

"Dei as costas para ela, pisoteando a minha sombra contra a terra. Havia alguma coisa terrível em mim às vezes à noite eu via a coisa sorrindo para mim eu via através deles sorrindo para mim através dos rostos deles agora passou e eu estou doente." William Faulkner, *O som e a fúria*, tradução: Paulo Henriques Britto.

Ele ia para a parte mais funda da piscina. Então tínhamos que subir no trampolim menor, tinha dois. Então ele dizia: "Pronto?". E, quando estávamos prontos, nós pulávamos e ele ia nadando pra trás, devagar. E nós, desesperados, nos debatíamos feito cachorro e seguíamos em sua direção. Quando chegávamos no meio da piscina, certo de que já não afundaríamos, ele se afastava de vez. E nós nunca mais parávamos de nadar. Assim ele nos ensinou. Ensinou todas as crianças. É tão louco isso. Eu não consigo me lembrar do nome de quase nenhuma delas. Eu já disse que tenho muita dificuldade em guardar nomes, né? Bom, mas, como dizia, eram outros tempos. Era um mundo que não permitia a sensibilidade e eu era um menino muito sensível.

E, quando não podíamos ir na piscina, eu saía vagando pelo mato. O clube era no meio do nada. E o caseiro do clube sempre dizia para que tomássemos cuidado quando nos afastássemos do clube por causa dessa entidade. Ele sempre contava histórias assim. Sobre as criaturas que se escondiam por lá. Dizia que a mais sombria de todas era uma mulher de mais de dois metros de altura.

Então, Mauro era outro.

Aquilo ficou na minha cabeça. Aquela imagem de uma mulher gigante. Tem algumas questões, sabe? Eu não fazia ideia do que eram dois metros. Imaginei mesmo alguém muito maior. Uma gigante. E, além disso, eu tinha um olhar sombrio sobre tudo. Então, quando falaram sobre aquela mulher que andava por lá, eu imaginei algo muito mais assustador do que poderia ser. E disseram que ela não agia de forma humana. Era mais uma entidade ou coisa assim.

E por que você andava sozinho por lá?

Porque sempre foi assim. Eu só ficava com as outras crianças quando podíamos ir na piscina. Mas, naquele tempo, a gente tinha que fazer duas horas de digestão. Tinha uma história de que a boca entortava e a gente morria se entrássemos na água antes disso. E tinha os dias frios. Antigamente fazia mais frio. Então, eu andava pelo mato. Explorando. Procurando cobras, ou brincando com os bonequinhos que eu sempre carregava nos bolsos.

E você a viu?

Hoje, já não tenho certeza. Todo o meu passado agora é incerto. Irreal. As coisas mudaram. E, como dizia, na época tudo me impressionava imensamente. E eu distorcia tudo. Mas, de alguma forma, eu a vi. E eu tinha uma imaginação e tanto. Mesmo que não a tenha visto, eu a vi.

Como ela era?

Ela devia ter uns três metros de altura. Foi o que vi movido pelo medo. Era magra. Vestia umas roupas velhas. Uma saia longa e uma blusa com uns bordados que já estava puída e encardida.

Ela falou com você?

Não. Ela surgiu no meio do mato. Perto de uma casa onde eu quase sempre passava quando fazia minhas explorações. Era uma casa que estava sempre fechada, mas eu imaginava que morasse alguém ali. Porque tinha os cachorros[29] que às vezes

---

29

"Não há, sem dúvida, mitologia alguma que não tenha associado o cão — Anúbis, T'ian-k'uan, Cérbero, Xolotl, Garm etc. — à morte, aos infernos, ao mundo subterrâneo, aos impérios invisíveis regidos pelas divindades ctonianas ou selênicas." Jean Chevalier e Alain Gheerbrant, *Dicionário de símbolos*, tradução: Vera da Costa e Silva, Raul de Sá Barbosa, Angela Melim e Lúcia Melim.

Quando criança, a mãe de Pompeu foi atacada por um pastor-alemão. "Os homens fizeram os cães a sua imagem mais baixa...

me seguiam. Furiosos. Eu parava. Ficava imóvel. Porque eles vinham com tudo pra cima de mim quando me ouviam passar. E eu tinha aprendido que devia ficar parado. Era assustador, porque eles disparavam na minha direção. E, quando eu parava, eles me farejavam. O latido acalmava, depois que eles me cheiravam, e eles acabavam desistindo e voltando. Era quase uma espécie de pedágio. Era o preço para poder passar por lá.

E ela estava lá? Na casa?

Não. Ela apareceu um pouco depois que passei aquele ponto.

E o que aconteceu? O que ela fez?

Ela surgiu meio escondida de trás da mata e ficou me olhando. Quando percebeu que eu a tinha visto, ela se revelou por completo. E ficou me olhando. Seus olhos eram imensos. E ela me olhava de um jeito impressionante. Era difícil decifrar o olhar. Era como se estivesse desesperada e furiosa ao mesmo tempo.

E o que você fez?

Por um instante, tentei agir da forma como agia com os cachorros. Mas fui tomado por tamanho pavor, que de repente disparei desesperado. Corri, sem me dar conta. Desembestei pela mata.

Quantos anos você tinha?

No máximo dez, imagino. Hoje, acredito que devia ser

---

os cães mostram as piores características dos animais humanos. São aduladores, sujos, viciosos, servis, estão literalmente convulsionando pela necessidade de aprovação feito um homem religioso que adula ao Senhor." William S. Burroughs, *The Place of Dead Roads* (em livre tradução).

apenas uma mulher com problemas mentais. Na época imaginei algo mais sobrenatural.

E por que você andava sozinho? Se tinha medo?

Porque as outras crianças iam jogar futebol e eu detestava qualquer forma de esporte. E teve uma vez que fiquei apenas assistindo eles jogarem basquete. Eu fiquei assistindo debaixo do garrafão e a bola acertou um vespeiro. E o vespeiro caiu em mim. Caiu na minha cabeça. Eu levei treze picadas só no rosto. Mais umas vinte pelo corpo. Saí correndo e rolando para me livrar das ferroadas.

Sempre correndo.

Pois é. Concorda Pompeu.

Se fosse alérgico, teria morrido.

Não era, mesmo assim levei tanta picada que tive uma reação alérgica. Tive febre e tremores. E a febre me fez delirar um pouco. Mas tive uma sorte imensa também.

Sorte? Mauro ri. Eu adoro essa parte. Esfrega as mãozinhas.

É. Tinha uma garota linda que cuidou de mim. Acho que ela ficou com pena. Ela era mais velha, um pouco mais velha. Ela me deitou em seu colo. Ela vestia um short jeans muito curto. Deitou minha cabeça em sua coxa e ficou fazendo carinho no meu rosto. Sua pele era tão suave e morna. E fiquei deitado, eu falava sem parar por causa da febre. Falava coisas sem sentido. Mas sentia aquela pele deliciosa no meu rosto. Era o meu travesseiro. Foi incrível. O curioso é que o nome dela era o mesmo que o da minha mãe e da minha irmã.

Como chamam?

Sondra.

É um nome forte.

E tinha barba, a garota.

Você disse que ela era linda.

E era. Mesmo assim, tinha um problema de hormônios. E isso fazia com que ela tivesse uma vasta penugem no pescoço. Uma barba mesmo. Seus pais não deixavam que ela raspasse porque diziam que ia crescer mais barba e ainda mais grossa. Então ela descoloria. Passava água oxigenada. E ela era tão linda. Tão linda que a barba era só um detalhe incomum que a diferenciava de todas as outras garotas bonitas. A barba fazia dela alguém ainda mais especial.

E ela cuidou de você.

Cuidou. Eu e ela sempre conversávamos muito. Mas, naquele dia, ela me deu carinho. Físico. O que eu senti ali no colo dela foi mágico, eu diria. Suas pernas eram bronzeadas e macias. E eu fiquei lá por muito tempo. E foi quando senti o perfume de uma mulher pela primeira vez.

Caralho, Pompeu! Mauro gargalha. Que coisa mais cafona! O perfume de uma mulher! Por que não diz o cheiro de buceta de uma vez?

Pompeu ri.

O que foi?

Quase volto pra lá agora, só de lembrar.

E vocês chegaram a ficar juntos?

Você diz, sexualmente?

É. Vocês foderam?

Não. Esse momento foi o ápice de nossa intimidade.

E você ainda tem contato com ela?

Pompeu ri alto. Imagina. Eu não tenho contato nenhum com o meu passado.

Nenhum?

Talvez por isso tudo pareça tão irreal. Eu não tenho testemunhas ou cúmplices.

Você não tem contato com ninguém?

Ninguém. Pompeu ri.

Isso te deixa feliz?

Não. Não estou rindo de felicidade. Claro que é bom lembrar desse momento.

Já que está rindo, manda outra piada do seu tio.

Vamos lá, vou contar minha preferida. O padre estava arrumando umas coisas no altar da igreja. Era cedo. A igreja estava vazia. De repente entra um garoto. Um menino de uns onze, doze anos.

"Pois não, meu filho?" O padre pergunta.

"Sabe o que é, seu padre, é que meu pai saiu com a minha mãe ontem à tarde e só ficou eu e minha irmãzinha em casa. Aí, o senhor sabe como é, conversa vai conversa vem, conversa vai conversa vem, eu comi a minha irmã."

"Meu Jesus Cristo! Isso é um pecado terrível! Vá pra casa e reze cinquenta pai-nossos e cinquenta ave-marias."

No dia seguinte, logo cedo, o padre vê o menino entrando na igreja.

"O que foi, meu filho?"

"Ah, padre. Ontem meu pai saiu com a minha irmãzinha. Então, ficou só eu e minha mãe em casa. Aí, o senhor sabe como é, conversa vai conversa vem, conversa vai conversa vem, eu comi a minha mãe."

"Santa Bárbara! Isso não se pode fazer! É um pecado terrível! Vá pra casa e reze cem pai-nossos e cem ave-marias."

No dia seguinte, a mesma coisa. Logo cedo o menino entra na igreja.

"O que foi dessa vez?!"

"Ontem minha mãe saiu com a minha irmãzinha pra comprar um vestido pra ela. Então, ficou só eu e meu pai em casa. Aí, o senhor sabe como é, conversa vai conversa vem, conversa vai conversa vem, eu comi o meu pai."

"Puta que pariu! Vai pra casa e reza duzentos pai-nossos e duzentas ave-marias."

No dia seguinte, logo cedo, a mesma coisa. O menino aparece na igreja.

"O que foi dessa vez?!"

"Nada não, seu padre. É que saiu todo mundo em casa, aí eu vim bater um papinho com o senhor."

V

t5555555olllllllllllllllllllllllllllllllllllll34m
Minha gata escreveu isso enquanto fui pegar um café.[30]

VI

Sente o frio na espinha.
Aperta o 8.
Toca no 82.
Mauro demora a abrir.

Você toma com açúcar? Nunca lembro.
Pode ser sem.
E então?
Eu a vi.
Viu? Quando?
Ontem.

30
Minha gata Mentira morreu em 22 de junho de 2020.

Onde?

No parque.

Que parque?

Villa-Lobos. Na avenida Professor Fonseca Rodrigues. Ela estava com os filhos.

Filhos?

É. Muitos. Eles a chamavam de mãe.

Mãe?

É. Eles a chamavam assim, mãe. Numa voz metálica.

Puxa.

Muito metálica.

E como ela estava? Estava bonita?

Ela estava linda. Tão linda.

Alta?

Muito alta. Uns dois metros de altura. Acho que mais.

E os cabelos?

Escuros.

Pretos?

Você sabe que tenho muita dificuldade em diferenciar o azul do preto.

Seriam azuis?

Os olhos eram claros.

Bonita? Muito bonita?

Tão linda. Tão elegante. Tem algo tão doce e... não sei como dizer.

Diz...

É que parece que ela está sempre dançando, sabe?

Dançando?

É. Não dançando. Mas ela se move de uma maneira... Seus movimentos são tão... bonitos.

Como ela estava vestida?

Uma calça preta, ou azul... uma camiseta linda. Com

listras. Com certeza azul-clara. Eu só tenho dificuldade em distinguir quando o azul é escuro.

E as mãos? Como eram suas mãos dessa vez?

Puxa vida. Suas mãos eram tão lindas. E a forma como se moviam. Essa coisa da dança. Tudo nela, tudo naquele corpo, dança. Muito suavemente. Mas dança.

Pompeu ouve uma tosse que vem de um dos quartos.

Só uma coisa antes de eu ir. Mauro, o Angelito era seu ou meu tio?

Isso não faz diferença.

VII

Pompeu caminha abatido.

Começa a ver pelo chão uma trilha que parece sangue.[31]

Sente uma presença.

Quando olha para trás, um homem muito pequeno o aborda.

Pompeu fica surpreso com seu tamanho.

Não é um anão.

Apesar de muito pequeno ele tem os membros proporcionais.

Por favor, o senhor sabe onde fica essa rua? O homenzinho lhe entrega um pequeno papel dobrado em quatro.

31
"[...] cada espiga de milho, cada gota de sangue, fala a sua linguagem e segue o seu caminho. O archote, que ilumina o abismo, que o sela, é ele mesmo um abismo." Jacques Dupin, *Líquenes*, tradução: José Vieira de Lima.

Desculpa, não consigo entender a letra.
O homenzinho pega de volta e aperta os olhos pra ler.
Sondra Porfírio.
Sondra Porfírio?
Sondra Porfírio, isso mesmo.
Sondra Porfírio não é uma rua. É o nome da minha mãe.
Tem certeza?
Claro que tenho certeza.
Eu já estou perdido e agora vai ficar ainda mais complicado. Imagina?
O senhor deve estar enganado. Não sei por que diabos anotou o nome da minha mãe, mas deve ter se confundido. Esse não é o endereço que procura.
Todas as ruas agora terão o mesmo nome.
Como assim? Do que está falando?
Do nome das ruas.

Já são quase cinco horas.
O céu está claro.
Amanhece.
Pompeu se sente triste.
Miserável.
Há alguns meses, quando saiu, esqueceu sua camisa preferida.
Sarah começou a usar sua camisa.
Pegou para si.
Agora ele tomou de volta.[32]

—

32
"No entanto, se você vier a me esquecer por algum tempo
E depois se lembrar, não lamente;

*

Será que o metrô já abriu? Pompeu pergunta ao pequeno homem.

Imagino que sim. Não sei por que eles vão fazer isso.

Vão fazer o quê?

Vão mudar o nome das ruas. De todas as ruas.

Isso não faz sentido.

Aparentemente não. Parece que é um decreto de lei. Todas as ruas vão ter o mesmo nome.

Caramba! O mesmo nome?

É. Todas vão ter o mesmo nome. Aí é que eu não vou saber mesmo onde estou.

Me parece estúpido. Por que fazer isso?

Não sei.

Eu ouvi dizer que isso acontece com os mergulhadores. Dizem que chega uma hora que eles já não sabem se a superfície está pra cima ou pra baixo. Pompeu não sabe por que fala tal coisa.

Quem te disse isso?

Não me lembro. Eu preciso ir. Desculpe.

Ela deve ser uma mulher muito importante.

Quem?

Sua mãe.

―

Pois, se as trevas e a corrupção deixarem
Um vestígio dos pensamentos que eu tive um dia,
Será muito melhor que você esqueça e sorria
Do que se lembre e se entristeça."
Christina Rossetti, *Remember* (fragmento), tradução: Geni Hirata.

Por que você diz isso?

Porque todas as ruas vão chamar Sondra Porfírio.

Caralho! Desculpe, senhor, eu preciso mesmo ir. Me sinto exausto.

Ela deve ser uma mulher muito importante.

Quem? Que mulher?

Sua mãe.

É nada. Minha mãe é uma mulher comum. Deve ser alguma homônima.

Pode ser. De qualquer forma, aí sim vou ficar perdido.

Eles caminham.

Pompeu abotoa a camisa até o colarinho.

Boa noite.

Boa noite. É sempre noite em algum lugar.

VIII

Pompeu acorda quando ouve o soalho ranger.

Paralisa.

Escuta passos.

Alguém se aproxima.

Sente o movimento quando se acomoda a seu lado.

Pompeu sente o corpo gelar.

Mais alguém se aproxima.

Pode sentir a presença.

E outro.

As molas do colchão rangem.

Pompeu sente a presença de três pessoas.

Os três se sentam a seu redor.

Dá pra ouvir suas respirações.

Ouve eles rindo baixinho.

Sente cheiro de lama.

Pompeu é tomado de pânico.
Então, sente uma mãozinha pequena
úmida
acariciar sua cabeça.

IX

O homem está sentado em sua imensa poltrona de couro preto. Fuma um enorme charuto. Há um generoso copo de uísque ao lado de uma caixa laqueada. Faz a mosca. Esfrega as mãozinhas.
Mauro, posso te fazer uma pergunta?
Só depois de responder a minha.
Ok. Pompeu responde.
Ok... eu detesto essa expressão. Não gosto de anglicismos.
Desculpa. É hábito.
Pois o corrija.
Tá certo. Vou tentar corrigir.
Tá vendo?
O quê?
Você disse: "Tá certo".
Disse.
É isso.
Não entendi.
"Tá certo" é o mesmo que a expressão que tinha usado.
Ah... claro. Nem me dei conta.
Você a encontrou?
Ainda não. Venho dizendo que às vezes leva tempo.
Então, ao menos, vai me dar uma história em troca, certo?
Naturalmente.
Uma daquelas, né?
Que seja.

Pronto. Já fiz minha pergunta. Agora, manda a sua.

Você é um homem culto. Lido. Eu queria saber o que você acha sobre... como posso dizer? A verdade?[33]

Bom, se quer falar sobre a verdade, devemos ir ao cretense Epimênides.[34]

33

Numa palestra sobre La Verdad, realizada na Facultad Libre de Rosario, Santa Fe, Argentina, em 2016, Darío Sztajnszrajber disse: "Qual é o contrário da verdade? O contrário da verdade é a mentira? Não, o contrário da verdade é a aparência". Santo Tomás de Aquino pergunta, na *Suma teológica IV*, questão 110, "Os vícios opostos à verdade", artigo 2, "*É suficiente a divisão da mentira em oficiosa, jocosa e perniciosa?*". Sendo: "Jocosa a que se diz para divertir-se; oficiosa, por sua utilidade e perniciosa, com a intenção de causar dano", acrescenta que segundo santo Agostinho, em seu livro *Contra mendacium*, "enumera oito classes de mentira". Que seriam: "1. A mentira no ensino da religião; 2. A que não beneficia ninguém e prejudica alguém; 3. A que se aproveita de um prejudicando o outro; 4. Aquela em que se mente apenas pelo prazer de mentir e enganar; 5. Aquela que se diz pelo desejo de agradar; 6. Aquela que, sem prejudicar ninguém, aproveita alguém para garantir o seu patrimônio; 7. A que não faz mal a ninguém e se faz uso para livrar alguém da morte; 8. Aquela que não faz mal a ninguém e serve de defesa contra as impurezas do corpo". E no final conclui: "Quanto maior o bem na intenção da mentira, menor é a culpa". Tradução: Jesús Hernando Franco.

34

"Todos os cretenses são mentirosos." Epimênides era cretense, ou seja, o "paradoxo do mentiroso". Borges, em *Discussão*, diz:

Quer dizer, vou tentar ser mais claro.

Por favor.

Vamos dizer assim, alguns sábios nos dizem que a verdade deve ser dita. Que isso é sabedoria. Outros dizem que sabedoria é o silêncio. Deu pra entender?

O que eu sei sobre a verdade é que aquele que mente a conhece. Me entende?

Acho que sim.

É preciso conhecer a verdade para mentir. Não?

É... acho que sim.

Você quer saber se deve ou não contar isso que está te consumindo, não é?

É. Acho que é isso.

Bem, isso é muito simples. A única questão é: trazer isso à luz te prejudicaria?

Muito. Imagino que muito. Não só a mim.

Então, aí está a resposta.

Claro. Penso que talvez isso me libertasse.

Você acredita mesmo em liberdade?[35]

"Demócrito [de Abdera] jura que os abderitas são mentirosos; mas Demócrito é abderita; logo, Demócrito mente; logo, não é verdade que os abderitas são mentirosos; logo, Demócrito não mente; logo, é verdade que os abderitas são mentirosos; logo, Demócrito mente; logo...". Tradução: Josely Vianna Baptista.

35

Isso me lembra um texto de Gibran Khalil Gibran, *O louco*, que conclui com um pensamento que me impressionou muito quando o conheci: "E encontrei liberdade e segurança em minha loucura; a liberdade da solidão e a segurança de não ser compreendido, pois

Acredito na sensação de liberdade. Nesse caso acho que poderíamos chamar de alívio. Acho que é isso.

O torto ri baixinho. Consigo mesmo.

Por que ri?

Bobagem.

Fala? Eu gosto de bobagem.

Pega ali na estante o dicionário de filosofia do Nicola Abbagnano. Ali em cima, aquele grandão de lombada vermelha.

Pompeu se levanta e procura o livro entre as lombadas.

Ali, à esquerda.

Pompeu o encontra e entrega a Mauro.

Vamos lá. Mauro corre os verbetes. Muito bem. Aqui. Novamente sorri.

Agora é Pompeu quem esfrega as mãos.

Claro, claro.

O quê?

Ouça isso. Ri alto. "Uma coisa não é branca porque se afirma com verdade que é assim; mas se afirma com verdade que é assim porque é branca."

Pompeu coça o rosto com expressão de dor.

Mauro gargalha. Por que está fazendo essa cara? Doeu?

Não. Estou pensando.

Mauro gargalha projetando perdigotos na mesinha de ébano.

Eu não sei se entendo isso. Quer dizer, claro que entendo, mas não me ajuda.

---

aqueles que nos compreendem escravizam algo em nós". Tradução: Alexandre Boide.

Claro que não. Mauro segue lendo em silêncio.
Quem disse isso?
Aristóteles.
No fim, eu formulei mal minha pergunta.
Olha, aqui tem uma boa do Heidegger: "Insistiu também no fato de que cada descobrimento do ser, enquanto descobrimento parcial, é também uma ocultação dele"...
Isso é bom mesmo.
"O ser se esconde, enquanto se revela, ao ente. Desse modo, o ser iluminando o ente, o desencaminha no mesmo tempo para o erro."
Muito bom. Isso, sim, me ajuda muito.
É, no fundo grande parte do verbete é mais teológica do que outra coisa. Boa parte da verdade é, em si, relacionada à Verdade.
E no fundo, Mauro, eu realmente não me expressei bem.
Você está angustiado. Pelo visto, a questão que o corrói deve estar aqui noutro verbete. Mauro corre as páginas passando o indicador na língua. Acumulando um pouco de sua saliva espumosa e esbranquiçada.
Eu só não queria ferir ou enganar ninguém.
Voilà! Exclama Mauro ao encontrar o que buscava.
Ah, eu não posso dizer ok e você solta *voilà*.
Caramba! Mauro exclama enquanto lê.
O que foi?
Esse velho dicionário não vai poder te ajudar.
Por quê?
Eu procurei "remorso" e não há um verbete sobre isso. Então busquei "culpa" e o que traz aqui é apenas a culpa no sentido jurídico. Mauro continua a ler. É, meu amigo, a questão aqui é mais no sentido culposo ou doloso.
É, isso não me ajudaria muito.
Apenas aqui no final há uma observação de Jaspers que talvez possa servir. Ele coloca a culpa "entre as situações-limite

da existência humana, isto é, entre aquelas situações a que o homem não pode fugir".

Mas é isso, no fundo eu me expressei mal.

Conta pra mim. Me diz, o que te consome?

Na verdade, estou preso a questões morais. No fundo, das mais básicas.

Desembucha.

Deixa pra lá.

Deixo. Então, agora me conta uma das torturas sexuais da boa e velha gótica.

X

Você toma com açúcar?

Não. Sem.

Pode se sentar, eu vou fazer o café.

Pompeu se aproxima da estátua em fibra de vidro.

O palhaço é um pouco menor do que ele.

O palhaço ri com uma expressão triste.

Segura um copo na mão direita.

Na esquerda, um cigarro.

O copo é um copo de verdade.

Pequeno.

Um copo de uma dose.

Pompeu toca o rosto do palhaço.

A camada de gordura e pelo se desprende.

O palhaço ri com expressão triste.

Depois, se aproxima do cavalo branco do carrossel escorado à parede.

Igualmente feito de fibra de vidro.

Pompeu se acomoda no sofá.

O gato duplicado entra na sala, o encara e dispara assustado.[36]

Mauro volta trazendo café.

Vamos fumar? Você já pode?

Acho até que já passou. Pompeu olha no cronômetro. Putz, ainda faltam vinte minutos.

E então? Você a viu? Mauro pergunta enquanto acende seu cigarro.

Vi.

Onde?

No metrô.

Que linha?

Você sabe que eu não consigo guardar a cor das linhas.

Bom, isso não importa, em qual estação?

Consolação.

Consolação. E como ela estava?

Linda. Ela estava linda.

36

Sempre me incomodou demais um pássaro numa gaiola. Sempre considerei algo extremamente sádico e egoísta. Tive sete gatos em minha vida. Numa época tinha cinco gatos vivendo em meu apartamento. Um dia um amigo veio me visitar e, ao chegar e me ver cortando as unhas de um dos gatos, perguntou se eu gostava de gatos. Lhe disse que sim. Muito. Então ele perguntou: "E você corta suas unhas?". Respondi que sim. Ao ver as redes de proteção nas janelas, perguntou se eles nunca saíam, eu disse que não. Eles nunca saíam do apartamento. Aí ele perguntou se os gatos eram castrados e eu disse que sim. Que todos eram gatos adotados. E que fazia parte da adoção cuidar da castração. Então ele me disse: "E você diz que gosta de gatos?".

Como estava vestida?

Uma calça jeans.

Justa?

Justa? Não, eu diria, na medida. A calça tinha a barra um pouco larga e curta.

Hahahah. Mauro ri alto.

O que foi?

No meu tempo, a gente chamava de pula-brejo. Hahahah.

Pompeu ri. É verdade. No nosso tempo a gente usava essa expressão. Que incrível, eu não lembrava mais disso. Mas acho que esse modelo se chama pantalona.

A barra era larga? Digo, muito larga?

Não, não era muito larga.

Então, acho que esse modelo é pescador.

Pescador, pode ser. Por falar nisso, já te contei de quando eu me perdi na praia?

Ah, não. Desculpe, mas agora não quero ouvir suas histórias. Quero saber dela. Vai, continua.

Ela usava uma camiseta estampada.

O que se estampava? Mauro olha para o nada. Tenta visualizar.

Era um padrão floral. Ela estava sem sutiã.

Ahhhhh... meu deus.

E dava pra ver um pouco, sabe?

Dava pra ver? Os seios?

O formato dos seios.

O formato dos seios?

Dava pra ver o volume e o movimento, sabe?

Claro. Tudo se move.

Eles dançavam.

Os peitos?

Dançavam.

Jesus Cristo! Posso ver eles dançando agora. Meu deus,

meu deus. Como são os seios? Você nunca me falou, são grandes? Pequenos?

Eles caberiam, com exatidão, em suas mãos.

Meu deus! Há quanto tempo não sinto isso.

Um em cada mão. E ela dançava.

Dançava? No metrô?

Seus movimentos são sempre dança.

Mauro levanta com os olhos semicerrados, o cigarro no canto da boca. Parece tocar algo com as duas mãos. E, aí, começa a dançar.

Ela desceu na estação Sumaré.

Desceu? E você?

Eu a segui.

Mesmo?

Claro.

E aonde ela foi?

Ela andou um bocado. E eu a segui.

Fala mais dos seios dela.

São tão lindos. Parecem tão lindos. Eles dançam. Têm forma de pêssegos.

Jesus Cristo!

Tudo nela dança.

Engraçado. Agora, sempre a imagino dançando.

Pois é, tudo nela dança.

XI

Um jovem cheio de acnes está sentado à mesa.

O rapaz lê algo enquanto espreme um pouco de sebo de

uma das inúmeras espinhas.[37] Um pouco do líquido viscoso e amarelado voa na plaquinha posta em destaque do lado direito da mesa. Na plaquinha está escrito: "Recepção".

Bom dia, meu jovem. Eu recebi isso. Pompeu lhe entrega um papel.

O jovem o fuzila com o olhar.

Depois, praguejando, se levanta e começa a procurar algo num enorme fichário encostado na parede do fundo da sala.

Bufa até encontrar.

Retire uma senha ali no totem. Quando chamarem seu número, entregue esta ficha na sala 01.

Muito obrigado. Onde fica o totem?

O jovem finge não ouvir.

Pompeu vê o segurança e se dirige a ele.

Bom dia, meu amigo, onde fica o totem para retirar uma senha?

37

"A crueldade do pai foi o que mais influenciou a personalidade de Bukowski, seguida de perto pela acne desfiguradora que estourou quando tinha treze anos. Não eram simples marcas, mas uma pestilência de furúnculos 'do tamanho de maçãs', como dizia. Explodiram em toda a superfície e em cada centímetro da cabeça e parte superior do corpo: nas pálpebras, no nariz, atrás das orelhas, nos folículos pilosos da cabeça e até mesmo dentro da boca. [...] Foi levado ao reluzente Los Angeles County Hospital, no centro, onde seu problema foi diagnosticado como *acne vulgaris*, a pior já vista pelos médicos, quase um caso raro. [...] Eles tinham vergonha do filho. Sentiam repulsa." Howard Sounes, *Charles Bukowski: vida e loucuras de um velho safado*, tradução: Tatiana Antunes.

O segurança aponta com a cabeça.
Pompeu aperta o botão.
717.

Olha para a tela esperando seu número ser chamado. O placar pisca 79N. Um homem sorridente se aproxima e gesticulando, feito um mímico, pergunta se pode sentar a seu lado. Pompeu assente na mesma linguagem. O homem se acomoda no banco. Muito perto. Sua coxa roça a coxa de Pompeu.

Foi intimado também? O mímico fala.

É, pois é.

Sabe quem foi?

Quem foi?

É, que te denunciou.

Não. Não faço ideia. Quer dizer, só me vem uma pessoa à mente.

Ah! Eu sei muito bem quem foi que me caguetou.

Acho que é melhor assim.

Claro que é. Eles perguntam, sabia?

Perguntam?

É. Perguntam: "Quem te deu?".

Quem te deu?

É. É assim que perguntam. Quem te deu? E, se você souber a resposta, é como se ganhasse um ponto, entende?

Entendi. Eu estou um tanto preocupado com isso.

Não é para menos.

Não, né?

Claro que não. Dependendo de como se sair, pode passar o resto da vida atrás das grades. Vendo o sol nascer quadrado, como se dizia antigamente.

Puxa, não quero nem pensar numa coisa dessas.

Você tem um bom advogado?

Que nada. Nem tenho recursos para isso.

Peça para se defender. Você mesmo.

Acho que vai ser o jeito. Mas isso não ajuda muito. Eu não conheço as leis, não sei quem me denunciou e nem por quê. E fica difícil quando não falamos a língua deles. Não conhecemos as expressões adequadas. Fica muito difícil. Pompeu tenta ler o número impresso no papel do colega.

245.

Você chegou depois de mim e seu número é menor do que o meu. Pompeu mostra seu número.

Você não apertou "prioritário"?

Não. Eu ainda não tenho sessenta. Faltam poucos anos, mas...

Eu também não tenho. Mas, quando me chamarem, eu digo que me confundi. E aí já estarei lá. Geralmente funciona.

O painel pisca e anuncia 245.

Eita! Olha lá, minha vez. Boa sorte, meu amigo.

Boa sorte para você também.

O homem aperta sua mão. Com muita força e vai.

Pompeu tenta ler os lábios da moça que fala enquanto cozinha no programa de TV. O aparelho está sem som.

Ela monta uma torta bonita. Pompeu nunca fez uma torta.

Pompeu olha para as pessoas sentadas nos assentos sob a placa que informa: "Primeira triagem".

Há uma moça muito bonita entre elas. Parece muito vulnerável e aflita. Seus cabelos lembram o cabelo dos anjos. Um gosto amargo toma sua boca. Pompeu baixa a cabeça.

O funcionário folheia um grande caderno de capa preta.

Com licença? Pompeu se aproxima com a senha em mãos.

O funcionário procura algo no caderno.

De repente, ele vira o caderno em direção a Pompeu.

Você se reconhece aqui? Pergunta mostrando uma velha foto.

Bom, embora a foto seja um tanto desfocada e escura, eu me vejo aí, sim.

Reconhece esta mulher? Outra foto algumas páginas depois.

Sem sombra de dúvida.

Sabe onde ela se encontra agora?

Ela morreu. Já faz um tempo.

Quanto tempo?

Puxa vida... eu diria cinco ou seis anos.

Qual o seu grau de parentesco com ela?

Parentesco? Nenhum.

O que ela representava pra você?

Nossa! Tantas coisas.

O que ela representa pra você agora?

Caramba! É difícil dizer. Além de uma perda imensa. Pode parecer estranho, mas agora parece que ela nunca existiu. Consegue entender? Eu lido com a perda dessa forma. De alguma maneira eu apago o que perdi. Apago o que veio antes.

Você quer dizer, nada?

Oi?

Você quer dizer que hoje ela não representa nada?

Não posso dizer que ela não represente nada. Mas ela não representa mais o que representou um dia.

Eu preciso preencher o formulário e você me ajudaria muito se fosse mais preciso e sintético.

Bom...

Entre tudo e nada, como você a classificaria?

Hoje, né?

O jovem não responde. O fuzila com o olhar.

Pode pôr "nada", então.

O funcionário anota na ficha.

Ela tem alguma coisa a ver com o caso?

Diga seu nome completo.

Meu nome ou o nome que me foi dado?

O nome que consta em seus documentos.

Pompeu, Pompeu Porfírio Júnior.[38]

O que você faz?

Como assim?

Quer que repita?

Pompeu parece confuso. Demora a responder.

Profissão?

Sou um arqueiro.

Quem te deu?

Eu não sei.

Quem te deu?

Você quer saber quem me denunciou e, como já disse, eu não sei.

Quem te deu?

Eu não faço a menor ideia.

O funcionário lhe entrega o formulário e o grande caderno negro.

Você sabe como funciona, não é mesmo?

Olha, para ser sincero, é minha primeira vez aqui.

38

"Ó tu, cujo nome não ouso escrever sobre essa página que torna sagrado o crime, sei que teu perdão foi imenso como o universo. Mas eu ainda existo." Conde de Lautréamont, *Os cantos de Maldoror*, tradução: Claudio Willer.

O funcionário coça o ouvido de maneira nada sutil. Mete o mindinho fundo na orelha. Irritado.

São duas etapas. A primeira é a seguinte: quando chamarem seu nome, você deve entrar naquela porta ali. Lá é a antessala e o senhor deve esperar até que o liberem. O senhor será examinado. Não deve falar nada a não ser que te perguntem. Certo?

Certo.

Você entendeu isso?

Entendi.

Não faça perguntas.

Entendi, entendi.

Depois disso você passará para a grande sala, propriamente dita. Lá eles o instruirão.

Muito obrigado. Posso ir?

Sente ali e aguarde ser chamado.

Pompeu se acomoda num arquibanco de madeira talhada.

XII

Pompeu abre a porta.

A antessala é pequena.

Decorada de modo luxuoso e elegante.

A disposição dos móveis é dada de forma quase simétrica.

Quase espelhada.

Tudo é levemente deslocado à esquerda.

Sutilmente.

Uma pequena mesa chippendale, redonda, de madeira, está quase no centro.

Sobre ela, um vaso de vidro com sete jacintos roxos.

Há duas cadeiras em estilo bergère *en confessional*[39] de cada lado da mesa.

39

Um dos temperos deste livro são as notas de rodapé. E neste capítulo minha editora Luara França sugeriu que faltava uma nota. Ela não disse onde. Não me pediu que explicasse, por exemplo, o que é uma cadeira em estilo bergère *en confessional*, que uma simples busca no Google pode elucidar. Sentiu que faltava uma nota pelo ritmo do livro e por nossa decisão de brincar com as notas. Algo que nunca disse — porque nunca sou eu quem narra meus livros, meu narrador é sempre um personagem — é que os livros não são feitos por uma única pessoa. Há várias pessoas que passam por essa construção. O editor é um deles, e esse olhar da Luara é importante demais para o livro. E eu não queria falar sobre cadeiras em estilo bergère *en confessional*. Isso, na verdade, é uma piada interna que só tem graça para mim. Mas, só para constar, há outra pessoa vital em todos os meus livros publicados pela Companhia das Letras que eu gostaria de agradecer e deixar registrado. É a Márcia Copola. É a Márcia quem faz a preparação deles. Tenham certeza de que essas pessoas enriquecem o processo. Como diria Pompeu: "Eu me perco, mas acabo amarrando as coisas". Realmente não quero falar sobre as cadeiras em estilo bergère *en confessional*. Fui dormir e como de costume despertei pontualmente às três horas da madrugada. Hora em que começa a minha insônia. Aproveitei para tentar lembrar de alguma alusão a tal mobiliário em algum dos livros que li. Tem sido esse o principal exercício destas notas. Lembrar algo relativo ao que digo e procurar localizar em minha biblioteca. Já que se trata de uma autobiografia hipnagógica, o que li, além de ter me moldado, se encontra num lugar semelhante. Um lugar entre vigília e sonho. Como escrevi em meu primeiro álbum de história em quadrinhos,

Transubstanciação: "Quando me for/ levarei todos vocês,/ levarei tudo que vi,/ li e provei./ Levarei tudo que sei/ tudo que sou". Mas, pensei, isso poderia se tornar uma nota interessante. E de fato abandonei minha cama porque me lembrei de algo familiar. O livro realmente fazia alusão a velhas peças de mobiliário antigo, não especificamente a cadeiras em estilo bergère *en confessional*. Porém, esse livro me fez lembrar uma história ligada indiretamente a ele. E é essa breve história que quero deixar nesta nota de rodapé. A imagem que me veio à mente foi de uma cena num antiquário descuidado e eu sabia em que livro ela estava. Corri e peguei *Speed*, de William S. Burroughs Jr. (por favor, preste atenção no "Junior"). Não é um livro de William Burroughs, é um livro escrito por seu filho. E, para fazer mais sentido para o nosso livro, seria importante registrar seu nome completo. William Seward Burroughs III. O trecho que destaco (em livre tradução) é o seguinte: "Meus avós tinham uma loja de móveis antigos na Worth Avenue, antes de meu avô morrer, a casa estava cheia de coisas que rangiam. Acho que os quartos costumavam ser divididos por diferentes períodos, mas depois que ele se foi, minha avó vendeu um monte de móveis vitorianos que tinham as pernas esculpidas com patas com garras; uma mesa de centro realmente tinha asas". Para constar, Burroughs Jr. era alcoólatra e foi um dos primeiros casos de transplante de fígado realizado nos Estados Unidos. Após o transplante, Allen Ginsberg levou seu guru para visitar o amigo e lhe transmitir alguma sabedoria reconfortante. O que o guru disse a Junior foi: "Você vai viver ou você vai morrer. E tanto viver quanto morrer é bom". Como disse Epicuro em *Carta sobre a felicidade (a Meneceu)*: "O sábio, porém, nem desdenha viver, nem teme deixar de viver; para ele, viver não é um fardo e não viver não é um mal". Tradução: Álvaro Lorencini e Enzo del Carratore. Apenas para amarrar, e aproveitar a insônia, no maravilhoso livro de Alberto Andrés Heller, *John Cage e a poética do silêncio*, análise profunda e apaixonada sobre o silêncio em Cage,

Quase tudo no pequeno aposento é de temática floral.

Atrás da mesa, encostado à parede, um pequeno sofá de dois lugares em estilo Adam.

As paredes são forradas com um papel estampado de flores estilizadas.

O tapete de origem síria, além das flores, traz em suas tramas um leão no centro.

Pompeu permanece parado. Esperando.

Um casal entra. Cada um surge de um lado da sala. Ao mesmo tempo. De forma teatral. Ensaiada.

À esquerda, uma mulher vestida com roupas claras. Uma saia plissada desce da cintura até os pés. A blusa é branca, bordada, de mangas longas abotoadas no punho. No colo, um camafeu. Ela aparenta cerca de quarenta anos. Tem os cabelos presos.

À direita, o homem é um pouco mais velho. Está acima do peso. Veste um terno escuro. Pompeu não consegue ter certeza se preto ou azul. O cabelo e o cavanhaque parecem tingidos. São pretos ou azuis demais.

Pompeu fica parado no centro.

O casal olha para ele com aparente desinteresse.

Pompeu tem em mente o conselho do jovem funcionário.

Heller cita Barthes (Roland Gérard Barthes) comentando o *Koan* (em nota ele explica que *Koan* significa, literalmente, "documento público" ou "estatuto autorizado") "através de um exemplo clássico do Zen: à pergunta 'se todas as coisas retornam ao Uno, para onde retorna o Uno?', ouve-se como resposta do mestre: 'quando estive na província de Seiju, mandei fazer uma túnica de sete *kin* (sete quilos)'".

Não dizer nada a menos que seja questionado.
A situação é embaraçosa.
O silêncio
pesado.
Pompeu baixa os olhos.
Tenta se distrair com os desenhos no tapete.
Alguns animais
fogem de um leão.
No centro
embandeirado
há algo escrito.
Pompeu força a vista para tentar decifrar.
O casal se entreolha.
Os dois fazem sim com a cabeça.
O homem bate palmas.
Pompeu não sabe se isso é um sinal para que diga algo.
Um homem com uma máscara[40] de Diabo, vestido de terno escuro, entra.
Olha para o casal.
Eles assentem em silêncio.
O homem se aproxima de Pompeu.
Sussurra numa voz muito doce.
Preciso que arregace a manga esquerda.
Confuso, Pompeu dobra a manga do blazer.
O homem mascarado tira um estojo do bolso.
O estojo mede uns vinte centímetros.

40
"E mesmo assim eu beijei a tua máscara". Mauro Tule Cornelli, *Prata*, tradução: Jorge Ialanji Filholini.

De dentro, retira um instrumento de aço em forma de punhal.
Preciso te marcar.
Pompeu pensa um pouco e depois sussurra de volta:
Tudo bem. Faça o que deve ser feito.
O que se veste de Diabo talha o braço de Pompeu.
A lâmina do estilete é finíssima.
Pompeu sente uma aflição aguda.
Profunda.
Sua cara se deforma tentando conter a dor.
Não limpe o corte. Apenas desça a manga. Diz o Diabo.
E, então, deixa a sala.
Pompeu volta ao escrito do tapete
num estilo entre Fraktur e Schwabacher.
Consegue ler:

Diana
Caramels hachés

Eles nada perguntam
o tempo não passa
continuam a encará-lo com certo desprezo.
Pompeu embaraçado
sente a cabeça coçar.
Embora a coceira seja quase incontrolável
não coça.
Então o homem pigarreia.
Pompeu espera.
O casal se entreolha.
A mulher assente com a cabeça.
Então o homem pergunta

com uma voz muito fina
efeminada.
Você tem algo a dizer?
Desnorteado
Pompeu mexe a boca
mas sua voz não sai.
Então a mulher pergunta:
Pompeu, o que você tem feito?
Caramba. Deixa escapar.
O casal espera a resposta.

O homem bate palmas.
Entra alguém com uma máscara de macaco.
Ele se aproxima de Pompeu, lhe entrega um pequeno bilhete e sussurra em seu ouvido. Você precisa encontrar e ler este livro antes de poder voltar aqui. Só então poderá passar à grande sala.

A mulher volta a perguntar.
Sua voz é grave e firme.
O que você tem feito?
Acho que posso dizer que venho negando a realidade. Acho que é isso. A realidade, tal qual me fizeram entender, me traiu de novo. Por isso eu decidi romper com ela.
O casal se entreolha.
Quem te deu?
Eu não sei.
Você sabe quem é ela? O homem pergunta apontando para a mulher sentada a seu lado.
Sei que é alguém importante.
O que é importante? A mulher pergunta.

Nada?

O que é sagrado?

Tudo?

Você terá que ler esse livro para poder voltar e passar à grande sala. A mulher diz de forma seca.

Tá certo. É fácil encontrar esse livro?

O que é fácil? A mulher pergunta.

Tudo? Nada?

Pode ir. Diz o homem. Devolva o caderno de capa preta ao recepcionista.

3
A rainha
e o lobo

Então? Você a viu?

Vi.

Onde?

Terraço do Barão. Um bar no calçadão da rua Sondra Porfírio, 263.

Num bar?

É.

Ela estava bebendo?

Estava. Estava bebendo.

O que que ela estava bebendo?

Cachaça.

Cachaça?

É.

Bebeu muito?

Pelo menos quatro doses. E eram copos... generosos.

Sério? Mas ela se alterou? Ficou bêbada?

Não. Nem parecia que tinha bebido tanto. Continuava elegante, dançando...

Dançando?

É, ela dança.

Dançando daquele jeito que você fala, né? Ou dançando mesmo?

Não, dançando do jeito que ela se movimenta.

Fala mais, fala mais.

Ela parecia maior.

Maior?

Alta.

Muito alta?

Mais de dois metros. Dois metros e vinte mais ou menos.

E como ela estava vestida?

Ela usava um vestido de lã.

Lã?

Estava frio ontem.

Ontem fez frio.

Ela estava com alguém.

Com quem?

Com um cara.

Um cara? Que cara? Quem era? O marido?

Acho que não.

Quem era?

Era um cara mais velho.

Seria o pai dela?

Não, imagino que o pai dela seja ainda mais velho.

E eles estavam bebendo?

É. Tinha alguma coisa ali.

Como assim?

Tinha algo no jeito como se olhavam.

Tem certeza que não era o marido?

Não era o marido.

Um amante? Você acha que era um amante?

Não. Não sei dizer, mas tinha alguma coisa ali.

Como assim?

Tinha algo na forma como se olhavam.

Será que ela tem um amante?

Não sei. Era algo religioso. Era isso. Eles se olhavam de uma forma religiosa.

E como era esse velho?

Ele não era velho. Devia ter a nossa idade.

Quem diabos é esse homem?

Pompeu arregaça o punho esquerdo da manga da camisa.

Está sangrando.

O que aconteceu?

Um cachorro me mordeu.

Que cachorro? Vai lavar isso aí.

Acho melhor, né?

Claro, vá lavar.

Posso ir no banheiro?

Vai lá na área de serviço. No banheiro só tem sabonete. Lá no tanque tem uma barra de sabão de coco. É melhor.

Quando cruza a cozinha, ele vê a imensa panela de alumínio que ocupa duas bocas do fogão. Nesse instante o gato duplicado passa correndo. Há uma grande caixa de areia na área. O cheiro é forte. Faz tempo que não é limpa. A barra de sabão está encardida. Ressecada. Ele abre a torneira e ela parece gemer. Emite um som estranho, orgânico, sofrido, como se extraísse a água de muito longe, das profundezas e de uma forma dolorosa. Pompeu esfrega o sabão sobre o ferimento. Em torno da mordida há uma mancha amarelada. Feito essas manchas que surgem nos espelhos. Essas manchas que, feito um halo, coroam nosso reflexo nos velhos espelhos.[41]

Pompeu repara nas tralhas empilhadas na área. Cobertas de pó e de areia de gato. Baldes de alumínio, bacias, latas de tinta, caixas de papelão, uma velha lona de caminhão mal dobrada. Duas cadeiras de ferro, pintadas de amarelo, com o logotipo de uma cerveja. A pintura está desbotada e cheia de ferrugem.

Num dos varais, são dois, um em cada extremo da área,

41

"No entanto, não posso dizer que fui infeliz durante esse tempo. Meus pesadelos e tudo relacionado a eles foram expulsos do meu corpo, consumidos enquanto eu dormia. Fui purificado de substâncias corruptoras, completamente limpo de manchas estranhamente coloridas em minha mente e na minha alma." Thomas Ligotti, *Noctuary* (em livre tradução).

duas cuecas velhas furadas e puídas. Uma é vermelha. A outra não. Três camisetas disformes, uma calça cargo, um uniforme escolar com o brasão de alguma arquidiocese, uma toalha de banho cor-de-rosa e uma flanela.

Nos vasos, restos de plantas secas e mortas.

Pompeu espia o pequeno quarto de empregada abarrotado de tranqueiras.

Há um caixão velho e empoeirado encostado na parede. Um enorme caixão mortuário. Preto. Com uma cruz dourada próxima à pequena janela.

Pompeu seca o ferimento num pano de prato encardido. No pano, a imagem de um galo humanizado, pintado à mão, caminha carregando uma cesta por uma rua florida. Retorna à sala.

Quando foi que isso aconteceu?

Agora. Eu estava chegando no prédio.

Era um cachorro de rua?

Não. Você lembra que eu falei sobre uma cadela?

Falou?

Lembra que há um tempo eu te disse que, se visse no elevador um cara com uma cachorra preta, era pra você não entrar?

É verdade. Agora que você falou, eu lembro.

Eu tinha visto o olhar daquela cachorra. Eu senti. Senti sua natureza.

E ela te atacou no elevador?

Não. Eu estava quase no portão do prédio e ela voou no meu braço. Sorte que o dono puxou a coleira. Mas o jeito que ela me olhou. Eu conheço aquele olhar. Eu te falei de quando eu era criança. Falei do meu olhar?

Acho que não.

Você tem tempo?

Claro.

Quando eu era pequeno, tinha alguma coisa em mim. Alguma coisa errada, sabe? E isso refletia no meu olhar.[42] As pessoas se irritavam comigo. Um dia minha avó me comprou um fascículo de uma coleção que era vendida em bancas de jornal. Você lembra daquela Os Bichos?

Claro. Eu tive essa coleção. No fim a gente levava para encadernar nas bancas.

É. Isso mesmo. Eu só tive um fascículo. E, nesse número que minha avó me deu, tinha, entre vários bichos, a mosca tsé--tsé. Ela causa a doença do sono,[43] uma doença tropical. Isso me acalmou, sabe? De repente era isso. Eu achei que sofresse mesmo disso. A doença do sono pareceu fazer tanto sentido. Porque eu sentia um cansaço extremo. Eu me sentia esgotado. Sentia, realmente, um sono mórbido. E, naturalmente, isso se expressava no meu olhar. Mas as pessoas não entendiam. Elas achavam que era outra coisa, sei lá. Achavam que eu as olhava com desprezo. Arrogância, talvez. Eu só estava exausto. Tinha algo que me sugava, que roubava minha energia vital. Mas eu era muito pequeno pra entender. E tem coisas que, mesmo que

---

42
"Na matéria que nunca dorme, rei dos fenômenos, rei das formas, só vive Satanás. Seu é o império no trêmulo relâmpago de um olho negro." Giosuè Carducci, *Inno a Satana*, 1863 (em livre tradução).

43
"O termo 'doença do sono' é usado na América para indicar tanto a enfermidade endêmica africana provocada por um parasita (*trypanosomiasis*) e a encefalite letárgica epidêmica desencadeada por um vírus; na Inglaterra, contudo, esta última é quase sempre chamada de doença do sono." Oliver Sacks, em nota de *Despertando*, tradução: Jayme Salomão.

a gente entenda, ninguém acredita. Aí, a ideia de ter sido picado pela mosca pareceu fazer sentido.

Mas você acha mesmo que foi picado pela mosca?

Eu achava. Não acho mais. Naquele tempo eu precisava entender por que eu me sentia daquele jeito. E eu passei um tempo no mato, né? Então... vivemos nos trópicos. Embora talvez essa mosca só exista na África. Só que aquilo, naquele tempo, saber sobre essa mosca, realmente me acalmou.

Você devia ter anemia.

Não. Não era nada disso. Eu tive giárdia. E a giardíase causa isso também. Fadiga. E não tinha jeito de acabar com esses parasitas. O remédio era horrível e não conseguia exterminar. Levou muito tempo para que me livrasse deles. Mas essas coisas me acalmavam. Essas possibilidades. A ideia da doença do sono me tranquilizava. Engraçado, eu pensei nisso outro dia, e fazia tempo que não lembrava dessas coisas. Meu médico se chamava Alois. Meu pediatra. Sabia que é o nome do pai de Hitler?

Não sabia, lembro que era o nome do doutor Alzheimer. Alois Alzheimer.

Pois é. Eu não conseguia entender tudo aquilo. Eu ainda não podia entender pelo que tinha sido tocado. Pois antes eu não tinha esse olhar. Eram dias tão sombrios. Então eu buscava uma explicação física pra tudo aquilo. Eu lembro dos primeiros contatos que tive com tudo isso. Do quão perturbador foi sentir o mundo mudar. Sentir minha existência, quer dizer, não só a minha existência mas toda existência, ser invadida por aquilo tudo. Eu era só um menino. Eu era só um menino e, naquela época, quando comecei a entender a grandeza irreversível dessa mudança, eu senti que não merecia. Não merecia ser castigado. Não merecia viver e sentir tudo aquilo.

E hoje você acha que merece?

Hoje eu sei que isso não tem nada a ver com mérito ou merecimento.

Pompeu senta.

E aos vinte e poucos anos, numa outra publicação, encontrei a resposta. E essa fez mais sentido e me acalma desde então. Aos vinte e poucos anos eu li *Doutor Fausto* de Thomas Mann. Pena eu não saber de cor para poder citar pra você. Mas prometo anotá-la e trazer na próxima vez.[44]

―

44

Pompeu nunca se lembrará de trazer as notas. Por isso deixo aqui as duas passagens.

"Foi um crime horroroso termos admitido que ele viesse, que eu o deixasse aproximar-se de mim, que me deleitasse com seu aspecto! Deves saber que crianças são feitas de uma matéria delicada e facilmente permeáveis a influências peçonhentas..."

"Mas, uma vez que o garoto era de carne e osso e tinha sido estipulado que eu não teria o direito de amar nenhum ser humano, Ele o trucidou sem misericórdia e para isso serviu-se de meus próprios olhos. Pois deveis saber que, quando uma alma veementemente se inclinar à maldade, seu olhar se tornará venenoso e ofídio, ameaçando sobretudo crianças."

Thomas Mann, *Doutor Fausto*, tradução: Herbert Caro.

Apenas como acréscimo: "Se alguém deseja encontrar o mal, a maneira mais simples é procurá-lo nas suas vítimas. E o melhor lugar para procurá-lo é entre os pais de crianças e adolescentes emocionalmente perturbados. Mas com isso não quero dizer que todas as crianças emocionalmente perturbadas são vítimas do mal ou que todos os pais são pessoas malignas. A configuração do mal está presente apenas na minoria desses casos, embora esta minoria seja substancial". Scott Peck, psiquiatra formado pela Universi-

Isso ainda o afeta?

Profundamente. Desculpa. Isso é pesado demais para mim. Foi aí que tudo mudou. Eu mudei. Foi aí que minha mãe começou com aquela história.

Que história?

Ela começou a dizer que eu era mau.

Ela disse isso?

É. Dizia que eu era mau e que só me sentia bem quando causava a discórdia.

Quantos anos você tinha?

Dez? Nove? Talvez menos, eu não sei.

E por que ela dizia isso? No fundo, as crianças são más mesmo.

Eu já te contei sobre a pomba, né? A pomba e minha mãe.

Pomba?

É, não contei?

Não lembro.

Se tivesse contado, imagino que lembraria.

Conta logo a história.

Não importa. No fim era isso. Minha mãe era... eu te disse que estudei com o cara que sabia o som que cada animal emite? Não é louco isso? A gente ter que estudar esse tipo de coisa? Tripinha...

---

dade Harvard e autor de *People of the Lie* (entre outros), citado por Peter Stanford em *O Diabo, uma biografia*, tradução: Marcia Frazão. E/ou como Ferréz encerra seu *Capão pecado* (livro que me levou a escrever): "Só, choque! Eu também tô nesse sossego, mas é o seguinte, eu sempre procuro o bem, tá ligado? Mas se o mal vier, choque, que o Senhor tenha misericórdia".

Tripinha?

Era o apelido dele. Você já sonhou com alguém que só existe nos sonhos?

Acho que muitas das pessoas que me aparecem nos sonhos só existem lá.

Você já sonhou que estava sonhando?

Claro. Muitas vezes.

Você já sonhou que acordava dentro de um sonho?

Muitas vezes. Agora, vai, conta logo a história.

Eu sempre faço isso, né? Me perco. Divago.

Geralmente você acaba amarrando tudo, mas enrola pra caramba.

Minha mãe disse que eu só ficava feliz quando deixava os outros infelizes.

As crianças são cruéis mesmo. São muito ciumentas também.

A questão era outra.

Às vezes o que nos machuca é sermos desmascarados.

Minha mãe tinha medo. Ela vem de uma linhagem de doentes mentais. Minha irmã e meu irmão eram exemplos de crianças saudáveis e, mais do que isso, dentro do padrão. Eles eram bonitos também. Iam bem na escola. Aceitavam tudo. Eu era um menino que não aceitava nada. Nunca aceitei. E, mais do que isso, eu expressava minha visão. Eu era um menino que sofria de arte.

Você é o mais velho?

Não. Sou o do meio. Sempre estive no meio de tudo. Minha irmã é a mais velha.

Isso é a síndrome do irmão do meio. Não caia nesse jogo.

Minha mãe era meio burra. Ela era igual um papagaio. Não sei o som que os papagaios fazem.

Por que você diz que ela era burra?

Porque era. Ela disse que eu era o pombo da discórdia.

Mauro ri.

Pois é. Na cabeça dela era isso, ela dizia "pombo" em vez de "pomo".

Entendi. Você acha que ela aprendeu de ouvido? Aprendeu errado e só repetia?

É. E eu passei a imaginar esse pombo. E ela falava que eu só ficava bem quando destruía a paz ou a harmonia de onde estivesse. Quando trazia infelicidade. Ela dizia que, quando eu via meus irmãos ou as crianças chorando, eu sorria. O sangue volta a escorrer e empapar a camisa de Pompeu. Na verdade, no fundo, me sentia melhor quando via que os outros também sentiam dor. Eu te falei o que meu pai fazia comigo, não falei? Eu já te falei sobre o discurso do meu pai?

Ele te batia muito.

Ele me espancava quase diariamente. Sem motivo. E minha mãe não fazia nada. Quer dizer, minha mãe dizia que eu era retardado. Sempre que me expressava. Sempre que eu me expressava, ela dizia isso.

Pompeu, já passou da hora de deixar isso pra trás.

Eu não deixo. Não quero deixar. E aí tinha tudo isso. E tudo isso, somado a minha rebeldia e toda a violência e rejeição que eu recebia, foi me tornando mesmo a porra desse pombo.

Essa é a fórmula.

É isso. Desculpa, mas preciso pôr isso pra fora. Mais do que isso, preciso justificar os meus atos.

Mas você fala de seu pai com tanto carinho apesar de toda a violência. E mesmo da sua mãe.

Porque eu mudei o jogo. E, claro, porque no fim meus irmãos deram muito mais errado do que eu.

Mas quem será esse homem com quem ela bebia?

Que homem?

Esse com quem ela bebia no bar?

Ah! Eu não sei.

Você precisa descobrir. Precisa descobrir quem é esse homem.

Farei o possível para isso.

Mauro apanha a carteira e retira todas as notas.

Trezentos e vinte reais.

Não é irônico nossa moeda chamar real?

Hum... é. Ainda mais agora.

Mauro entrega o dinheiro a Pompeu.

Pompeu pega o dinheiro e não conta.

II

Uma vez o Pereio me disse que usa a memória pra esquecer.[45]

45

David Hume, em seu *Tratado da natureza humana*, parte IV, "Do ceticismo e outros sistemas filosóficos", seção IV, "Da identidade pessoal", depois de afirmar nunca se apreender a si mesmo, discorre: "À parte alguns metafísicos dessa espécie, arrisco-me, porém, a afirmar que os demais homens não são senão um feixe ou uma coleção de diferentes percepções, que se sucedem umas às outras com uma rapidez inconcebível, e estão em perpétuo fluxo e movimento". Mais à frente, em relação à memória, conclui: "Como apenas a memória nos faz conhecer a continuidade e a extensão dessa sucessão de percepções, devemos considerá-la, sobretudo por essa razão, como uma fonte da identidade pessoal. Se não tivéssemos memória, jamais teríamos nenhuma noção de causalidade e tampouco, por conseguinte, da cadeia de causas e efeitos que constitui nosso eu ou pessoa. Mas, uma vez tendo adquirido da memória essa noção de causalidade, podemos estender a mesma cadeia de causas, e consequentemente a identidade de nossas pessoas, para além de nossa memória; assim podemos fazê-la abarcar tempos, circunstâncias e ações de que nos esquecemos inteiramente, mas que, em geral, supomos terem existido. Pois são muito poucas as ações passadas que temos alguma memória". Embora Hume tenha no fim de sua vida repudiado seu *Tratado* alegando ser um trabalho imaturo, juvenil, a verdade é que essa obra lhe custou muito caro, como ele mesmo declara na seção VII, conclusão desse livro: "Em um primeiro momento, sinto-me assustado e confuso com a solidão desesperadora em que me encontro dentro de minha filosofia; imagino-me como um monstro estranho e rude que, por incapaz de se misturar e se unir à sociedade, foi expulso de todo relacionamento com os outros homens e largado em total abandono e desconsolo". Tradução: Déborah Danowski. E assim também diz Schopenhauer em seu *O mundo como vontade e representação*, a quem tantas vezes citei. Basta a primeira linha do livro: "O mundo é a minha representação". Tradução: M. F. Sá Correia. Ou ainda, como bem disse Oliver Sacks no maravilhoso *O homem que confundiu sua mulher com um chapéu*, em "O marinheiro perdido", que começa com a brilhante citação de Luis Buñuel: "É preciso começar a perder a memória, mesmo que seja em relação a ninharias, para perceber que é dela que é feita nossa vida. Vida sem memória não é vida... A memória é nossa coerência, nossa razão, nossa sensibilidade, e até mesmo nossa ação. Sem ela nada somos... (Só me resta esperar pela amnésia final, aquela que apaga uma vida inteira, como apagou a de minha mãe...)". E segue com esta observação de Sacks: "Se um homem perdeu uma perna ou um olho, ele sabe que perdeu uma perna ou um olho; mas se perdeu a identidade, ele mesmo não tem como saber isso, porque não está mais ali para saber". Tradução: Talita Macedo Rodrigues.

III

Não sei se você reparou, mas faz muito tempo que a gente está nesse elevador. Pompeu diz isso a uma mulher que está a seu lado.

Nossa! Estava pensando justamente isso. Ela responde admirada.

Pior é que eu comecei a desconfiar de que isso talvez nem seja um elevador.

Será? Ela ri.

Apesar da câmera.

Ela ri novamente. Como se tivesse só câmera nos elevadores.

Ele ri de volta. Digo, da câmera, da porta e do painel com os botões. Sei lá, podia ser um cenário, sabe?

Podia, claro.

Mas tem uma coisa pior. Não lembro como cheguei aqui.

Há uma cena no filme *O inquilino* (França, 1976), de Roman Polanski, na qual Trelkovsky (personagem interpretado pelo próprio Polanski) está bêbado e Stella (Isabelle Adjani) está tirando suas roupas e deitando-o na cama quando ele diz: "Diga-me... em que exato momento um indivíduo deixa de ser o que pensa que é? Por exemplo: meu braço é cortado. Então eu digo: 'Eu e o meu braço'. Meu outro braço é cortado. Digo: 'Eu e os meus dois braços'. Meu estômago é arrancado [...] meus rins [...] Eu digo: 'Eu e os meus intestinos'. Mas, se me cortarem a cabeça... eu diria... 'Eu e a minha cabeça'. Ou: 'Eu e o meu corpo?'. Que direito tem a minha cabeça de dizer que sou eu? Que direito?".

Eu não sei dizer há quanto tempo estou aqui. Entrei e comecei a divagar e parece que estou há horas aqui.

As coisas têm sido assim pra mim.

Pra mim também.

Isso me dá um frio na barriga.

Não é?

Porque, às vezes, sei lá. Às vezes a gente tá sonhando e aí, de repente, a gente percebe que aquilo é um sonho.[46] E nos sonhos a gente aceita tudo, né? Ou quase tudo. Mesmo assim tem uma hora que a gente se dá conta. Como se eles não tivessem sido cuidadosos o bastante. Não estou conseguindo me explicar. Pompeu diverge.

Eu entendo. Juro que entendo. Só não diria "eles". Somos nós que criamos nossos sonhos. É o seu inconsciente quem cria. Ou, se pensarmos de uma forma mais junguiana,

---

46

"Tenho a impressão de que estou tentando contar um sonho — uma tentativa vã, porque nenhum relato é capaz de transmitir a sensação onírica, onde aflora essa mistura de absurdo, surpresa e encantamento, num frêmito de emoção e revolta, essa impressão de ser capturado pelo inacreditável em que consiste a própria essência dos sonhos... Permaneceu em silêncio por um tempo... Não, é impossível; é completamente impossível transmitir as sensações de vida de qualquer época determinada de nossa existência — aquilo que a torna verdadeira, seu sentido — sua essência sutil e penetrante. É impossível. Vivemos, como sonhamos — sós." Joseph Conrad, *Coração das trevas*, tradução: Albino Poli Jr.

o nosso inconsciente. De qualquer jeito, somos nós, não eles. A nossa parte menos acessível. Mais obscura.

É verdade. Pompeu sorri. Conheço meu lado mais obscuro. Mas nos sonhos, quando as coisas ficam muito ruins, a gente dá um jeito de acordar.

Tem aquele ditado indígena, se não me engano, que fala dos dois lobos. Você deve conhecer.

Não. Não estou lembrado.

Bom, dizem que existem dois lobos em cada um de nós. Um bom e um ruim. E vencerá aquele que você alimentar.

Entendi. A questão é que eu só jogo a comida ali dentro. E o meu lobo bom é tão bom, tão generoso, que sempre deixa o mau se servir primeiro.

Aí, fica difícil.

Pois é.

Já leu *Batalha de amor em sonho de Polifilo*?[47]

47

"A *Hypnerotomachia Poliphili* ou *Sonho de Polifilo* (Veneza, 1499) é um dos livros mais curiosos e enigmáticos jamais impressos [...] o *Sonho de Polifilo* se viu rodeado de uma aura de esoterismo e preciosismo doentio, de que não é culpado o autor, e sim seus comentaristas [...] Doutra parte, mesmo em se tratando de um dos livros mais atraentes do Renascimento, saído de prensa ilustre e embelezado com abundantes e preciosas xilogravuras — às quais em grande dose se deve sua fama —, encontra-se ainda envolto em mistérios: só por suposições se lhe conhece o autor, sendo pelo menos dois os candidatos — um veneziano e um romano; ignora-se o nome do artista que desenhou as gravuras e o motivo que estimulou o mecenas [...] Não consta o nome do autor; entretanto, unindo-se a primeira letra de cada um dos trinta e oito

Nunca nem ouvi falar.

"O lobo dos deuses é insensível." Não é forte isso? Li isso nesse livro e nunca mais esqueci.

"O lobo dos deuses é insensível." Pompeu repete em voz baixa.

Você sabe para onde está indo? Pompeu pergunta.

Para casa. Moro nesse prédio. Ou num lugar que tem um elevador de verdade muito parecido com esse. Ela brinca.

Eu não consigo lembrar por que estou aqui.

A moça começa a vasculhar sua bolsa. Depois diz a Pompeu: Você já olhou nos seus bolsos?

O quê?

Às vezes o endereço pode estar no seu bolso. Seu destino, sabe?

Pompeu revira os bolsos e encontra dois pedaços de papel dobrados em quatro. Um no bolso da calça, outro no da camisa.

Olha! Aqui está escrito justamente o nome desse livro que você acaba de mencionar e de que eu nunca tinha ouvido falar. *Batalha de amor em sonho de Polifilo*.

Olha, é o meu andar.

Achei este outro papel também. Meio quilo de pó de café.

---

capítulos que integram o livro, lê-se: '*Poliam frater Franciscus Columna peramavit*' ('o irmão Francesco Colonna adorou a Polia')." Da introdução de Pilar Pedraza, tradução: Cláudio Giordano.

Meia dúzia de ovos. Meio quilo de alcatra cortado em cubos. Creme de leite.

Acho que alguém vai fazer estrogonofe.

Minha mãe... De qualquer forma, obrigado pela companhia. Foi bom passar esse tempo com você.

Ah, o prazer foi meu. Como é seu nome?

Pompeu. E o seu?

Regina.

IV

Eu preciso te pedir uma coisa. O torto dá uma longa puxada no charuto.

Claro.

Vai haver uma festa, uma grande festa. Uma grande festa de uma grande amiga. Vai ser tudo grande. E você precisa ir. Você precisa ir e tenho quase certeza que vai encontrar quem procura.

Puxa, uma festa? Pompeu demonstra um visível desconforto.

Uma grande festa.

Sabe, eu não me sinto muito bem em festas.

Essa vai ser diferente. Você precisa ir. Por mim. Se serve de uma generosa dose.

Quando será essa festa?

Dia 1º, sexta-feira. É lá na casa da Regina. E a Regina é uma grande amiga que você precisa conhecer. Anote o endereço, rua Sondra Porfírio, esquina com Sondra Porfírio, 623, apartamento 172.

Sei onde é.

Você precisa ir.

Farei o possível pra ir.

Simplesmente vá. Você precisa conhecer a Rê. Precisa conhecer. E as festas lá são ótimas. E a vista daquele lugar? Você não vai acreditar. É um lugar mágico. Um portal, um portal! E tem um pequeno cachorrinho lá. Seu nome é Toro. Preste atenção nessa criatura. Ouça o que te digo, preste muita atenção nesse pequeno animalzinho.

Dia 1º, sexta?

Vai ser lindo. Não perca isso por nada, por nada. Você vai me representar.

Eu não me sinto muito bem em festas. Ainda mais numa festa onde não conheço ninguém.

Essa é diferente, eu garanto.

Pompeu ouve uma tosse.

Te falei que estou com uma ferida horrível na boca? Mauro diz isso baforando o charuto.

Falou, sim.

Quer beber? Ele pergunta enquanto bica o copo de uísque.

Eu te falei que fui intimado?

Cedo ou tarde todos somos.

É, não é? Alguém me denunciou.

O importante nessa vida é que no fim você seja seu próprio juiz.

É isso.

Que, quando chegue a hora entre céu e inferno, você seja teu próprio juiz.

Que assim seja.

O certo seria sermos julgados somente por Osíris. Além disso, Osíris só julga os mortos.

No fundo, tenho medo de tudo isso.

Dizem que Osíris só faz uma pergunta.

Mesmo?
Osíris, Usir, Ausar. A sala das duas verdades.[48]

—

48

Para falar de Osíris, precisarei dar uma enorme volta. Começo dizendo que nunca acreditei em história, sempre suspeitei da ciência, e mais difícil ainda é minha relação com as religiões em geral. No entanto, sempre tive uma sensibilidade que, em muitas vezes, senti ultrapassar meus limites. Osíris é para mim, talvez, a única força que esbarra o sagrado. Não é à toa que carrego sua imagem num pingente em meu peito. Se pegarmos a *Enciclopédia britânica* como parâmetro, leremos: "A origem de Osíris é obscura". O primeiro contato que tive com essa entidade egípcia que representa o Deus dos mortos, o Deus do submundo, foi em 1976 com uma professora chamada dona Adail (não sei seu nome completo e talvez pouco importe). Ela me deu aula de história na sexta, sétima, sétima (repeti) e oitava séries do ginásio. Fui um péssimo aluno, não conseguia prestar atenção nas aulas nem me interessar por elas. Cheguei, dois anos seguidos, a ser o pior aluno da escola. Mas com dona Adail foi diferente. Ela era uma figura incrível. Tinha um estilo único, vestia terninho "safári" (era assim que se chamava naqueles dias) e turbante. Estava sempre de turbante branco com uma pedra colorida no centro. Uma grande pedra, emoldurada no que parecia ser uma joia de ouro. Eu nunca tinha conhecido ninguém tão apaixonado por algo. Dona Adail era apaixonada pelo Egito e principalmente (o que acabou me contagiando) pela Babilônia. Ela, não esqueça que estávamos num momento pesado da ditadura militar, dava a entender que a queda do mundo se devia à queda da Babilônia. Eu passei a concordar plenamente com isso. "Na Babilônia cada deidade era dupla. Todo deus tinha uma deusa companheira", dona Adail costumava dizer.

Nos falava com o mesmo fervor sobre Nabucodonosor e Semíramis, Marduk, Tiamat, o épico de Gilgamesh. Voltando a Osíris, se diz que é ele quem julga os mortos na "sala das duas verdades". A isso se chama psicostasia (segundo o *Dicionário Houaiss*: "nas religiões dos antigos egípcios e gregos, julgamento da alma de um morto, que era colocada em uma balança para se verificar se estava pesada de pecados [...] pesagem das almas na balança"). Há muita discrepância quanto a seu mito. Em teoria, ao menos na mais aceita, seria um deus da quarta geração no antigo Egito. Primeiro teria surgido Rá (Atum; Aton; Amon; Amon-Ra); o que acho mais bonito no mito de Rá é que ele teria nascido de sua própria vontade. Essa vontade o fez. Disso discorda absolutamente Demócrito, da criação ex nihilo. Segundo Diógenes Laércio, "nada nasce do que não é", assim como "nada se destrói no que não é". Outro fato comum em muitos mitos antigos e já comentado na nota 12 é o de que, quando Rá se fez, lá estavam as águas primordiais. Ou seja, assim que surge o primeiro dos seres, e isso se dá em inúmeros mitos, volto a frisar, mesmo quando não havia nada, as águas primordiais, esse poderoso símbolo feminino, já estavam lá. Rá então gerou Shu e Tefnut, e estes, por sua vez, geraram Geb e Nut. E Geb e Nut, numa história muito mal contada ligada aos epagômenos ("epagômeno: que se acrescenta aos calendários", *Dicionário Houaiss*), teriam gerado Osíris, Ísis, Seti e Néftis. Osíris se casaria com sua irmã Ísis e seria assassinado (por inveja) por seu irmão, Seti. Seti o teria matado e dividido seu corpo em catorze pedaços que espalhou pelo Egito para que nunca fosse encontrado. Desesperada, Ísis sai, com a ajuda de Néftis, em busca dos restos de Osíris e encontram todas as partes com exceção do pênis, que teria sido comido por um peixe nas águas do Nilo. Elas juntam suas partes e confeccionam assim a primeira de todas as múmias. E Osíris renasce e passa a governar o Mundo dos Mortos. Ele, mesmo sem o pênis (e morto), e Ísis geram seu filho, Hórus. O segundo contato que tive com

Duas verdades? Então são duas?

Nessa sala, sim. Embora acreditem que era preciso afirmar as quarenta e duas declarações de inocência, a pergunta era uma só. Você viveu? Basicamente é essa a pergunta. Se responder sim e realmente tiver vivido, está salvo.

É só isso?

Dizem que sim. Parece simples, não?

Muito.

Mas então? Você viveu?

Osíris, e para mim o mais significante, foi um sonho em 1986. Ou seja, exatos dez anos depois de tomar conhecimento dessa entidade. Nesse sonho Osíris me fez uma revelação: "Viva". Grosso modo, a sala das duas verdades seria o lugar onde se pesa o coração. No meu sonho, Osíris apenas perguntava: "Você viveu?". Ilustrando: "Os que das obras dos mortais se espantam,/ E de Babel as maravilhas narram/ Ou as empresas reais da Egípcia terra,/ Aprendam, observando o Inferno agora,/ Que todos os mundanos monumentos/ (De força e de arte célebres prodígios,/ Em que empregaram séculos os homens,/ Inumeráveis mãos, perene lida)/ Pelos demônios excedidos foram,/ Mui facilmente, num espaço de hora." John Milton, *Paraíso perdido*, tradução: Antônio José de Lima Leitão. Em nota de Daniel Jonas no mesmo *Paraíso perdido*: "Principia com Moloque o travestismo dos doze discípulos de Cristo. Moloque é rei porque é esse o sentido literal do seu nome. Os restantes são: Quemós, Baalim, Astarote, Astorete/Astarte, Tamuz, Dagon, Osíris, Ísis, Hórus, e Belial". Para amarrar Babilônia, Egito e memória: "Entram no Estreito Pérsico, onde dura/ Da confusa Babel inda a memória;/ Ali co'o Tigre o Eufrates se mistura,/ Que as fontes onde nascem têm por glória". Luís de Camões, *Os lusíadas*.

Não vale mentir, né?

De jeito nenhum. Você não mentiria pra Osíris.

Bom, então acho que preciso começar a viver de verdade.

Pois é, meu amigo, eu sempre te dou os melhores conselhos. E não esqueça, ninguém mais pode julgá-lo. Os outros só podem condenar. Não julgar. Tem que ter dormido no teu berço, sentido na tua carne, ferido na própria alma. É ou não é?

Você já foi ao médico pra ver essa ferida?

Pra quê? Ele vai perguntar se fumo, se bebo. Eu fumo e bebo. Fumo, bebo e tenho uma vida sedentária. Então, ele vai me perguntar o que estou fazendo lá. É isso. Se essa ferida for o que penso que é, vai ser o preço que preciso pagar. Além disso tenho um caroço no pescoço. Fazer o quê? E, mesmo que eu nunca tivesse fumado ou bebido, iria aceitar. Me irrita muito quem descobre alguma doença e se pergunta: "Por que comigo?". E por que não? Por que tem que ser com os outros?

Isso é verdade.

Então vamos lá, me dá uma história. Eu quero uma picante. Me conta uma boa sacanagem pra que eu esqueça um pouco da minha ferida.

Puxa, preciso pensar um pouco.

Eu quero algo perverso. Me fala das torturas da gótica. Eu quero um pouco de putaria. Mauro pega o velho interfone. Me traz gelo e um rolo de papel-toalha.

Sério mesmo que você vai fazer isso? Eu fico tão desconfortável com essa situação.

Pegue um copo pra você aí no oratório.

Eu não quero beber. Ainda é muito cedo pra mim.

É melhor cedo. Antes que seja tarde. Pega logo a porra do copo. Tem um baralho aí também. Pega.

Pompeu apanha o baralho.

Embaralha. O torto diz soltando fumaça.

Pompeu embaralha. Desajeitado.
Agora, escolhe uma carta.
Qualquer uma?
Qualquer uma.
Pronto.
Me mostra.
Pode mostrar?
Claro.
Pompeu mostra o dez de espadas.
Dez de espadas! Mauro diz rápida e energicamente. Como se tivesse adivinhado.
Mas você viu.
Batem na porta.
Entra.
O homenzinho de branco entra carregando o balde de gelo e um rolo de papel-toalha.
Eu me lembro de você. Pompeu diz isso ao homenzinho.
O homenzinho olha para Mauro.
O senhor deve estar me confundindo com alguém, senhor.
Não, eu tenho certeza. Foi você quem me falou sobre o nome das ruas.
Nome das ruas? O homenzinho parece surpreso.
Vai, Pompeu, nós estamos ocupados. Mauro diz ao homenzinho.
É isso mesmo, você se chama Pompeu, como eu.
Pompeu é um nome comum. Vai logo, estamos no meio de uma conversa importante. Apressa Mauro.
Com licença. O homenzinho sai e fecha a porta.
É sério, outra noite ele me abordou na rua.
Não mude de assunto. Fala da sua namoradinha. Mauro diz isso enquanto desenrola um monte de papel-toalha nas mãos. Vamos lá, me fala da bucetinha cheirosa dela.

Pompeu respira fundo e então diz: Eu a encontrei.

Mauro olha desconfiado.

Eu a vi.

Viu? Quem?

Quem eu procurava pra você.

Mentira.

Juro.

Você só está tentando mudar de assunto. Sério que você ainda tem ciúme de uma garota que te deu um pé na bunda há mais de quarenta anos?

Eu a encontrei de verdade.

Eu não vou cair nessa. Vamos lá, me fala da xoxotinha da sua garota. Mauro aperta o pau sobre a calça enquanto diz isso.

Eu a encontrei. De verdade.

Onde foi?

Ela estava num café.

Onde?

Na rua Sondra Porfírio, 110.

E como ela é?

Ela é linda. Tão linda, alta.

Alta? Muito alta?

Mais de um metro e oitenta.

Puxa, então ela é muito mais alta do que eu. Não sei se gosto disso.

Tão linda.

Gostosa?

Linda, linda. Os cabelos escuros. Os olhos claros. Tão linda. Ela parece tão segura. Elegante. Tem algo tão doce e… não sei como dizer. Mas parece que ela está sempre dançando, sabe?

Dançando?

É. Não dançando. Mas ela se move de uma maneira, seus movimentos são tão bonitos.

Não sei se quero alguém tão alta assim.

Ela usava uma calça prateada. Bem justa. Muito sensual.

E, também, eu não sei dançar. Não sei se essa é a melhor pessoa pra mim. Talvez você deva continuar procurando.

Ela é tão linda, tão linda.

Não, não. Acho que deve procurar melhor. Vamos lá, fala da gótica. Fala do que ela fazia com você. Apertando o pau.

Caramba, isso é tão constrangedor. Eu não me sinto bem com isso.

Vai, fala. O que ela fazia com você?

Eu te contei sobre a solidão do russo?

Oi?

É uma história que talvez te interesse. Acho que ela é muito pertinente. Ilya era seu nome. Eu até queria escrever um livro sobre isso, a solidão de Ilya.

Outra hora você me conta essa. Agora eu quero saber das sacanagens da sua namoradinha.

Pompeu enche o copo.

Vai, bom-moço, conta logo! E conta direito. Olha aqui, olha. Mauro aperta o volume da calça para mostrar que está ficando excitado. O movimento atrai os olhos de Pompeu. Ele desvia o olhar.

Conta, caralho! E aí?

Pompeu olha para a namorada.

É o ano de 1982.

Eles estão na casa de Pompeu.

Ele mora com os pais e os irmãos. Mas nesse momento eles estão sozinhos.

Pompeu e Ela.

Ela está vestida de preto.

Blusa rendada semitransparente, calça jeans muito justa e uma bota de camurça.

Mauro, você já sonhou que sonhava?

Você já morreu que morria? Devolve Mauro.

Oi?

Andou que andava? Caiu que caía? Subiu que subia? Desceu que descia? É a mesma coisa que está me perguntando. Vai mesmo tentar fugir, né?

Eu nunca lembro dos meus sonhos.

Porque foi amaldiçoado. Só isso.

Será?

Serei.

Mauro, o Torto, dá um comprido gole.

Vai, conta.

Ela mandava eu não me mexer.

Aí, garoto.

Eu tinha que ficar imóvel. Como se eu fosse um boneco. Eu tinha pouco mais de dezoito anos. E ela me obrigava a ficar imóvel enquanto tirava a minha roupa. Bem devagar, até me deixar completamente nu. Nu e imóvel. Então, lentamente ela ia aproximando o rosto do meu corpo. Pra que eu sentisse o calor de sua respiração. E eu não podia me mexer. Meu pau ficava tão duro que doía. Latejava. Se debatia. E eu não podia me mexer.

O que aconteceria se você se mexesse?

Ela parava. Parava no ato. Eu teria infringido as regras. Fim de jogo.

Mauro abre o zíper.

Ela ia respirando bem perto do meu corpo. Às vezes soprava. Ria.

Mauro enfia a mão dentro da calça. E aí, e aí?

Era isso. Ela ria muito. Meu corpo ia se arrepiando completamente. Até que, de repente, ela dava um beijo suave em algum lugar que ela mesma escolhesse. Quando isso acontecia, parecia que meu coração ia explodir. Um suave beijo no pescoço. Ou no joelho, no pé, na barriga, na coxa, na virilha. Com longos intervalos e muita risada entre um beijo e outro. Meu corpo convulsionava e eu tinha que deter meus impulsos.

E você não podia nem se tocar? Não podia bater uma punheta enquanto isso?

De jeito nenhum. Eu tinha que estar imóvel. Completamente sujeito à sua vontade. Morto.[49]

Mauro geme e põe o pau para fora. Pompeu evita olhar. Vai, fala.

Eu realmente não sei quanto tempo durava esse jogo. Podia durar mais de uma hora. Dependia do tempo que tivéssemos, afinal morávamos com nossos pais. Por isso esse jogo só acontecia quando estávamos sozinhos e sabíamos que tínhamos tempo.

E os peitos? Fala o que ela fazia com eles.

Ela fazia com os bicos do peito a mesma coisa. Escolhia algum ponto do meu corpo e, fingindo casualidade, encostava suavemente o peito nesse lugar. Então ria. E parecia escrever algo com os bicos. Fazia um sutil movimento como se inscrevesse algo em mim.

Pelo canto do olho, Pompeu percebe que Mauro se masturba.

49

"O abuso de cadáveres, por muito horripilante que nos pareça, não é objectivamente tão perigoso como o abuso e mau trato de pessoas vivas." Fragmento do verbete "Necrofilia", em *Léxico do erótico*, de Ludwig Knoll e Gerhard Jaeckel (Livraria Bertrand, 1976). Não consta tradução nesse belíssimo dicionário com que me presenteou Glauco Mattoso em 1983.

Fala, fala.

E, no ápice de sua crueldade, ela chegava com o peito próximo a minha boca e dizia: "Abre". Eu abria. E ela dizia: "Eu só vou apoiar um pouquinho meu peitinho aqui, só apoiar. Não é pra você chupar, hein?". E eu o sentia na minha boca, na minha língua. Sentia seu peso e seu gosto e não podia sorver. Tinha que permanecer naquela espécie de morte.

"Abre, abre a boca, mas não se mexe. Não pode chupar. É só para sentir o peso. É pesado?"

E eu abria. E aí era ela quem sentia o calor do meu hálito.

E você não chupava?

Não. Ou o jogo acabava. Eu sentia o coração bater no meu pescoço como se fosse realmente explodir. E então, como se por acidente, ela roçava o rosto ou o peito no meu pau. Muito rápido. Como se fosse sem querer. E ria. Nesse ponto, muitas vezes, sem que pudesse me conter, eu chorava. E ela começava a chupar, mordiscar e lamber outras partes de mim. Casualmente, seu rosto encostava no meu pau enquanto ela lambia minha barriga ou a virilha. Depois se afastava e num dado momento, sem que pudesse me conter, eu esporrava. Assim, do nada. Sem nem ao menos me tocar ou ser tocado. Feito uma polução. Uma explosão. Em alguns momentos, ela punha a buceta muito perto da minha cara e me deixava cheirar. Só cheirar.

Pompeu ouve a estrondosa gozada de Mauro. Como se fosse o barulho de um animal sendo abatido. Pompeu se sente vazio. Completa e absurdamente vazio.

V

"Se, porém, teus olhos forem maus, todo o teu corpo será cheio de trevas. Se, pois, a luz que em ti há são trevas, quão grandes são essas trevas!" O Livro de Mórmon 3, Néfi, capítulo 13.

VI

Açúcar? Nunca lembro.
Pode ser sem.
Eu fiz uma coisa horrível. Pompeu desabafa.
O quê?
Terrível, terrível.
Fala logo.
Tem esse outro cara pra quem estou trabalhando.
O Mauro?
Ele mesmo.
Fui eu que te indiquei pra ele, lembra?
Verdade.
Fala logo, homem.
Eu... tô tentando.
Quer água com açúcar? Mauro brinca para descontrair.
Só se for do Letes. Pompeu sorri.
Como?
Tem o Letes,[50] não é mesmo?

50

Letes, "a fonte do esquecimento", seria um rio do Hades, o rio do submundo na mitologia grega. Era nesse rio que os mortos bebiam para esquecer sua existência e poder renascer numa nova vida. Segundo Junito Brandão, em seu *Dicionário mítico-etimológico*, o nome viria de "Lete, o Esquecimento, filha de Éris, a Discórdia". E o verbete termina com: "Lete acabou por transformar-se numa

Letes?

É, um dos rios do Hades. Lembra desse mito grego?

Não me lembro.

Eu adoro esse conceito. O Letes ou Lete seria o rio cuja água os mortos bebem pra poder voltar para uma nova vida. É o rio do esquecimento. Assim eles apagam a lembrança da vida anterior e podem retornar.

Eles, os mortos, são obrigados a beber?

Sim. Faz parte. Para poder voltar. Você não beberia dessas águas?

Bom, se faz parte, não teria escolha.

Não, digo hoje. Se pudesse. Imagina? Poder apagar tantas coisas.

Mas aí você apagaria tudo, não só aquilo de que se arrepende. Não?

Tudo, tudo, tudo. Apagaria tudo.

---

alegoria, irmã da Morte e do Sono". "O Letes, o do olvido, enovela/ Seu labirinto de água, que a memória/ De ser mata a quem mata a sede lá/ E o gozo e o pesar, prazer e dor." John Milton, *Paraíso perdido*, tradução: Daniel Jonas. Segue o final do poema "Um supermercado na Califórnia" de Allen Ginsberg, com tradução e nota de Claudio Willer (muito obrigado, Claudio Willer, por tantas coisas maravilhosas que você nos trouxe à luz. Eu o cito aqui inúmeras vezes): "Ah, pai querido, barba grisalha, velho e solitário professor de coragem, qual América era a sua quando Caronte parou de impelir sua balsa e você desceu na margem nevoenta, olhando a barca desaparecer nas negras águas do Letes? NOTA: Letes — rio na entrada do Hades, reino dos mortos da mitologia grega, cruzado pela barca de Caronte".

Aí você deixaria de ser você.

Sim. Enfim, eu deixaria de ser eu.

Você deve ter feito algo realmente terrível pra desejar isso.

Uma vez o Pereio me disse que usa a memória para esquecer.

Pereio, o ator?

Ele mesmo.

Vocês se conhecem?

Eu o encontrei numa festa. Ele estava chapado e, sei lá por quê, se aproximou de mim e disse isso. Nós conversamos um pouco. É um cara muito inteligente.

Imagino. Você parece melhor. Sua expressão estava tão tensa quando chegou. Está melhor agora?

Eu senti um alívio. Mesmo não tendo desabafado ainda.

Sabe, Pompeu, desculpa te dizer isso, mas você tem um problema que acaba pesando demais na sua vida.

Que seria?

Você é muito rancoroso.

Eu sou. Eu sou, eu sou muito rancoroso. Acredita que só percebi isso recentemente?

Isso não é bom.

Não é.

Quer mais café?

Ainda não terminei o meu.

Quero te mostrar uma coisa. Vem comigo.

Pompeu segue Mauro até a cozinha.

O fogo sob a grande panela de alumínio está aceso nas duas bocas. Algo se debate na fervura. Dá para ouvir. Feito quando se cozinham caranguejos.

Pompeu inala um pouco do vapor que sai da panela. Cheiro de ervas e carne.

Quer ver? Não está pronta ainda, mas, se quiser dar uma olhada...

Posso?

Pode.
Sério?
Mauro pega um pano de prato e o enrola na alça da tampa.
Posso olhar?
Vai.
Lentamente retira a tampa.
Puta que pariu! Puta que pariu. Escapa de Pompeu.
Ainda faltam umas boas horas de cozimento.
É pena que ficam todas tão parecidas.
Não ficam, não.
Pra mim ficam. Elas perdem as características.
Bom, isso é o mesmo que dizer que os orientais são todos iguais. Ou seja, ignorância e falta de percepção. Insensibilidade.
Não é não. Isso tem a ver com o processo. Porque, quando era pequeno e vi meu pai fazer, fiquei desapontado. Fiquei desapontado quando descobri como eram feitas.
É a única forma de fazer. Os Jívaro[51] faziam assim. Não tem outro jeito.
Pode ser, mas isso tira a graça pra mim.
Seu pai também fazia?
Fez algumas vezes. Foi como um hobby.

51

"Jívaro, índios sul-americanos que vivem na Montaña (encosta oriental dos Andes), no Equador e no Peru ao norte do rio Marañón. Eles falam a língua do grupo Jebero-Jivaroan [...] Os Jívaro são conhecidos por sua técnica de encolher cabeças humanas ao tamanho de uma laranja. Essas cabeças encolhidas (*tsantsas*) são preparadas removendo a pele e fervendo-a; pedras quentes e areia são colocadas dentro da pele para encolhê-la ainda mais."
Enciclopédia britânica.

E como ele fazia depois? Do que as revestia?

Areia e argila.

Ele as colecionava?

Ele fez seis ou sete. Depois parou.

Mauro lava a cafeteira italiana.

Eu imaginava que fossem feitas de outra forma.

Não tem outro jeito de fazer, Pompeu. É assim.

Mauro põe três colheres de pó, fecha a cafeteira e põe no fogão ao lado da grande panela.

Você já pode fumar?

Vou esperar o café. Esse outro Mauro é um cara muito escroto.

Poxa, acho ele muito gente boa.

É um escroto. Depravado. Por isso não consigo arrumar ninguém pra ele.

Que estranho. Não o vejo assim.

Isso porque você não trabalha para ele.

Me diz uma coisa, Pompeu, a coisa terrível que você fez tem a ver comigo?

Pior que tem.

Por isso não consegue contar?

Eu vou contar, só preciso dar minhas longas voltas pra chegar lá.

Eu não sou rancoroso. Quero que saiba isso.

Eu não sei quase nada de você, Mauro. Há quanto tempo trabalho pra você?

Dois anos? Três? Não sei dizer.

E eu não sei nada sobre você.

O que quer saber? Minha vida não é muito interessante, disso você sabe. Ou não contrataria você. Não é mesmo?

Me conta alguma coisa. Eu sempre falo um monte a meu respeito.

Tá bom. O que quer saber?

Qualquer coisa. Me fale de você.

Eu também me perdi na praia.

Sério?

É. Eu tinha a mesma idade que você tinha quando se perdeu. Mas, ao contrário de você, eu não reencontrei a minha família.

Não brinca. E como você fez? O que aconteceu?

Comigo foi a mesma coisa, eu também não me dei conta de que a maré havia me deslocado. Tinha quatro anos de idade. Não sabia.

O mar é muito traiçoeiro.

Não diga isso. Que coisa horrível de dizer do mar. Nós que temos a pretensão de achar que o conhecemos. Nossa arrogância nos faz crer que compreendemos sua grandeza e inerência. O mar é um mundo à parte.

E aí? Como você fez?

Depois de eu ter andado por horas, um casal se aproximou de mim.

Não eram seus pais?

Não. Eles tentaram se passar por eles.

E aí?

Eles fingiram ser meus pais e eu fingi acreditar.

Sério?

Eu sentia que não iria encontrar meus pais. E sabia que não conseguiria viver sozinho.

Caramba. E foi assim? Viveu com eles?

Vivi.

Mas eram impostores.

Eu também fui. Não fingi não perceber?

E em algum momento vocês falaram sobre isso? Você chegou a dizer que sabia que eles não eram seus pais?

Não. Nunca conversamos sobre isso.

E eles estão vivos ainda?

Não. Meu pai morreu há muito tempo. Minha mãe ainda é viva.

Mas eles cuidaram bem de você?

Muito. Muito bem. Acho que eles queriam ter filhos e não conseguiam. Depois eles adotaram outra criança. Meu irmão. Ele ainda é vivo.

E vocês são próximos?

Não. Mas às vezes nos encontramos e tomamos algumas cachaças.

E você não procurou seus pais? Digo, quando cresceu, sei lá.

Não.

Por quê?

Não sei. A vida às vezes passa rápido. Quando nos damos conta, já não faz sentido tentar consertar certas coisas.

Caramba.

Mauro serve o café.

Vai lá, me diz, o que você fez?

Bom, o Mauro, o cara que você me apresentou, é muito escroto. E isso no fim gera um círculo vicioso. Foi o que aconteceu. Não consigo encontrar ninguém pra ele. E ele me paga muito bem. O cara é cheio da grana e no fim, sei lá, ele é generoso comigo. E se interessa muito por minhas histórias. Minha história de vida. Ele se diverte a valer com elas. É até bonito às vezes ver a forma como se envolve com minha miserável existência.

Bom, ao menos você lhe dá algo em troca.

É. Mas, como disse, ele é um sujeitinho bem perverso. Sacana mesmo. E ele gosta de ouvir, como chamar, minhas aventuras sexuais? Minha vida sexual?

Entendi. E você conta pra ele?

Conto. É isso, preciso dar algo em troca.

Tá, e aí? Onde eu entro nisso tudo?

Na última sessão ele queria que eu contasse sobre a minha primeira namorada.

E você não quis contar?

É. Até porque, quando conto, é horrível. Ele se excita.

Entendi.

Ele se masturba. Na minha frente. Acredita?

É, isso não é muito legal.

E ele é muito degenerado. Ele tira o pau pra fora e fica me exibindo.

Desagradável. Não podia imaginar algo assim vindo dele.

E ele tem um pau, sei lá, obsceno.

Acho que todo pau é assim, não?

Sei lá. Mas o pau dele é muito grosso e ele goza uma quantidade descomunal. Faz uma barulheira danada. Geme feito um monte de animais. É horrível. Horrível.

Muito desagradável mesmo.

E eu não estava a fim de passar por isso de novo. Foi aí que fiz a cagada.

Conta.

Eu falei da sua garota pra ele.

Mauro não diz nada. Baixa a cabeça.

Bebe o café em silêncio.

Acende o cigarro.

Pompeu acende o seu.

Fala alguma coisa, por favor.

Eu não vejo nenhum problema nisso.

Não?

Eu amo essa garota. E é natural que outras pessoas a amem também.

Mas ela é a sua garota.

Sabe, Pompeu, vou ser bem sincero, às vezes eu me pergunto se essa minha garota existe.

Ela existe. Claro que existe.

Claro, existe e não existe ao mesmo tempo. Eu sei. Mauro sorri.

É isso. Tudo existe e não existe ao mesmo tempo. Por que sorriu?

Porque é engraçado. Quando conheci o Mauro, ele me explicou justamente esse conceito de física quântica.[52] Não lembro

---

52

"O experimento mental do gato de Schrödinger consiste em um gato preso dentro de uma caixa sem transparências, junto a um frasco de veneno e um contador Geiger ligados por relés, e um martelo. O contador será acionado ou não. Se for, transmitirá movimento através dos relés; o martelo baterá no frasco de veneno quebrando-o e o gato morrerá. Mas se o contador não acionar, o martelo não quebrará o frasco e o gato permanecerá vivo. Esse experimento mental foi proposto por Erwin Schrödinger, em 1935, para demonstrar os estados de superposição quântica: só saberemos se o gato está vivo ou morto se abrirmos a caixa, mas se isso for feito, alteraremos a possibilidade do gato estar vivo ou morto. O princípio desta está intrinsecamente ligado ao Princípio da Incerteza de Heisenberg. O estado de superposição quântica acontece quando for desconhecido o estado de um corpo. Se não pudermos identificá-lo, diremos que este corpo está em todos os estados. Não poderíamos inferir, por exemplo, que o gato não está em estado nenhum, já que foi colocado dentro da caixa e sabemos que ele está lá." Fonte: Wikipédia. Apesar de todo o preconceito que existe em relação às pesquisas na Wikipédia, esta sinopse foi a melhor que encontrei e, além disso, a considero muito confiável. Apenas para brincar com esse conceito tão em voga, quanto ao gato de Schrödinger, deixo aqui uma citação de Stephen Hawking retirada do site *Austria-Forum*: "O famoso cosmologista brio nome agora, mas teve um cientista que tentou equacionar isso. A história do gato. Realmente não me lembro o nome do cientista.

Mas ela existe. De verdade.

De qualquer forma, ela existe pra mim.

Claro.

E, do jeito que me fala dela, você também a ama.

Não. Imagina. Ela é a sua garota.

Sim, é minha garota, mas não no sentido de posse. E isso não impede que outros a amem ou que ela ame outras pessoas.

Mas você ficou com ciúme quando te contei que ela conversava com aquele cara.

Eu posso sentir ciúme. Só que isso não impede que ela se interesse ou mesmo ame outras pessoas ou seja amada. Isso é só insegurança da minha parte. É medo de perder.

É ciúme. Ciúme é ciúme.

De qualquer jeito, nós podemos amar mais de uma pessoa ao mesmo tempo. Não sei por que tentamos negar isso.

É. Isso é verdade.

Eu amei duas mulheres ao mesmo tempo. E as amei profundamente. Mas essa é outra história.

Conta. Eu quero saber.

---

tânico Stephen Hawking afirma pegar em armas quando ouve sobre o gato de Schrödinger. Não para matar, mas para afugentar quem quer que lhe fale sobre isso". Bem ou mal, esse conceito ou "experimento mental" foi um ponto muito importante para o desenvolvimento deste livro. A partir daí é que comecei a pensar na possibilidade, entre tantas, de Pompeu, também, ter se desdobrado ao se perder na praia.

Outro dia eu conto. Mas, voltando ao nosso tema, sempre que me fala sobre ela, eu a vejo. E sinto amor por ela. E, mais do que isso, sinto que às vezes sobrevivo mais uns dias só esperando você me trazer notícias dela. Então, de alguma forma, eu existo também, ou ao menos resisto, deveria dizer *rexisto*, por isso. Ela também me faz *rexistir*.

Mas eu fui profundamente leviano com você. E o que me deixa mais triste é que, ao contrário da relação que tenho com o outro Mauro... eu gosto de você. Sinto falta de te ver. Sinto falta de nossos encontros. Dos nossos cafés.

Tá. E como fazemos agora? Você está tentando me dizer que agora ela é dele? Por favor, me entenda, não como propriedade, mas, diria, como conceito. Sei lá. Não sei me expressar. Agora você falará dela para ele. Só para ele? É isso?

Claro que não. Além do mais, ele não se interessou nem um pouco por ela.

Então nada mudou?

Não. Vou continuar falando dela só pra você.

Quero te mostrar uma coisa. Mauro caminha até a estante e apanha um livro. Olha que interessante, eu li outro dia: "Os personagens e as situações desta obra são reais apenas no universo da ficção; não se referem a pessoas e fatos concretos, e não emitem opinião sobre eles".

Bonito isso. Melhor do que quando simplesmente dizem que não existem, que não são baseados em fatos ou pessoas reais. Isso tem tudo a ver com o que falamos agora. Que livro é esse?

O livro dos mortos, de Lourenço Mutarelli.

Não conheço.

Isso não faz parte do livro. Não foi o autor quem disse isso. Está na página de créditos. É a editora quem diz. Quando li isso, fiquei imaginando uma coisa interessante. Você já parou pra pensar que embora esteja aqui e agora, ou ao menos acredite nisso, você pode ser só algo que esteja sendo escrito?

Como assim?

Pense nessa hipótese. Imagine que alguém esteja escrevendo uma história, agora, neste instante. E você seja um personagem nesse livro.

Não consigo imaginar algo assim. É absurdo demais.

Mas vamos supor que você fosse um alter ego,[53] outro eu[54] de um escritor. E que ele estivesse escrevendo isso, exa-

---

53

"Paulo Uccello está pensando em si mesmo, em si mesmo e no amor. O que é o amor? O que é o Espírito? O que é o *Eu Mesmo*? Podemos imaginá-lo como quisermos, em pé, em frente a uma janela, a um cavalete, ou até mesmo sem aparência alguma e desprovido de todo o corpo, assim como ele gostaria de ser sem lugar algum do espaço em que possa marcar o lugar de seu espírito [...] Estou na janela e estou fumando. Agora sou eu Paulo os Pássaros [...] E, no entanto, eu sou eu mesmo [...] É a consciência que faz a verdade." Antonin Artaud (fragmentos), "Paulo os Pássaros ou o lugar do amor seguido de uma prosa para o homem do crânio de limão", em *Textos surrealistas*, tradução: Olivier Dravet Xavier.

54

Verbete "Eu" de Ambrose Bierce em seu fabuloso *Dicionário do Diabo*: "eu (*I*), pron. 'Eu' é a primeira palavra do idioma, o primeiro pensamento da mente, o primeiro objeto de afeto. Na gramática, é um pronome de primeira pessoa e singular em número. Diz-se que seu plural seria 'nós', mas como pode haver mais de um 'eu', dificilmente será mais claro para os gramáticos do que é para o autor deste incomparável dicionário. Conceber dois eus é difícil, mas bom. O uso franco mas gracioso do 'eu' distingue um bom de

tamente esta passagem na qual você está conversando comigo e somos personagens que só existem nesse livro. Conversamos, fumamos e tomamos café, num livro que ainda nem existe porque não foi publicado. Está sendo escrito exatamente agora. E esse agora é um domingo. E são sete e sete da manhã de um domingo. Consegue imaginar?

Não. Para mim é impossível. Tenho o meu corpo. Se você dissesse, sei lá, que estamos num filme, numa peça de teatro ou algo assim, talvez pudesse engolir. Mas um personagem num livro é algo abstrato demais pra mim.

De um livro que ainda não existe. Pois ele está escrevendo. É ainda mais abstrato do que isso. Você só vai existir de fato quando o livro for publicado e alguém ler o livro.

Não, não consigo imaginar isso. Falta veracidade pra mim. E hoje é quinta-feira. Por que falou domingo?

É quinta-feira aqui, não lá. E essa é a mesma natureza das histórias que me conta. É a mesma coisa da minha garota. Eu a vejo. Eu a vejo quando você fala sobre ela. E, se ela não existisse de verdade, ainda assim existiria na minha mente. E minha mente lhe dá um corpo. Lhe dá vida. É como um sonho. O que vemos quando sonhamos, muitas vezes nos confunde. Muitas vezes é quase real.

Eu consigo acreditar que seja apenas um ser no sonho de alguém. Mas um personagem num livro que nem existe ainda, não dá.

Mas, imagine, cada vez que alguém ler esse livro você ganhará vida. E, quando ninguém o ler, você deixará de existir.

---

um mau escritor; este último o carrega à maneira de um ladrão tentando esconder seu butim." Tradução: Rogerio W. Galindo.

Eu entendi o conceito. Mas é irreal demais pra mim.
Mais café? Ainda está quente.
Quero, sim.
Quer comer algo? Uma torrada?
Não, não, estou bem.
Vamos voltar pra sala?
Vamos.
Eu também não gosto quando se quebra a quarta parede. Pompeu diz enquanto se acomoda no sofá. Sabe, Mauro, essa situação me trouxe um grande dilema que venho vivendo. Eu tenho me perguntado, profundamente, se a tal da verdade deve ser dita. Às vezes sinto que é uma questão bastante egoísta. No fundo é isso. Venho tentando guardar coisas que não cabem mais em mim. Isso me consome. Também não consigo esquecer. Por isso o Letes é tão importante e simbólico. Bastaria esquecer. Acredito que por isso bebo cada vez mais e mais. Para anestesiar isso que me devora.

Pelo visto você fez algo bastante grave.

É difícil medir essas grandezas. Sempre acreditei não cair nesses jogos morais. Sempre procurei viver na lei de Crowley, na minha lei. Mesmo assim, fomos moldados. Forjados no jogo da culpa. E minha lei só vale pra mim. Realmente fiz muitas coisas graves na minha vida. Cometi uma série de crimes. E, infelizmente, eles não prescrevem. Eu estou tentando acertar as contas. Pompeu dá um gole no café como se tomasse fôlego.

Mauro baixa a cabeça. Observa a palma da própria mão enquanto a alisa. Como se fizesse um carinho em si mesmo.

De qualquer forma, esse é outro assunto. E, mesmo que tenha uma natureza semelhante, não é hora de falar sobre isso. Mesmo assim, gostaria de saber o que pensa em relação a isso. O que você acha, Mauro? A verdade deve ser dita ou calada?

Acho que depende, não é mesmo?

Eu preciso encontrar essa resposta.
É tão relativo.
Será?
Acredite em mim.

Mas me diz, você a viu?
Vi. Eu a vi.
Onde?
Num café na Galeria Paraíso, rua Sondra Porfírio, 490A.
E como ela estava? Linda?
Ela parecia triste. Mas linda. Sempre linda.
Triste? Por quê?
Eu não sei.
O que ela estava fazendo? Tava trabalhando?
Não, não há mesas lá. Ela estava tomando um expresso no balcão.
Sozinha?
Sozinha.
Por que será que ela estava triste?
Eu não sei.
E você?
Eu?
É, você estava triste?
Pompeu sorri, sem graça. Eu estava.
Será que não foi isso?
Como assim?
Será que não era seu olhar?
O que você quer dizer? Que eu a contaminei, sei lá? É isso?
Não que a contaminou, mas talvez a sua tristeza tenha feito com que interpretasse que ela também estava triste.
Pode ser.

Ela comeu alguma coisa?

Comeu. Um croissant.

E você? Comeu?

Não, só tomei café.

O café era bom?

Muito bom.

Há uma sombra estranha na parede. Pompeu não consegue identificar sua fonte.

E ela dançava? Mauro pergunta.

Ela dançava. Ela sempre dança. Mas ontem dançava uma música triste.

VII

Pompeu toma fôlego.

Destranca a porta, põe a sacola de compras sobre a mesa da cozinha.

Retira um litro de leite e um pacote de rosquinhas de coco.

Apanha a bandeja de plástico sobre o micro-ondas.

Serve três copos de leite e despeja um pouco do biscoito num prato.

Leva a bandeja para a sala.

VIII

Eu a levei comigo através da distância e isso reviveu em espírito meu corpo. Ela dizia isso enquanto procurava manter em seu colo a coruja que se debatia. Fiquei impressionado com o tamanho das asas do animal. Enquanto a outra, vestida de azul-escuro ou preto, modelava uma cabeça na argila. Da forma como se olhavam, parecia que ela procurava retratar o rosto da que segurava o bicho que se debatia. Me aproximei e não consegui ver nenhuma semelhança no rosto que esculpia.

Nos anos 1950, você teria apenas 36,2% de chance de conseguir. Ao dizer isso, ela largou a coruja, que emitiu um som aflitivo e voou.

Começou a ler o tal livro? Ela se dirige a mim.

Não. Quer dizer, comecei, mas não consigo avançar. Me dá sono. Um sono mórbido. Eu tenho problema de insônia… O livro não flui. É chato demais.

Você continua com essa insônia?

É cada vez pior. Eu me sinto num espelho d'água. Procuro ilustrar meu transtorno. É isso, não consigo mergulhar. Não aprofundo o sono.

Você sempre teve períodos de insônia.

É, mas tinha os remédios. Eles me ajudavam a apagar. Tiravam de mim a lembrança dos sonhos, porém me faziam dormir.

"Não tem almoço grátis." Ela diz.

A insônia se agravou com as convulsões do meu filho. Eu precisava estar atento. Sempre atento. Ficava apreensivo.

Ele teve outras convulsões?

Não. Há exatos dez anos e dez meses ele não convulsiona.

E mesmo assim você não consegue dormir.

Ele já nem mora mais conosco. E depois disso vieram os surtos psicóticos da minha mulher. Agora é isso que me mantém atento. E é assim que acontece. Na hora que vou mergulhar, qualquer ruído, por menor que seja, me desperta.

Essa transição a que se refere é o momento hipnagógico.

É. É justamente esse momento. Meu espelho d'água.

Você sabe como se chama o momento contrário?

Momento contrário?

Sim, o momento hipnagógico é a transição da vigília para o sono. Sabe como se chama o momento do sono à vigília?

Não. Não faço ideia. Afirmo.

Hipnopômpico.

Puxa. Não sabia.

E seu filho saiu de casa?

Sim. Saiu há mais de três anos. No fundo, acho que ele não suportava ver a mãe em surto.

Quantas vezes ela surtou?

Duas. Duas vezes. Sem histórico. O primeiro surto foi em 13 de janeiro de 2016. E o segundo em 6 de junho de 2017.

Você é bom com as datas.

O primeiro, 13 de janeiro, é o dia em que meu pai nasceu. E 6 de junho, o dia em que ele morreu.

Curioso, não?

Muito. A propósito, como vim parar aqui? Pergunto.

Você sempre esteve aqui.

O que ela esculpe?

Um palhaço.

Então, posso ver. Identifico a imagem. Eu adoro esse palhaço. Ele fica na sala do Mauro. Me levanto e, sem me dar conta, acaricio a cabeça desfigurando uma de suas orelhas. Me perdoe, esqueci que o barro ainda está fresco.

Tudo bem. Eu arrumo. Pela primeira vez a escultora fala.

É lindo. Tão real. Você é muito boa. Afirmo. É alguém que existe? Digo, você se inspirou em alguém para fazê-lo?

É o quarto filho da noite. A escultora responde. Sua voz é tão doce e agradável. Percebo então sua beleza. Meu deus! Você é linda.

Não seja bobo.

Eu não sabia que a noite tinha filhos. Procuro disfarçar o constrangimento.

Inúmeros. São incontáveis. A cada dia a noite gera um novo filho.

IX

Vou precisar de você agora. Eu não sou o mentiroso. Juro. Quer dizer, não tenho fé, então não juro, prometo. Ouvi um cara dizer isso num julgamento. Quando o meirinho pediu para que ele jurasse. Ele disse: "Eu não acredito em Deus. Não posso jurar". Vamos lá, fique comigo. Imagine um mercado imenso. Pense no maior supermercado que possa imaginar. Ainda maior. Muito bem, mas tem um detalhe importante, não é um mercado de agora. Imagine o maior dos mercados em meados dos anos 1970. Isso, isso mesmo. Guarde essa imagem. Imagine esse supermercado em 1972, 73, 74, fundo, cada vez mais fundo. Respire com calma. Fique comigo. Venha. Eu não sou o mentiroso. À frente do mercado, imagine um imenso estacionamento. O maior estacionamento que consiga vislumbrar. Essa é a fachada do colosso que dá para uma avenida. Uma avenida feia. Uma avenida de três pistas. Veja os carros passar. Os carros que ocupavam as ruas nos anos 1970. Fuscas. Kombis. Mavericks. DKVs. Imagine a frente do mercado. Um prédio retangular, imenso, sem graça. Laranja e branco. Há acima do prédio um apêndice abobadado. No alto também está o letreiro preto, gigantesco, escrito em letras arredondadas. Um elefante toscamente estilizado segura na tromba um trevo de quatro folhas. Seu símbolo. Jumbo. Mas essa é a frente do edifício. É o que se vê da avenida feia. É o que querem que se veja. É o lado mais bonito. Mesmo sendo feio. Horrível. É o cartão de visita. Atrás há outro gigantesco estacionamento. E depois desse estacionamento, coisa que não nos é dado ver da avenida, uma favela monstruosa.

Nesse estacionamento, no pátio traseiro do supermercado, todo fim de ano se montava um circo. Um circo decadente. Eu preciso de você agora, pense no circo mais decadente que possa imaginar. Eu nunca entrei nesse circo. Eu vinha de trás. Você pode entrar se quiser. Pode assistir ao espetáculo. Eu não. Nunca me permitiram. Eu apenas cruzava a favela. Eu era um menino. Pequeno. Tinha muito medo de cruzar essa parte da favela.

E do circo só conheci os bastidores. Porque lá atrás, atrás de tudo, é que se montava o espetáculo. A primeira sensação quando me aproximava era o forte cheiro de estrume. Sinta o cheiro do estrume. Fique comigo. Cada vez mais fundo. Cada vez mais fundo. Então podíamos ver os animais enjaulados. Um elefante maltratado. Um leão velho e magro. Dois tigres igualmente magros. Os palhaços bêbados. Sempre bêbados. O fraque puído do apresentador pendurado num varal. E o corpo voluptuoso daquela que eu imaginava ser a trapezista em seu justo e encardido collant prateado. Cinzento.

Diana
Caramels hachés

X

Porque era assim, eram realmente outros tempos.[55] As

55

"MAQUIAVEL Ouça e julgue depois. Hoje, trata-se menos de violentar os homens do que de desarmá-los, de reprimir suas paixões políticas do que de *apagá-las*, de combater seus instintos do que de enganá-los, de proscrever suas ideias do que de alterá-las e delas apropriar-se.
MONTESQUIEU E como funciona isso? Por que não entendo essa linguagem?
MAQUIAVEL Se me permite, eis a parte moral da política, logo che-

crianças, mesmo pequenas, saíam às ruas. Brincavam nas ruas, atravessavam avenidas. Sozinhas. Compravam cigarros e bebidas para os pais. Pior, ou melhor, do que isso, vendiam cigarros e bebidas para crianças. Isso não era ilegal. E não se estampava o prazo de validade nos produtos. Coisas feito azeitonas, por

---

garemos a suas aplicações. O principal segredo do governo consiste em enfraquecer o espírito público, a ponto de desinteressá-lo completamente das ideias e dos princípios com os quais hoje se fazem revoluções. Em todas as épocas, os povos e os homens limitaram-se às palavras. Quase sempre, as aparências foram suficientes para eles: não pedem nada mais. Então, podemos estabelecer instituições fictícias que respondem a uma linguagem e a ideias igualmente fictícias. É preciso talento para tomar dos partidos *essa fraseologia liberal* com a qual se armam contra o governo. É preciso saturar os povos até o cansaço, até que se fartem. Hoje, fala-se muito do poder da opinião; mostrar-lhe-ei que fazemos que ela manifeste o que queremos quando conhecemos bem os mecanismos ocultos do poder. Porém, antes de pensar em comandá-la, é preciso fazer que ela se assombre, mergulhá-la na incerteza por meio de contradições surpreendentes, excitar distorções incessantes sobre ela, deslumbrá-la com todo tipo de movimentos variados, desconcertá-la insensivelmente em seus próprios caminhos. Um dos grandes segredos atuais é saber apropriar-se dos preconceitos e das paixões populares, de modo a introduzir uma confusão de princípios que torna impossível qualquer entendimento entre os que falam a mesma língua e têm os mesmos interesses." Maurice Joly (1831-78), *Diálogo no inferno entre Maquiavel e Montesquieu, ou a política de Maquiavel no século XIX, por um contemporâneo*, tradução: Nilton Moulin.

exemplo, que hoje aprendi que duram na geladeira entre cinco e quinze dias após aberto o frasco, ficavam meses ali guardadas. Anchovas eram eternas. As bolachas e doces, imperecíveis. Na escola a professora nos dizia que a água era um recurso ilimitado. Infinito. Muitas vezes minha mãe me pedia para ir ao mercado.

Pompeu para um pouco e olha para o inscritor.

Desculpe, não sei se é assim que funciona. Tudo bem? Posso ir, sei lá, só associando ideias? É isso?

Sim. Sem problemas. Continue.

É Leopoldo, não é?

Meu nome?

Sim. Seu nome.

É, Leopoldo.

Ufa. Sou péssimo com nomes. Mas anotei. Anotei para guardar. Acho que preciso discorrer sobre isso também. Sobre a minha dificuldade em guardar nomes.

Continue, procure não perder o fio. Leopoldo insiste.

Tá certo. O fio. É feito o novelo, não é mesmo? O pensamento, a escrita. É isso, não?

Sim. Daí vem a novela.[56] Do desenrolar e tecer desse fio. Assim se constrói.

Bonito.

Então, vá. Não o perca.

Verdade.

56

Independentemente da precisão das fontes, aqui a proximidade das palavras é mais forte do que possa significar.

Havia dois mercados. O Peg-Pag e o Jumbo. O Peg-Pag era um mercado menor e bem perto de casa. Já, pra chegar no Jumbo, tinha que atravessar uma parte barra-pesada da favela. Eu conhecia alguns garotos da favela, mas aquela área por onde tinha que passar quando minha mãe pedia para que eu buscasse algo no Jumbo, era tensa. Eu atravessava aquela parte apavorado. Cheio de apreensão e medo. A favela era chamada de Buraco Quente, e essa parte detrás do mercado era conhecida como o Morro do Piolho. Além do mais, era bem mais longe e tinha uma grande ladeira e eu vivia cansado. Te falei que achava que tinha sido picado pela mosca do sono? Engraçado, lembrei agora que o que geralmente buscava no Jumbo era pó de café moído na hora. Só lá eles faziam assim. O caminho que eu fazia me levava ao fundo do mercado. Era um mercado imenso. Não havia nada que se comparasse a esse mercado. Imagine que não tínhamos shopping center. Outro dia eu dizia isso, não tinha internet, não tinha TV a cabo e, juro pra você, só tinha rádio AM. Lembro muito bem quando começaram as rádios FM. Excelsior e Difusora. Foi lá que ouvi pela primeira vez Black Sabbath. É estranho porque odeio reviver meu passado. E por alguma razão tenho feito isso agora. Sem parar. Estou falando muito rápido? Eu começo a divagar, me perder, e esqueço que talvez você não tenha tempo de anotar tudo.

Está tranquilo pra mim. A única coisa que aconselho é que não perca o foco.

Tá certo. É que realmente me cansa recordar tudo isso. E me deprime muito voltar ao meu passado. Mas vamos lá, vamos acabar logo com isso. Tem uma música que diz isso, não tem?[57] Eu falo muito "isso", reparou?

57

"Eu não posso mais ficar aqui a esperar que um dia de repente

O inscritor não responde. Volta o olhar para o caderno. Limpa a pena num pedaço de papel higiênico e espera que Pompeu volte à narrativa.

Bom, como dizia, o supermercado era imenso. E havia dois estacionamentos igualmente imensos nele. Um na frente, que dava para a avenida Sondra Porfírio, e outro atrás, que era de onde eu vinha. Nesse estacionamento traseiro, no fim do ano, havia um circo. Todo fim de ano eles montavam esse circo lá. Naquela época o forte dos circos, principalmente os mambembes, eram os animais. Era permitido expor animais. Eram outros tempos. Preciso te contar da feira próxima à casa de minha avó. Eles vendiam tartarugas lá. Vivas. Aquelas verdinhas, sabe?

O inscritor não responde.

Aquele circo me causava tantas sensações ao mesmo tempo. De longe eu sabia quando o estavam montando. E sabe por quê? Pelo cheiro. O cheiro de estrume, o cheiro da merda dos animais, dava pra sentir de longe. Aquele circo era, mesmo naquela época, talvez a coisa mais decadente que cheguei a ver. Digo, em toda a minha vida. Até hoje nunca vi nada tão decadente quanto aquele circo. O pessoal que fazia parte, não sei como chamar, do elenco? Da trupe? Que seja, era igualmente feio e decadente. Os animais, não sei se eram os mesmos a cada ano, porque pareciam muito doentes. Velhos e doentes. Meus pais nunca me levaram naquele circo. Por mais que eu pedisse. Só tive a oportunidade de conhecer

---

você volte para mim [...] Preciso acabar logo com isso, preciso lembrar que eu existo, que eu existo que eu existo..." "Sentado à beira do caminho", Roberto e Erasmo Carlos.

seus bastidores. E toda aquela trupe era alcoólatra. Assim como os animais exalavam o cheiro dos excrementos, os artistas fediam a álcool. Eram figuras sombrias, realmente sombrias. Com olhar degenerado e lascivo. Havia um elefante, um leão e dois tigres. Sempre tinha alguns cachorros velhos com eles, mas imagino que não fizessem parte do espetáculo. Acho que eram só companheiros do grupo. Eles não ficavam nas jaulas. Estavam sempre soltos acompanhando a equipe. Os palhaços eram de fato as criaturas mais sombrias. É isso. Queria dizer isso. Acho que esse circo ocupa um espaço importante na minha vida. A impressão que ele exerceu sobre mim está e permanecerá em mim. Acho importante deixar isso inscrito.

O importante é que nessa época, exatamente nessa época, entre novembro e dezembro, havia essa espécie de ritual. Subir aquela ladeira imensa margeada pela parte mais perigosa da favela. A favela também fedia por causa do córrego. Isso é importante, pra chegar a essa parte, tinha que cruzar a pontezinha que o atravessava. E o cheiro era tão forte que ardia. Certa vez, quando me aproximava da ponte, vi a maior ratazana que possa existir. Ela era imensa. Asquerosa. Se movia lentamente devido ao seu tamanho. Era maior do que um gato. Juro. Juro mesmo. Eu vi. Repulsiva. Sempre contavam histórias dos bebês da favela que foram devorados por ratos. Mas, voltando, quando atravessava essa ponte, começava a ladeira, que parecia interminável. E, quando chegava no alto desse morro, onde depois se estabeleceu uma imensa loja de calçados, começava o cheiro do circo. Então eu o avistava. Suas lonas encardidas e aquele grupo de aparência decadente e sombria. Mas, passado tudo isso, eu entrava no mercado pelos fundos. E tudo, tudo, mudava. As cores, os cheiros, os sons. E numa dessas vezes, porque é claro que eu sempre dava uma passada no corredor dos brinquedos, eu encontrei o boneco. A mesma figura que me atacava no sonho recorrente que tinha. Ele estava lá. Sozinho. E eu quase rezei para que ele me esperasse. O pior é que eu sempre soube por que aqueles do circo me impressionavam tão fortemente. Eu tinha mais a ver com eles do que queria. Eu sou essa mesma decadência mórbida. Do mesmo grupo de palhaços bêbados. Você lembra do perfume do pó do café moído na hora?

Quando eu era criança, brincar era tão real quanto viver.

Talvez mais.

XI

Tudo igual
feito déjà-vu.
A empregada o recebe e o conduz ao gabinete.
Bate duas vezes.
Entra. Mauro grita de dentro.
A mocinha corre à porta.
Obrigado. Pompeu agradece.
Fala, criatura.
Bom dia.
Senta.
Pompeu se acomoda.
Mauro faz a mosca.
Pega um copo aí no oratório.
Obrigado, estou tentando beber menos.
Tá bom. Boa sorte. Mauro diz com ironia e desprezo.
Mauro, sentado todo torto em sua imensa poltrona de couro preto.
Fura um enorme charuto.

Apoia o copo de uísque ao lado da caixa laqueada.

E aí?

Eu encontrei alguém.

É? Faz a mosca.

Sim.

Ok. Então vamos ver como é que isso funciona. Como ela é?

Ela é pequena.

Muito pequena? Quão pequena?

Pequenina.

Pequenina assim? Mauro faz um gesto com as mãos. Debochado. Como se a moça tivesse menos de trinta centímetros. Ou ainda menor?

Deve ter um metro e sessenta. Acredito.

Tá. E aí?

Ela tem um olhar muito forte.

Quantos aninhos ela tem?

Ela é jovem, trinta e poucos suponho.

Gostei. Como dizem hoje em dia, *as novinha*. Gargalhada com chuva de perdigotos.

Pompeu observa as microbolhas estourarem na mesa de ébano.

E a gótica?

Oi?

Não sei se gostei dessa. Acho que gosto mais da gótica.

Eu mal falei sobre ela. E sinto que essa...

Conta da gótica. Mauro interrompe. Me fala do peso de suas tetas. Conta quando ela metia as tetas na tua boca e perguntava se eram pesadas.

Você não quer ouvir? Eu encontrei alguém pra você e você não quer nem saber?

Quero saber da tua namoradinha.

Desculpa, Mauro, não é assim que isso funciona.

Você sabe que Platão te descreve como um demônio,[58] não sabe?

58

O Cupido é a apropriação romana do mito grego de Eros. "Filho de Vênus e Marte, em uma das variantes do mito, era um deus brincalhão, como se viu na Ode horaciana, mas, ao mesmo tempo solerte [solerte: que usa meios desonestos para conseguir algo. = ardiloso. *Dicionário Priberam da língua portuguesa*], cruel e impiedoso. Maltrata e tiraniza os deuses e os homens e brinca de amor com suas vítimas. Derrama sobre a terra a energia, a vida, o prazer, a alegria e a fecundidade, mas igualmente a saudade e a dor [...] Iconograficamente continuou em Roma a ser estampado com asas, armado de flechas e setas fatais que perfuram o fígado e o coração ou ainda empunha tochas que incendeiam e devoram." Junito Brandão, *Dicionário mítico-etimológico: mitologia e religião romana*. Em *O banquete*, no longo discurso entre Sócrates e a sacerdotisa Diotima, que lhe ensina "os fenômenos do amor", em sua rica tradução e introdução, o professor José Cavalcante de Souza destaca: "Trata-se de Eros, não uma ideia, mas o próprio deus do amor". Também desvela lindamente a passagem (201b-3), na qual Sócrates dialoga com Agatão: "Não está então admitido que aquilo de que é carente e que não tem é o que ele ama?/ Sim, disse ele./ Carece então de beleza o Amor, e não a tem?" "O amor é carente daquilo que ama, não tem aquilo de que é carente, não é aquilo que não tem, ele não é belo" [...] "O que é belo não é o Amor" (conclui). (202d-e) "Mas no entanto, o Amor, tu reconheceste que, por carência do que é bom e do que é belo, deseja isso mesmo de que é carente (diz Diotima)./ Reconheci, com efeito (diz Sócrates)./ Como então seria deus o que justamente é desprovido do que é belo e bom?/

Quê?

Teu ofício. Você acredita mesmo nele, não é?

Nele quem?

No teu trabalho.

Eu tenho que pagar minhas contas independentemente das minhas crenças.

É tão lindo o que Junito Brandão diz sobre o mito desse teu ofício.

Sério que você não quer saber?

Saber o quê?

Da pessoa que encontrei pra você.

Eu quero saber da gótica. É disso que quero saber.

É impressão minha ou você está um tanto mal-humorado hoje?

Eu que estou mal-humorado? Mauro rebate.

Não sei. Está um pouco agressivo.

Quando Junito Brandão fala de Eros, ele diz que "amor é a distância entre uns e outros". Não é lindo isso?

É lindo. A frase realmente surpreende Pompeu.

E mais belo ainda, "amor é o elo que liga o Todo a si mesmo". Fala a verdade. Isso não é sublime?

É realmente lindo.

Lindo demais. Porque até mesmo o Todo se perde às vezes. Se esquece. Se confunde.

De modo algum, pelo menos ao que parece./ Estás vendo então, disse, que também tu não julgas o Amor um deus?/ Que seria então o amor? Perguntei-lhe. Um mortal?/ Absolutamente./ Mas o quê, ao certo, ó Diotima?/ Um grande gênio, ó Sócrates; e com efeito, tudo o que é gênio está entre um deus e um mortal."

É. Pompeu solta feito um suspiro.

Voltando a Platão. Mauro se anima. No *Banquete*, ele define Eros como demônio por ser intermediário entre os deuses e os homens. O arqueiro é você. E parece que não se dá conta.

Acho que não estou entendendo.

Me dá sua namoradinha.

Eu fui na festa da Regina.

Mentira. Jura?

Fui.

E como foi? Me conta.

Você estava lá.

Estava?

Estava, mas lá você não me conhecia.

Lá eu não te conhecia? Que pena. Podíamos ter conversado. Por que não se apresentou? Gargalhada.

Claro que me apresentei. Afinal, não tinha como saber que não lembraria de mim. Por isso me aproximei. E conversamos. Demorou para que entendesse que você não estava me desprezando.

E por que eu faria isso? Por que diabos faria isso?

Eu não sei. Você conversava com o outro Mauro. Aquele que me indicou pra você.

Claro, o Mauro. O *encolhedor* de cabeças.

Ele mesmo.

E sobre o que conversávamos? Digo, eu e você, você e eu? Tem uma música assim, não tem?

Você falava sobre um gato. O gato de um cientista. Não lembro o nome.

O gato de Schrödinger e o Princípio da Incerteza de Heisenberg.

Isso mesmo. É interessante essa história.

Mas fala da festa, fala da Regina. Não foi incrível?

Eu acabei bebendo demais.

Isso é bom. Gargalhada. Isso é importante.

Mas aí acabo não lembrando de muita coisa.

Hahahah. É, há no álcool algumas gotas do Letes, é ou não é?

Puxa, é verdade. Mas, sim, foi incrível.

Acho que tem uma marchinha de Carnaval que diz isso também. "É ou não é piada de salão." Mauro cantarola. Mas e a Rê? Não é uma pessoa fantástica?

É. Realmente. A Regina é uma pessoa sem igual. Ela me deu um livro de presente.

Ah! A Rê é assim. Sempre muito generosa. E que anfitriã, hein?

Realmente. Não me lembro de ter sido tão bem tratado assim. Ainda mais por alguém que nem me conhecia.

Eu disse que não podia perder essa festa por nada.

Eu conheci o Pereio lá. Mas eu não lembro de muita coisa.

E que livro ela te deu?

O romance luminoso.

Claro! Claro! Maravilhoso. Faz todo o sentido. Mario Levrero. Precisamos falar sobre esse livro. Tenho algo muito importante para falar sobre esse livro. Por falar nisso, que título te passaram na tua inquisição?

Eu perdi a porra do papel.

Não brinca.

Juro.

Porra! Mas se lembra do título ao menos, não?

Não faço ideia. Eu peguei o papel e pus no bolso sem olhar.

Caralho, cê tá fodido.

Eu sei. Mas vou voltar lá e explicar. Eu perdi. Foi sem querer.

"A ninguém é dado alegar o desconhecimento da lei." Você conhece muito bem isso.

Ah, se conheço.

Você deve lembrar alguma coisa do título. Se esforça. Eu posso te ajudar.

Eu não vi o título, tô te falando. Juro. Peguei o maldito papel e guardei sem ver.

Talvez tenha uma saída. Mas isso não vai ficar impune.

Pior é que agora eu sei quem me entregou.

Sério?

Minha mãe. Minha própria mãe.

Não pode ser.

Pois é. A gente pensa que conhece as pessoas.

Jamais-vu.

Quê?

O contrário de déjà-vu.

Sério? Existe essa expressão?

"Nunca falei tão sério em toda a minha vida." Gargalhada. Adoro essas frases de telenovelas.

E o que é jamais-vu?

Dá uma olhada nisso aqui. Mauro puxa o lábio inferior em direção ao queixo. Pompeu reage com uma careta. Há uma grande ferida próxima ao freio labial inferior. O centro da ferida é fundo e branco. O entorno, elevado e escarlate. Em volta, tanto no lábio como na gengiva, é visível o inchaço arroxeado.

Minha nossa, Mauro! Você precisa ver isso.

Vamos voltar a Cupido, ele é mais conhecido assim, não é mesmo?

Isso deve doer demais.

Você não faz ideia. Não imagina o quanto dói. Mauro enche a boca de uísque e deixa o líquido agir um tempo sobre a ferida. Então, engole. Mas, só para concluir a belíssima explanação de Junito, o amor, Eros, deve ser "união e não apropriação". E quando se perverte, ou quando esse amor é de natureza pervertida, ao invés de unir, ele divide. E você sabe quem é aquele que divide, eu suponho? Ele se torna o oposto. Além do mais, você já leu o *Kybalion*?[59]

Sério, Mauro, você precisa ir ao médico.

Se você não é capaz de me trazer o amor, quero seu contrário. Eu tenho mesmo essa natureza perversa. Quero putaria. Gargalhada.

Você me ouviu? Precisa ver isso. Você sabe o que falam dessas coisas, quanto antes você começa a tratar, melhor.

Fala da sua putinha pra mim, fala.

Não, Mauro, isso não vai rolar.

Quer que eu peça gelo pra você?

Eu não vou beber.

Só um golinho pra você ficar mais à vontade.

Pompeu se levanta, dá as costas e se dirige à porta. Mas Mauro diz algo que o detém.

Eu conheci sua mãe.

Pompeu tenta, mas não consegue dizer nada. Continua de costas para Mauro.

Uma mulher notável.

Não sei se acredito em você.

59

"Tudo é Dual; tudo tem polos; tudo tem seu par de opostos; semelhante e dessemelhante são o mesmo; extremos se encontram; todas as verdades são apenas meias verdades; todos os paradoxos podem ser reconciliados." "IV. O Princípio de Polaridade", em *O Kybalion, um estudo da filosofia hermética do antigo Egito e da antiga Grécia*. Por três iniciados, 1908, tradução: Hugo Ramírez.

Não podia imaginar que sua mãe fosse uma mulher tão linda.

Pompeu está parado próximo à porta. Olha para os próprios pés. Só então percebe que calça os sapatos ao contrário. O pé esquerdo calça o direito e vice-versa. Não precisa me pagar. Pompeu diz com esforço.

Eu não te devo nada.

Eu sei.

Pompeu faz a porta correr.

Vai pela sombra. Mauro provoca.

Eu sempre vou.

4
A festa de Momo

Pompeu se anuncia.
Sente o frio na espinha.
Aperta o 8.
Toca no 82.
Mauro demora a abrir.
Ele está sem os dentes.
Tudo bem?
Tudo. Mauro responde cobrindo a boca.
Os dois gatos passam correndo.
Assustados.
Os dois parecem ser o mesmo. Desdobrado.
Quer um café?
Seria ótimo.
Vou fazer. Me espera lá na sala. Só vou fazer uma coisa antes.
Pompeu senta no sofá encardido.
Sorri para o boneco do palhaço.
Cumprimenta o cavalo do velho carrossel.
Encara a paisagem marinha.
Mauro volta com os dentes. Segue para a cozinha. Pigarreia alto. Parece engasgado. Traz a cafeteira e duas xícaras.
Você toma sem açúcar? Nunca lembro.
Pode ser sem.
Mauro dá um gole e acende um cigarro.
Pompeu ouve a tosse que parece vir dos quartos.
Quantos quartos tem nesse apartamento?
Dois.
Nós estamos falando muito alto?
Alto? Claro que não. Por que pergunta isso?
Não sei. Parece que tem alguém. Não sei se estão dormindo.
Não tem ninguém.

Às vezes eu ouço uma tosse que parece vir do quarto.

Imagina, não tem ninguém aqui.

Você mora sozinho?

Moro. Há quase três anos.

Como disse outro dia, eu não sei quase nada de você.

Eu te disse que me perdi na praia, assim como você.

É. Isso você me contou da última vez.

Eu morava com minha mulher e meu filho.

E onde eles estão?

Meu filho saiu de casa. E minha mulher, isso é mais difícil de explicar.

Por quê?

Minha mulher... sério mesmo? Você quer saber? Minha mulher teve dois surtos psicóticos. Sem histórico. De repente. Sofreu o primeiro surto aos quase cinquenta anos. Talvez, fruto das mudanças hormonais da menopausa. Talvez por levar uma série de golpes seguidos da vida. Ela havia perdido a mãe, depois a irmã mais próxima e querida sofreu um AVC terrível. O derrame foi tão violento que tiveram que remover metade do cérebro para conter a hemorragia. Um mês depois, um dos irmãos morreu de forma abrupta. Ele tinha pouco mais de cinquenta anos. Além disso ela estava desempregada, nossa relação não ia muito bem. Ela guardava muita mágoa de algumas cagadas que fiz. No primeiro surto, tivemos a sorte de um grande psiquiatra se interessar pelo caso e cuidar dela por um preço simbólico. Não teríamos condições de bancar o tratamento. Ele é um médico incrível e antimedicamentos. Um grande médico e um excelente poeta. E foi isso. Ela foi medicada até se restabelecer. Então a medicação foi tirada e passados alguns meses ela teve o segundo episódio. O médico tratou o primeiro surto como um colapso. Nós achávamos que era isso.

Além disso a irmã que sofreu o AVC sobreviveu por um ano e minha esposa ia visitá-la toda semana. Ela voltava destruída. Sugada. Durante esse tempo em que ficou acamada, a irmã parecia estar sempre gritando. Sua expressão era muito aflitiva. Parecia aquele quadro do Munch, *O grito*. E tinha mais alguma coisa, sabe? Ela vinha mandando mensagens no Facebook que, pra mim, pareciam endereçadas a alguém. Não sei se ela estava em outra relação. Não sei se sofreu alguma desilusão. Eu achava que ela havia se apaixonado por um rapaz do trabalho um tempo antes. Não sei. A gente estava casado há muito tempo e ela já vinha dando sinais de não suportar mais o peso do casamento. Ela quis se separar uma época, e só não aconteceu porque não tínhamos condições. Condições financeiras, eu digo. Não tive como alugar um lugar ou ir para um hotel. Fiquei morando no sofá da sala, bem aí onde está sentado. E no fundo a gente era um casalzinho de Facebook. Era importante pra ela postar fotos e fingir que vivíamos o tal conto de fadas. E, apesar do desgaste, a gente se dava bem. Tínhamos nosso espaço. Respeitávamos certa privacidade, coisas assim. E na época eu não imaginava que pudesse viver sem ela. Ela sempre foi muito importante pra mim. Ao mesmo tempo, ela era muito possessiva. Mas após o primeiro surto realmente me reacendeu um amor profundo e verdadeiro, sabe? Fizemos uma viagem incrível. A viagem mais incrível de nossas vidas. E passei a cuidar dela com toda a dedicação e carinho. Ela ficou bem. Bem de verdade. Voltou a ser quem era. Mas, aos poucos, uma depressão profunda começou a invadir sua mente. E mais ou menos um ano depois veio o segundo surto. O mais impressionante é que o primeiro surto foi dia 13 de janeiro de 2016. E o segundo, entre 5 e 6 de junho de 2017. Meu pai nasceu em 13 de janeiro e morreu em 6 de junho. E os surtos foram devastadores. Cada um durou quatro dias. Quatro dias sem fim. De muito sofrimento. Sem descanso. Não sei se já presenciou alguém em surto psicótico.

Infelizmente, já.

Pois é. É uma das coisas mais tristes de ver. É como se o mundo onírico invadisse a realidade. O mundo dos pesadelos. E tudo se mistura. Eu vou dizer uma coisa que pode parecer bobagem, mas eu realmente acredito que no momento do surto não é só a pessoa que é invadida por tudo isso. Eu acho que o ambiente também é invadido. Ao menos o cômodo onde se encontra a pessoa em surto, como posso dizer? Sei lá, é como se a realidade também fosse afetada. A realidade em torno. Eu realmente acredito que esse estado consiga afetar a realidade a sua volta. Não metaforicamente. Isso aconteceu realmente aqui. E no segundo surto ela cismou comigo. Não podia nem me ver. E resolveu ir embora. Queria repensar a nossa relação. Ela escreveu um e-mail para todos os nossos amigos. Ela me destruiu. Se soubesse as coisas que me disse. Na frente da minha mãe. Na frente do meu filho.

Ela estava doente.

Pois é. Mas eu sabia quanta verdade tinha naquilo tudo. Eu cheguei a pôr um revólver na boca quando ela foi embora. Eu fiquei sozinho durante uns dias e acabei repensando nossa relação. E percebi que também não queria mais. Porque percebi que nossa relação foi sempre desigual. Eu sempre gostei mais dela do que ela de mim. E fui deixando que ela criasse todas as regras da nossa relação.

Além disso, e imagino que isso se deva ao fato de ter me perdido na praia quando criança, sempre criei laços, raízes muito profundas. E você sabe o quanto isso também nos aprisiona. Você também passou por isso. Então, sempre tive essa fantasia, desde pequeno, do cara que vai comprar cigarros e não volta. Sempre tive um impulso paradoxal de romper com tudo. Nunca tinha morado sozinho. E me sentia no fim da vida. Me entende? Como se já estivesse tudo estipulado. Com essa terrível sentença de "até que a morte os separe". É horrível demais viver assim. Com essa sina. Viver como um casal. Como se fôssemos um só indivíduo, sei lá. Aprisionados no impossível. Nesse exercício tão desgastante e mentiroso que é o casamento.[60] A violência de tentar viver a vida como se o casal fosse uma coisa só. Vivemos quase trinta anos assim.

E como tem sido pra você viver só, depois de tanto tempo?
Ela voltou.
Voltou?
Sim, ela voltou depois de uns dias.
E estava bem?
Não. Não estava.
E o que aconteceu?
Eu vi que ela precisava de mim. Tomava doses tão altas de antipsicótico que parecia um boneco de cera. Um boneco malfeito. Uma réplica fajuta. E eu soube que precisava cuidar dela. Ela sempre foi uma mulher incrível. Tinha uma personalidade marcante. Nossa casa vivia cheia. Ela cuidava de tanta gente. Hospedava, abrigava, cozinhava, cuidava mesmo de tantos amigos. Sempre que precisavam, ela era a primeira a chegar. E aí, quando caiu doente, todos se foram. Todos.

Não sei o que dizer.
Cale.

―
60
"*Casamento, s.* Condição ou estado de uma comunidade composta por um patrão, uma patroa e dois escravos, num total de duas pessoas." Ambrose Bierce (novamente), *O dicionário do Diabo*, tradução: Carmen Seganfredo e A. S. Franckini.

*

Mas a história não termina aí. Outra hora te conto. É um tanto pesado tudo isso. Eu, eu acabei me apaixonando por outra mulher. Mais café?

Não, obrigado.

Quando nos separamos, eu disse uma coisa muito dura pra ela. Uma coisa muito dura e ao mesmo tempo poética. Quando eu disse que queria me separar, que só ia esperar ela ficar bem para eu ir embora, ela tentou se justificar.[61] Porque eu disse que pra mim tinha ficado impossível continuar depois de todas as coisas terrivelmente duras que ela me disse no segundo episódio. Então ela me disse: "Eu estava em surto". E eu respondi: "Mas eu não".

61

Numa entrevista feita por Luis Novaresio a Alejandro Dolina (escritor, músico e apresentador de rádio, comanda um programa divertidíssimo há mais de trinta anos que atualmente se chama *La Venganza Será Terrible*, Argentina, rádio AM), quando Novaresio pergunta a Dolina: "Nós morremos, e o que acontece?", Dolina responde: "Creio que nada". E diz algo que Miguel de Unamuno teria citado: "Se nada é o que nos espera depois da morte, vivamos tratando de fazer com que isso seja uma coisa injusta".

II

Uma mulher se move no centro da sala enquanto uma grotesca boneca de plástico vagabundo repete seus movimentos. Um pássaro preto bica a cabeça de uma velha. Um homem de camisa branca com mangas longas enfia a mão na boca. A mão inteira, até o pulso. No divã, uma moça com cara de tédio olha tudo com desprezo. Um homem desdentado lambe a língua de um pequeno cachorro. Uma oriental com expressão tímida levanta a blusa e se expõe. Um cego come minicoxinhas. Um homem muito parecido comigo conversa com alguém vestido num pobre traje de Mickey Mouse. Eu não tenho nada além do que construo. Meu sósia diz ao Mickey. Um grupo de cinco jovens sentados num canto da sala joga um jogo de tabuleiro. São dois rapazes e três moças. Um dos rapazes, ao me ver, levanta e caminha em minha direção. Eis o homem! Ele diz. Não olhe, não olhe. Fala enquanto coloca algo na minha mão direita. Me parece ser uma peça do jogo, uma pedra do tabuleiro. Não é uma cor, mas é vermelho. Ele diz antes de voltar ao grupo. O choro de uma mulher sobressai à música. Ela está com duas crianças num dos sofás. Seca as lágrimas num guardanapo. Leio: "Rainha", bordado em linha quase dourada. Olho a pedra vermelha em minha mão. É feito um pino. Um peão. Cinco moças noutro sofá fazem caretas e riem. Então a vejo sentada sozinha numa poltrona vermelha, ela abraça uma almofada. Me aproximo. Enfim alguém que conheço. Há uma estrela de cinco pontas invertida bordada em sua blusa.

Eu não tinha te visto. Digo sorrindo. Realmente aliviado por ter encontrado alguém pra conversar.

Não sabia que você conhecia a Rê. Ela não parece muito animada em me ver.

Eu mal a conheço. Um amigo me convidou. Na verdade, me intimou a vir.

Você lembra aquele truque que fez lá em casa?

Dos fósforos?

É. Como você fez aquilo? Como fez meu nome aparecer?

É só um truque. Eu escrevo seu nome com fluido de isqueiro. Uso um bico de pena. Depois, enquanto está molhado, jogo o pó da cabeça de fósforo que raspei. Passo na lixa de unha até virar só um pó. Aí, só quando o aproximo da lâmpada o que foi escrito aparece. Hoje nem funcionaria, com essas lâmpadas frias.

Me impressionou quando fez.

Que bom. A ideia era essa.

Você não está bebendo nada?

Tenho bebido demais.

Você está numa festa! Numa festa da Rê. Por favor, não faça uma desfeita dessas. Vá se servir de algo. Ou prefere que eu chame o garçom?

Não. Eu vou. Já, já eu vou.

Me conta um segredo?

Um dia, um dia eu conto. Vou pegar algo pra beber.

Isso, foge.

Fujo. Então, avisto um grupo de homens conversando. Entre eles estão os dois Mauros. Me aproximo animado.

É só a porra de um experimento mental. Mauro, fazendo a mosca, fala gesticulando, irritado.

Eu não consigo entender. O outro Mauro, embriagado e realmente confuso. Simplesmente, não consigo.

Boa noite. Peço licença. Me surpreendo ao perceber que eles fingem não me conhecer.

Pois não? A mosca.

Fico realmente sem graça.

Prazer, Mauro. Mauro me estende a mão. O outro Mauro. O do apartamento 82.

Prazer, Pompeu. Magoado, resolvo jogar o jogo.

Mauro. A mosca me cumprimenta. Sinto um pouco da saliva molhar minha mão.

Um calafrio percorre minha espinha. Peço licença novamente e deixo o grupo. Realmente preciso de uma bebida. Há duas enormes mesas. Uma está repleta de minissalgados, pães diversos, tortas, patês e queijos. Além de uma infinidade de doces. A mesa das bebidas oferece a mesma diversidade. Pego a garrafa de jεb e sirvo sem dó num copo com gelo.

Opa!

Um cara a minha direita estende o copo pedindo para que eu o sirva. Sirvo.

Tô com uma sede danada. Ele ri. Depois seca a mão no paletó e a estende pra mim. Muito obrigado, meu amigo. Muito prazer, Mauro. Aperto sua mão. Quando tento escapar, ele me pega pelo braço e diz: Junte-se a nós, estamos numa mesa lá fora. Você precisa ver a vista. É deslumbrante. Simplesmente e absolutamente deslumbrante.

Se me der um minuto, preciso ir ao banheiro.

Ora, mas é claro! Esteja à vontade. Te esperamos lá fora.

Sem me dar conta, enquanto procuro escapar, piso com tudo no pé de um homenzinho muito pequeno que estava ao meu lado e eu não notei. Seguro em seu ombro e peço desculpas. Por favor, me desculpe. Me perdoe. Eu estava distraído e não o vi. Me perdoe.

Tudo bem, meu amigo, acontece o tempo todo.

Desculpa! Mil desculpas.

Não está lembrado de mim?

Puxa vida. Além de quase esmagar o pé do homenzinho, sou um péssimo fisionomista. O senhor não me é estranho. Digo, tentando ganhar tempo. É um homenzinho curioso. Apesar de muito pequeno não é um anão. Tem os membros proporcionais.

Nós já nos esbarramos por aí, posso assegurar.

Acredito que sim. Você é realmente familiar. É que sou um péssimo fisionomista.

Eu sou ruim pra guardar nome, mas, se vejo uma pessoa, nunca mais me esqueço.

Pior que sou ruim com nomes e fisionomias.

Aí lascou, né?

Pois é. Mas, por favor, mais uma vez, me desculpe.

Claro. Imagina. Ainda mais que vi sua manobra pra fugir daquele sujeito. Até que você foi rápido. Aquele é um chato de galocha de primeira.

Foi tão evidente assim? Procuro ser simpático. Agora preciso fugir do ano. Esse é um dos motivos que me afastam das festas. Tem muita gente chata. Viro o meu copo e recarrego. Só o álcool pode me ajudar agora.

Você não fica mesmo à vontade em público, não é mesmo? Ele segue falando.

Puxa, é realmente difícil pra mim.

Por que não desce?

É o que estou tentando fazer, sair à francesa.

Não, não precisa ir embora. Espere as apresentações. Vai ser bacana. Eu disse descer para a biblioteca.

Tem biblioteca no prédio?

Não, no andar de baixo. A biblioteca da Rê. Aqui é um duplex.

Ah! E tem uma biblioteca?

Sim. E tá passando um filme lá. Tá tranquilo. Um filme de um músico barbudão. Tá bacana. Cata a garrafa e desce lá.

É o que vou fazer. Mais uma vez, me desculpe, e não sei como lhe agradecer pela dica.

De boas.

III

Pompeu toma fôlego para abrir a porta.
Entra na cozinha
acende a luz.
Enche um copo de água e joga uma Aspirina.
Senta no banquinho
acende um cigarro.
Um homem furioso grita lá fora.
Um enorme sapo[62] marrom vem da área de serviço.

62

"As cerimônias de iniciação consistiam em negar a Deus, sua lei e seus santos e tomar o Diabo como seu mestre e monarca, que lhes prometia todos os tipos de prazeres para esta vida, e como sinal de domínio ele os marcou com suas garras nas costas e também com um sapo muito pequeno impresso na pupila do olho esquerdo. Não parava aí a devoção a esse pequeno animal nojento. Cada bruxa tinha a seu serviço um espírito familiar em forma de sapo, com a obrigação de vesti-lo, calçá-lo e tratá-lo com todo o amor e reverência. Esse sapo fornecia-lhes o unguento para voar e acordá-las ao amanhecer." Marcelino Menéndez Pelayo, *Historia de los Heterodoxos Españoles II*, capítulo iv: "Artes mágicas, hechicerías y supersticiones en los siglos xvi y xvii" (em livre tradução).

"Em 9 de janeiro de 1923, morreu a mãe de Jung. Em 23/24 de dezembro de 1923, ele teve o seguinte sonho: Estou no serviço militar. Marchando com um batalhão. Numa floresta perto de Ossingen encontro escavações numa encruzilhada: uma figura em pedra, de um metro de altura, de uma rã ou sapo sem cabeça. Atrás dele está sentado um menino com cabeça de sapo." Intro-

Pompeu arfa.
O sapo passa rente a seu pé.
Segue saltando em direção à sala.
Pompeu o segue.
Acende a luz.
Tenta contar.
Perde a conta.
Eles começam a se agrupar no sofá.
O cheiro é forte.
As crianças vão tomando forma.
Pompeu vai para o quarto.
Algo que imita a sua mulher dorme.

---

dução, *Liber novus, ou O livro vermelho*, C. G. Jung, tradução: Edgar Orth.

"[...] *him there they found/ Squat like a toad, close at the ear of Eve;/ Assaying by his devilish art to reach/ The organs of her fancy, and with them forge/ Illusions as he list, phantasms and dreams...*"

"ao ouvido de Eva o encontram tentando-a em um sonho [...] À morada de Adão os dois guerreiros/ Voam depressa em busca do inimigo./ Junto do ouvido de Eva ali encontram/ Feito sapo, coa terra mui cosido,/ Por sua arte diabólica — tentando/ Já forjar-lhe ilusões, sonhos, fantasmas..." John Milton, *Paraíso perdido*, tradução: Antônio José de Lima Leitão.

E/ou: "pois ei-lo/ De cócoras qual sapo, rente ao tímpano/ De Eva, tateando a negra arte os órgãos/ Da sua fantasia, p'ra que neles/ Forje a seu bel-prazer ilusões, sonhos,/ Fantasmas...", na tradução de Daniel Jonas.

IV

Mauro está sentado todo torto em sua imensa poltrona de couro preto.

Fuma um enorme charuto.

Há um generoso copo de uísque na mesinha a seu lado.

Junto ao copo, uma caixa laqueada.

Nós deixamos alguns assuntos inacabados em nossa última sessão, não é mesmo?

É verdade. Pompeu afirma com pesar.

Mas tem um que é o mais importante.

Que seria?

Mauro dá uma estrondosa gargalhada. Depois puxa a gengiva para baixo.

Meu deus, Mauro!

Piorou, não piorou? Fala, segurando o lábio para baixo.

Puxa vida, você precisa ver isso. Sério.

Solta o lábio. Faz a mosca. Vai, pega um copo aí. Apanha o interfone. Traz gelo e papel-toalha.

Pompeu comprime os lábios.

Não me vem com essa de que não vai beber. Pega logo a porra desse copo.

Pompeu pega o copo e senta resignado. Depois solta uma arfada. Profunda. Dolorida. Assente com a cabeça como se pedisse permissão para se servir e enche o copo. Sabe, Mauro, às vezes não te dá vontade de botar tudo pra fora?

Mauro puxa fundo o charuto. Põe pra fora, filho. O que está te incomodando?

Pompeu arfa. Eu queria conseguir dizer. Queria conseguir tocar em alguns assuntos que mudariam tudo. Me entende?

Lembra do que Borges nos disse através de Averróis?

Não tenho a menor ideia ao que você se refere.

Ele disse, quase isso,[63] para se livrar da culpa, é preciso professá-la.

Batem na porta.

O homem pequenino vestido de branco entra trazendo o que Mauro pediu.

Pompeu olha com ódio para o homenzinho.

Pompeu estende o copo em sua direção. Põe duas pedras aí.

Claro, senhor.

Pode ir. Mauro o enxota.

Pompeu bebe.

Eu encontrei alguém pra você.

Certo. Vamos lá.

Vou ser sincero, era difícil pra mim encontrar alguém pra você.

Você e suas ladainhas.

É sério. Porque geralmente trabalho com outro tipo de pessoas. Sabe?

Só alto nível, suponho. Estrondosa gargalhada com chuva de perdigotos. Pompeu percebe algumas gotículas de sangue misturadas ao cuspe.

Essa sua ferida. Você precisa ver isso. E está mais inchado, sabia?

Hum-hum.

E não dói?

63

"Na Alexandria disseram que somente é incapaz de uma culpa quem já a cometeu e já se arrependeu; para ficar livre de um erro, acrescentemos, convém tê-lo professado." Jorge Luis Borges, "A busca de Averróis", em *O Aleph*, tradução: Davi Arrigucci Jr.

Você não faz ideia. E, se não me bastasse, ontem estava na piscina e acabei escorregando na borda e bati meu cóccix com tudo. Devo ter trincado. Arrebentei o cu. Gargalhada. Ri até se tornar da cor da gengiva. A sorte é que eu consegui um pouco de codeína. Caralho, Pompeu, codeína com uísque! Não há nada melhor.

Puxa vida. Isso dói demais. Digo, bater o cóccix.

Mas vamos lá. Você falava que trabalha com outro nível de clientela.

Pior que é verdade. As pessoas para quem venho trabalhando procuram algo diferente. Diferente do que você quer. O que quer é fácil de achar. Qualquer puteiro te oferece o que busca.

Gargalhada. Mosca. Eu quero o que eu quero. E do jeito que você me dá o que quero é mais gostoso.

Então, mas, para mim, desse jeito não funciona.

É sério?

É sério.

Gargalhada. O que é isso agora? Está pedindo demissão? Mosca. Em tom ameaçador.

Não estou pedindo demissão, claro que não. Estou dizendo que não é assim que meu trabalho funciona. Vamos procurar focar no trabalho. É disso que estou falando.

Tá bom. Como queira.

É isso. Mas, de verdade, encontrei alguém que pode ser perfeita pra você.

Então, nem uma punhetinha ouvindo você me contar da gótica?

Pompeu balança a cabeça.

Mauro ri apertando o pau por cima da calça. Calma, garoto, eu estou brincando.

Posso pegar outra dose?

Fica à vontade, garoto.

Pompeu completa o copo de Mauro também.

E aí? Encontrou a porra do papel?

Papel?

Caralho, Pompeu, o título do livro.

Ah! Não. Acredita?

E foi lá?

Aonde?

Porra! Na auditoria. Se explicar.

Ainda não.

E o que está esperando pra cuidar disso? Quanto mais demorar, pior vai ser.

Eu estou tomando coragem.

Vá resolver isso de uma vez. Mauro faz movimentos com a língua como se estivesse acariciando a ferida.

Você que precisa ver isso. Resolver isso. Pompeu devolve.

Ara! Cada um com seus problemas. Começou a ler o livro que a Rê te deu?

Puxa vida, comecei. É incrível.

É, não é?

Muito. Incrível mesmo. Como ele consegue nos prender com uma rotina tão trivial? Com uma vida tão pequena? É fascinante.

Mais uma autobiografia pontuada. Só que para mim o livro tem um problema grave.

Que seria?

O romance luminoso, em si.

Você diz o livro que ele não consegue terminar? Digo, o livro em si?

É. Não sei o quanto você leu, mas é isso. Me refiro ao que Borges falou sobre a promessa. Não sei quanto leu do livro e não quero dar spoiler. Quando você terminar, a gente conversa.

Pode falar agora. Não me importa o spoiler.

Não, não. Quando você terminar o livro, conversamos.

Tá certo, como dizia, acho que agora encontrei alguém para você.

Tá. Vai lá, conta.

Ela é pequena. Seus olhos são, realmente, ancestrais.

E...

Ela estava lendo. Profundamente concentrada.

Ela sabe ler? Gargalhada.

Não, sério, o grau de concentração. E ela gosta de ler. Acho que pode ser bom para vocês.

Como ela é?

Tem um rosto muito expressivo e um corpo, eu diria, proporcional.

Gargalhada e mosca. É sério? Você acha mesmo que isso está me pegando? Que caralho é um corpo proporcional? Eu não quero um corpo proporcional. Caralho! Eu busco a porra da *Vênus* de Willendorf!

Você não quer ouvir. Nunca me ouve. Não me deixa falar.

Fala da gótica. Conta do jeito que ela te fazia gozar.

Caramba! Você tem mesmo uma ideia fixa com essa história.

Eu gosto dessa garota. Gosto do que ela fazia com você. Adoro o jeito que ela ainda te faz sofrer. Vai, conta o que ela fazia com você. Conta o que você tinha que passar pra conseguir dar uma gozadinha. Gargalhada descomunal. Comprido gole de uísque.

Mauro, eu estou exausto.

V

Pompeu olha pela janela da área de serviço enquanto fuma.

Depois de muitos dias de extremo calor, hoje o céu está cinzento.

Pompeu ama os dias cinzentos e o frio.

As crianças estão na cozinha em volta da mesa.
Fazem um barulho desagradável.
Pompeu precisa limpar a casa.
Há uma camada gordurosa cobrindo todo o chão.

Às vezes, nessa hora da manhã, enquanto toma café e fuma, principalmente quando acorda de ressaca, algo turva seus pensamentos e torna tudo sombrio e ameaçador. Como se fosse uma nuvem que obscurecesse sua mente. Nesses momentos as previsões para qualquer coisa de sua vida se tornam fatalistas. Ele queria ter que sair. Trabalhar. Distrair um pouco a mente. Mas hoje não há trabalho. Hoje é dia de cozinhar, cuidar da roupa e da casa. O que sente agora é semelhante ao que sentia quando sua mãe queria o pó de café moído na hora. Quando ele precisava ir ao grande mercado, quando precisava atravessar a parte perigosa da favela e subir a imensa ladeira. Quando Sondra lhe pedia isso, antes de sair, ele parava e sentia algo semelhante ao que sente agora. Era como se tomasse fôlego para enfrentar o que o assombrava. Uma vez aconteceu o improvável. Lembrar disso agora lhe dá uma ideia. Pensa que poderia ir até o inscritor e lhe contar essa passagem, assim sairia um pouco. Poderia almoçar na rua. Poderia comer um kebab no centro. Pompeu quer adiar a visita à auditoria. Sabe que vai sair caro o fato de ter perdido o papel com o título do livro. Lembra de quando perdeu a lista de compras. Volta a mesma lembrança incomum. Aquele dia. A vida prática e burocrática o enche de desânimo e cansaço. Pompeu queria tirar as telas de proteção das janelas. Elas diminuem a profundidade da vista. Causam sensação de aprisionamento. Mas ele não pode remover por causa das crianças. As crianças que se formam dos sapos amontoados. Pompeu olha para o celular e não há nada. Nenhuma mensagem. Nenhuma possibilidade de fuga. Enche outra xícara de café. Vai até a sala e apanha o livro que ganhou da Regina no dia da festa. Folheia *O romance luminoso*.

No dia que lhe aconteceu o improvável, sua mãe pediu para que fosse buscar o pó de café moído na hora. Era dezembro, 18 de dezembro de 1977. Pompeu pegou o dinheiro e, antes de sair, foi para esse lugar mental. Era quase um exercício. Uma preparação para encarar aquela jornada. Ele ia ao quarto fingindo que ia pegar algo, e lá, sozinho, tentava alcançar algo em seu pensamento. Era quase como deixar seu ser, sua individualidade, seu eu, nesse lugar. Era quase como entrar em outra frequência. Tinha mais medo de danar sua mente do que seu corpo. Ele deixava sua mente nesse lugar mental enquanto mandava apenas o corpo fazer o que devia ser feito. Atravessar o córrego, passar a favela, subir a ladeira, inalar o excremento dos animais selvagens, esperar que moessem o pó e voltar para casa enquanto seu ser interno esperaria lá. Em seu quarto. Onde ele o guardou. Nesse estado de concentração. O que ele não podia imaginar é que esse dia seria um daqueles que jamais se apagam. E o mais surpreendente, por um bom motivo. Por um motivo mágico. Um rito de passagem. Sua mãe pediu para que trouxesse mais algumas coisas. Lhe entregou uma pequena lista anotada num papel que Pompeu dobrou em quatro e guardou no bolso. Sem ler.

A singularidade desse momento não merece ser apenas narrada, merece ser revivida.

Júnior! Sua mãe grita da cozinha. Júnior, Pompeu, estava desenhando. Eu havia me esquecido que ele desenhava. Ele também mal recorda que teve esse hábito. E desenhar era tão importante para ele. Era como ir a esse mesmo lugar mental. Era quase como abandonar seu corpo, sua existência. Era ir mesmo a esse outro lugar. Algo tão importante para ele que um dia o fez escrever o texto que inscrevo agora.

Por que desenho?

Sempre fui uma figura bastante inexpressiva, um péssimo aluno, uma criança chata e confusa que jurava que um dia iria voar. Era uma criança bem menor do que as outras da mesma idade, por isso nunca ousei praticar esportes. Meus amigos sempre foram as formigas.[64] *As pessoas ao meu redor não poupavam esforços para demonstrar o quanto eu era medíocre. Um dia, e isso já faz muito tempo, encontrei um livro de bolso que pertencia a meu pai. Nesse livro havia inesquecíveis ilustrações de Giovanni Battista della Porta.*[65] *Peguei um pedaço de papel e um toco de lápis e tentei reproduzir aquelas gravuras onde seres humanos se*

64

"Brooklyn, pôr do sol sobre Nova Jersey onde nasci/ & Paterson onde brinquei com formigas..." *Meu triste eu*, Allen Ginsberg, *Uivo*, tradução: Claudio Willer. "Examinar formigas. Na verdade, é uma ocupação fascinante, à qual eu gostaria de ter dedicado, se não a vida toda, pelo menos a parte mais importante dela." Mario Levrero, *O romance luminoso*, tradução: Antônio Xerxenesky.

65

"Giovanni Battista della Porta (nascido em 1535? — falecido em 4 de fevereiro de 1615, Nápoles [Itália]), filósofo natural italiano cujas pesquisas experimentais em óptica e outros campos foram minadas por sua preocupação crédula com a magia e os milagres. Seu principal trabalho é *Magia naturalis*, em que trata as maravilhas do mundo natural como fenômenos subjacentes a uma ordem racional que pode ser adivinhada e manipulada por meio da especulação teórica e da experiência prática. O trabalho aborda temas como demonologia, magnetismo e a câmera obscura (protótipo da câmera), que fizeram de Della Porta um dos pioneiros no uso da lente." *Enciclopédia britânica*.

transformavam em grotescos animais. As pessoas a minha volta ficaram impressionadas e assim, pela primeira vez, me senti alguém. Mas, mais do que isso, percebi que em pequenos pedaços de papel era possível construir um mundo. Um mundo menos duro comigo. Nesse mundo eu era capaz. Capaz até mesmo de voar. Nesse mundo eu me sentia grande, gigantesco. Nesse mundo composto de traços nervosos e pedacinhos de papel eu deixava de ser a criatura, eu era o criador, eu era Deus. O mais incrível é que podendo criar o mundo ideal, o mundo onde eu viveria a maior parte de minhas horas, podendo criar o que quer que fosse, eu preferi construir um espelho. Esse reflete a tristeza e a desilusão de meu mundo. Talvez uma forma de pedir socorro, talvez por só encontrar a paz na tristeza, minha morada. Dessa forma, como numa maldição, acabei preso numa folha feito as imagens que gerava. Mais tarde descobri que poderia devolver a este mundo todo o meu ódio e desconforto. Comecei a drenar todo o pus, meu rancor, minha dor, e aí fui eu quem não quis mais abandonar esse mundo. E, para torná-lo ainda mais cruel, eu passei a desenhar palavras.

Ele estava lá, nesse lugar mental, quando sua mãe o despertou. Júnior. Na época era esse seu nome. E sua mãe o tirou do transe, o trouxe de volta, gritando da cozinha. Júnior desenhava em seu quarto. O caderno sobre a cama. O estojo de canetinhas Sylvapen de doze cores. Júnior desenhava um alpinista. O alpinista estava de costas para a cena. O alpinista escalava uma gigantesca montanha.

Júnior!

Quê!?

Vem cá.

O que foi, mãe?

Vá ao Jumbo comprar pó de café.

Ahhhh... eu tô desenhando.

Vai logo. Olha, aqui tem uma lista de outras coisas que eu preciso.

Não pode ser no Peg-Pag?

Eu quero o pó moído na hora. Vai logo. Para de enrolar e vai logo.

Tá bom, mãe.

Júnior caminha até o quarto. Confere se as canetinhas estão devidamente tampadas. Sempre zelou por seu material. O duro é que seus irmãos às vezes usavam suas canetas e nunca as tapavam. Fazendo secar suas preciosas e limitadas cores.

Então ele se detém por um instante e olha para o nada. Olha para dentro. Guarda sua mente para se preparar para lançar seu corpo num mundo repleto de violência e ameaças. Dobra o papel com a lista de compras em quatro e coloca no bolso da bermuda. Quando está prestes a sair, sua mãe, a burra, chama a sua atenção.

Não vai sair com essas pernas brancas de fora. Veste uma calça. Não percebe que está ridículo pra sair assim na rua?

Pompeu volta ao quarto e veste a calça por cima da bermuda.[66]

▬

66

Júnior só fez isso porque sabia que o pai não estava em casa e demoraria a chegar. Seu pai o espancaria se o visse ou descobrisse que ele tivesse feito tal coisa. Ele obrigava o filho a olhar em seus olhos enquanto o espancava. Para seu pai espancá-lo só faltava um motivo. E ele sempre encontrava um. O pai de Pompeu era policial e dizia que só bandido vestia uma roupa sobre outra. Assim, caso fosse identificado por alguma testemunha, ele podia mudar sua vestimenta em trânsito.

Atravessa o corredor e deixa a casa. Toma fôlego e segue. O cheiro do córrego está ardido. Talvez chova. Quando cheira assim, é sinal de que vem chuva. Naquele tempo as chuvas eram muito mais frequentes.

Começa a subir a ladeira. Nessa parte a rua é pavimentada de paralelepípedos. Os carros se lançam em altíssima velocidade. Por isso ele precisa ir pela estreita calçada. Nem calçada é. Há apenas a guia e a sarjeta. Mesmo assim o que seria calçada é terra batida. A poucos metros começam os barracos. Nessa pequena área, entre a rua e os barracos, tem sempre gente. Crianças magras, barrigudas e pequenas empinando suas capuchetas. Capucheta era uma espécie de pipa feita com um único pedaço de jornal. E a rabiola, feita de tiras espaçadas dispostas em série. Há idosos maltratados sentados à porta dos barracos. Homens e mulheres que o ferem, tamanha a desilusão de seus olhares. E, naturalmente, bandos, matilhas de cachorros furiosos que o obrigam a parar para ser cheirado. Se Júnior se faz estátua, depois de um tempo eles liberam sua passagem. Ele já conhecia as regras. Aprendera no clube. Quando avista um grupo de quatro garotos mais velhos e bem maiores do que ele, Júnior baixa a cabeça. Sente o coração batendo na garganta. E, quando acha que lhe permitiram a passagem, um deles o convoca.

Ô! Ô!

Quando Júnior, tomado de coragem, pronto pra tudo, o encara, percebe que o rapaz está com o pau pra fora. Duro. Imenso. Se masturba com as duas mãos e ainda sobra pinto.

Nunca viu uma rola, não?

Pompeu baixa a cabeça e segue. A ladeira se torna cada vez mais acentuada e Pompeu vai ficando sem fôlego. O cheiro do córrego vai perdendo a intensidade e por algum tempo não há cheiro algum. Os carros passam rente, embalados. Não havia radares nas ruas. Não havia câmeras. E, então, o cheiro do circo começa a se manifestar. Pompeu levanta os olhos, havia aprendido com uma série de televisão que o homem inteligente anda sempre de cabeça baixa. David Carradine, *Kung Fu*.

Pompeu percebe algo incomum. Algo o surpreende embora ele não consiga identificar. Algo na atmosfera. Nesse momento o elefante emite um som desesperado. O Tripinha saberia dizer o som que os elefantes emitem. Pompeu anda em direção à jaula do leão. É uma jaula relativamente pequena. Serve apenas para detê-lo. Ele está deitado, triste, distante. Talvez, o leão desenhe algo em sua mente. Ou a tenha guardado em outro lugar. Pompeu se aproxima ao máximo da jaula. O leão o avista e o ignora. Pompeu observa as inúmeras cicatrizes em seu corpo. A maioria parece ser fruto de alguma doença de pele. São amarronzadas, calosas, arredondadas. São feito as manchas que brotam em velhos espelhos. Pompeu aproxima sua mão das grades. Repleto de medo, Pompeu ensaia tocar o animal.

Nesse instante uma voz o assusta, e é então que se dá conta do estranhamento que sentiu há pouco.

Não havia ninguém lá.

Apenas as jaulas com os animais aprisionados.

Isso deve ser a coisa mais interessante que você já viu na vida. A voz é áspera.

Pompeu se vira e avista aquela que julga ser a trapezista.

Eu nunca tinha visto um leão tão de perto.

Ela veste o collant cinza e as botas brancas que vão até os joelhos.

Pompeu se sente assustado. É uma mulher alta, mais de um metro e oitenta, e ela o olha de uma forma, com tal intensidade, que, sem entender por quê, ele se sente ameaçado.

Seus olhos são claros. O cabelo, escuro.

Azul ou preto.

Então essa é a coisa mais incrível que já viu na vida?
Pompeu ensaia responder, mas ela não dá tempo.
Aposto que nunca viu uma buceta.
Só de ouvir isso, seu pau endurece.
Já viu?
Pompeu faz não com a cabeça.
Quer ver uma xoxota?
Ele hesita um pouco. Então, faz sim com a cabeça.
A mulher solta uma gargalhada estrondosa.
Vem aqui, vem.

Ela começa a caminhar. Depois de alguns passos, olha pra trás para conferir se Pompeu a acompanha. Pompeu fica sem graça porque é flagrado olhando a sua bunda. O lado direito do collant entrava um pouco mais em seu rego do que o lado esquerdo enquanto ela andava. Deixando aparecer a polpa de sua bunda. Ao perceber o olhar de Pompeu, ela ri e se detém. Ela se curva para ele e fala bem perto de sua boca.

Pelo visto você gosta mesmo de uma sacanagem.

Ela segura a sua mão e o conduz à traseira de um dos caminhões que estão enfileirados no imenso estacionamento. Pompeu se surpreende com a aspereza da palma da mão dessa mulher. Há uma pequena escada de ferro com cinco degraus que leva ao baú do caminhão. Pompeu sobe hipnotizado pela bunda da trapezista. Sente que lhe foi dada permissão para olhar o quanto quiser.

É escuro lá dentro, e escurece ainda mais quando a trapezista fecha a porta. Rapidamente seus olhos se acostumam à penumbra e Pompeu começa a enxergar no escuro. Percebe vários adereços que devem fazer parte do cenário do espetáculo. Então ele olha para ela. Para os olhos. Precisa erguer muito a cabeça, ela é bem mais alta do que ele.

Ela devolve um olhar que Pompeu não conseguirá esquecer jamais.

Quer ver?

Pompeu faz sim com a cabeça, incontáveis vezes.

Então fala.

Quero ver.

E o que é que você quer ver?

Sua... Não consegue dizer em voz alta. Naquela época "buceta" era uma palavra proibida.

O quê? A minha o quê?

Xoxota.

A trapezista ri alto.

Seu putinho safado. Quero ouvir você dizer "buceta". Aqui não tem nenhuma xoxota pra ver. Você vai ter que falar direitinho se quiser mesmo ver. Ao dizer isso, ela puxa o collant para cima fazendo com que os pelos da virilha apareçam. Pompeu sente o coração batendo nos olhos.

Eu quero ver a sua buceta.

A mulher solta um quase gemido.

Quer?

Quero.

Muito?

Muito.

Então ela desce a alça do collant.

E meu peitinho? Quer ver?

Quero.

Ela geme enquanto se aproxima do garoto.

O que quer ver primeiro? A teta ou a buceta?

Essas palavras inflam seu pau, que agora mal cabe nas calças.

Ele geme enquanto balbucia algo incompreensível.

Quer chupar meu peito? Quer?

Ele faz sim. Ela se curva. Puxa um pouco mais do collant, revelando a pele mais clara próxima aos mamilos.

Dá uma lambidinha aqui, dá.

Pompeu aproxima a boca. Sente os cheiros dessa mulher. Vários cheiros que se misturam. Perfumes. Pompeu não foi amamentado. Ele lambe. Bem devagar. De baixo pra cima. Lambe e, alternadamente, esfrega o rosto, impressionado com a maciez da pele.

Ela puxa um pouco mais do collant para recompensá-lo. Sem revelar os bicos. Só um pouco do amarronzado das aréolas desponta. Sem conseguir se conter, Pompeu aperta o pau. E geme.

Ai, como você chupa gostoso.

Então ela se vira, puxa um pano estampado de estrelas prateadas e o atira no piso do caminhão. Se ajoelha sobre ele enquanto segura a pequena cintura do menino.

Vamos tirar isso aqui.

Diz enquanto desabotoa o jeans.

Nossa! Olha como tá duro. Ela aperta o pau de Pompeu por cima da calça, quase o modela, enquanto diz isso.

Depois de vislumbrar por um tempo a forma de seu pau, ela desce o zíper. Alisa com o indicador o pau sob a bermuda.

Pompeu treme. Sem se conter, exclama: Jesus!

Ela ri. Vai ter que rezar muito, garoto.

A trapezista, sem pressa, baixa a calça do menino. Retira as barras passando cuidadosamente pelos trêmulos pés de Júnior.

Então, tira a bermuda e atira longe. Mas não remove a cueca.

Chega com a boca bem perto do volume do pau de Pompeu e solta o calor do hálito sobre ele. O corpo de Pompeu convulsiona.

A eletricidade é tão forte que sente choques.

Arranca a cueca.

O pau bate na barriga de Pompeu.

Ela ri. Como devem rir os demônios.

Então se levanta.

Agora é minha vez de mostrar.

Todo o corpo do menino está retesado.

Depois que você vir minha buceta, sua buceta, nunca mais vai se esquecer de mim. Nunca mais. Ela começa a puxar o collant de lado na virilha. Mesmo que você queira, nunca mais vai me esquecer.

A imagem de Nossa Senhora. A coroa, o manto esvoaçante e um coração ardendo em chamas. É isso que Pompeu vê. Tudo feito de carne.

VI

Pompeu caminha para casa. É tarde.

As ruas estão desertas.

Há uma densa neblina.

Está quase amanhecendo.

Começa a ouvir "Thunder and Blazes", a clássica música circense de Julius Fučík. A música soa num andamento mais ralentado. Melancólico.

Pompeu avista um vulto.

Conforme se aproxima, a silhueta começa a se definir.

É um homem grande, forte, com aspecto rude.

Ele gira a manivela de um realejo.

Seu rosto, talvez por causa da pouca luz, parece se transformar.

Pompeu se dirige a ele.

Pensa em tirar a sorte.

O papagaio que estava empoleirado em sua pequena jaula, ao ver Pompeu se aproximar, palra, abre a porta da jaula com o bico, desce na gaveta de madeira cheia de cartões. Escolhe um e o entrega a seu dono.

Picota. O homem diz ao papagaio. O papagaio picota com o bico.

Pai? Pompeu, perplexo, pergunta ao homem.

Eu tive três filhos.

Meu deus! O senhor se parece muito com o meu pai.

Cada um de meus filhos se fez três.

Pompeu permanece atônito.

O homem entrega a sorte a Pompeu. Eu ia dizer "se desdobrou em três", mas não sei se a expressão é certa. Achei que ia ficar parecendo aquela história das três metades.

Pompeu apanha o cartão e lê.

> Cis·mar *v.int* 1. Ficar absorto em pensamentos. 2. Andar preocupado. *T.i.* 3. Pensar com insistência. 4. Teimar em fazer (algo). 5. *Bras.* Desconfiar ou suspeitar. 6. *Bras.* Antipatizar. *T.d.* 7. Cismar (3). 8. Convencer-se de. *Dicionário Aurélio*

> Receberás no Natal um lindo presente do Papai Noel.

> Terás sorte na loteria no nº 13 969. — B

O papagaio volta para a pequena gaiola e fecha a porta com o bico.

Pompeu pega uma nota de vinte reais e a oferece ao homem.

Não, meu jovem, está pago.

O senhor já esteve no Rio de Janeiro? Digo, a cidade que se chamou assim um dia?

Já não lembro. Já não posso lembrar.

Meu pai, que se parecia tanto com o senhor, pouco antes de morrer me confidenciou uma história tão triste e bonita que viveu nessa cidade.

Não consigo lembrar. Tudo já se apaga.

Ele me disse que a coisa mais bonita que viveu em toda a sua vida, e estou falando de sessenta e oito anos, foi poder andar de mãos dadas com a sua amante.[67]

Com a minha amante?

Não. Quer dizer, já não sei.

Eu tive tantas amantes.

Não é triste e bonito isso? Ele era casado. Ela era casada com o chefe dele. Ele teve que ir a trabalho para o antigo Rio e ela também foi. Eram outros tempos. E ninguém os conhecia por lá. Então eles passeavam de mãos dadas. E esse foi o momento mais bonito de sua vida.

É bom andar de mãos dadas com quem se ama.

E é tão triste isso também. Porque ele me revelou isso praticamente quando estava se deitando em seu leito de morte. Foi como se ele estivesse escolhendo um momento. O melhor

---

67

"Once I passed through a populous city"
"Certa vez passei por uma cidade populosa, guardando na mente, para uso futuro, seus espetáculos, sua arquitetura, seus hábitos, suas tradições./ Agora de toda essa cidade me lembro apenas da mulher que encontrei por acaso, que me demorou por amor./ Dia após dia, noite após noite estivemos juntos — e de todo o resto há tempos me esqueci./ Lembro-me apenas dessa mulher que apaixonadamente se apegou a mim./ Outra vez caminhamos, nos amamos, outra vez nos deixamos./ Outra vez ela me leva pela mão, não preciso partir./ E a vejo a meu lado com os lábios quietos, triste e estremecida." Walt Whitman, traduzido por Jorge Luis Borges, traduzido por Josely Vianna Baptista. Amém.

momento de sua vida para tentar levar. Ou para reviver nessa hora tão dura.

Cada um de meus filhos se fez três.

É melhor eu ir. Obrigado pela carta. Geralmente não são periquitos que ficam nos realejos?

Não. Sempre foram os papagaios.

Mais uma vez, obrigado pelo bilhete da sorte.

É sua sorte.

Obrigado. Pai, a gente está lembrando isso ou está acontecendo agora?

Se você estivesse se deitando agora em seu leito de morte, que lembrança abraçaria? Pergunta o papagaio.

VII

Pompeu desce do Uber em frente ao número 914.

Rua Sondra Porfírio.

Brooklin Velho.

Hesita antes de tocar.

Toca.

Demora até ouvir a porta atrás do hermético portão se abrir.

Quem é?

Sou eu, mãe.

Júnior?

É.

Ela destranca o portão.

Nossa, o que faz por aqui?

Vim te ver.

Sem avisar? Como veio?

De Uber.

Entra. Não fica aí fora. Aqui anda tão perigoso.

Pompeu atravessa o portal.

Tá tudo bem com a Lu?

Tudo.

E as crianças?

Eu as vejo às vezes. Eu não gosto delas.

Não fala uma coisa dessas. Quer café?

Quero.

Tá precisando de alguma coisa?

Não. Não mesmo.

É estranho você vir sem ser uma ocasião especial. Geralmente você só aparece no Natal ou no Dia das Mães.

É. Eu pensei em dar uma passada. A gente podia ir almoçar fora.

Tua irmã descobriu um japonês melhor do que aquele.

Podemos ir lá.

Podemos. Se soubesse que viria, teria feito algo.

Eu passei ali pelo Extra. Agora é Extra, não é? Onde era o Jumbo.

Nossa, o Jumbo. Você sempre desenterrando essas histórias.

É. Eu e o meu passado.

Deixa ele passar.

Eu queria deixar. Mas me ocorreu uma coisa.

Sondra começa a servir a mesa. Queijo, manteiga, damasco.

Não precisa pôr a mesa, mãe. Eu não como nada de manhã.

Esse cottage está uma delícia. Fresquinho.

Mãe, lembra que depois o Jumbo comprou a Eletroradiobraz e virou Jumbo Eletro?

Nossa, Júnior. Você desenterra cada uma. E não foi assim.

Perto do tio Mauro tinha uma Eletroradiobraz que vendia um formigueiro de acrílico. Eu fiquei obcecado por aquilo. Eu amava as formigas. O mercado ficava lá onde antigamente se chamava Alfonso Bovero. Por falar nisso, você viu o nome das ruas?

Claro. Como poderia deixar de reparar?

Não achou incrível? Todas as ruas terem seu nome?

Ah, fiquei um pouco sem graça com tudo isso. Pior é que a Conceição disse que a cidade dela também vai mudar de nome.

Sim. Todas as cidades agora se chamarão Sondra Porfírio.

Todas?

Todas.

Achei que fosse só Sorocaba que mudaria de nome.

Não, mãe. Todas as cidades.

Sondra Porfírio... nem sei o que dizer. Ela fala com vergonha e orgulho ao mesmo tempo.

Você lembra do circo que montavam todo fim de ano no estacionamento atrás do Jumbo? Pompeu volta ao assunto.

Circo? Nunca teve circo lá.

Pompeu ri.

Qual é a graça?

É impressionante como você não lembra das coisas.

É você que sempre lembra de coisas que nunca aconteceram.

Tá bom, mãe.

Mas é. Você sempre vem com cada história.

Você lembra de quando me perdi na praia?

Ah, Júnior. Isso foi há tanto tempo.

É disso que mais sinto falta no papai. Ele era minha testemunha.

A mãe põe a cafeteira no fogo.

Ele sempre lembrava de tudo.

O que eu posso fazer se você fala de coisas que eu não lembro? Mas tenho certeza que nunca teve um circo no Jumbo.

Por que você me denunciou, mãe?

Te denunciei? Do que está falando?

Você sabe do que estou falando.

Te denunciei onde?

Na inquisição.[68]
Meu Deus! Você foi denunciado?

▬

68

1. "A constituição promulgada por Lucio III em 1184 é considerada por alguns escriptores como a origem e germen da Inquisição. Aquelle acto do poder papal, expedido de accordo com os principes seculares, ordena aos bispos que, por si, pelos arcediagos, ou por commissarios de sua nomeiação, visitem uma ou duas vezes por anno as respectivas dioceses, afim de descobrir os delictos de heresia, ou por fama publica ou por denuncias particulares. Nessa constituição apparecem já as designações de suspeitos, convencidos, penitentes e relapsos, com que se indicam diversos graus de culpabilidade religiosa, com diversas sancções penaes." *Historia da origem e estabelecimento da Inquisição em Portugal*, Alexandre Herculano. 2. *"Hace más de tres siglos que existe en España un tribunal criminal encargado de perseguir a los hereges (téngase en cuenta que el autor de la presente obra la escribió cuando existía aún el llamado Tribunal de la Fe), y sin embargo, aún no tenemos una historia exacta de su origen, establecimiento y progresos."* *Historia crítica de la Inquisición en España*, Juan Antonio Llorente. 3. "As inquisições são referidas, geralmente, no singular. Essa tradição exprime uma realidade: os diferentes tribunais da fé têm como fonte comum de legitimidade a delegação de poderes, feita pelo papa, em matéria de perseguição das heresias. A designação única pode ser cômoda, mas esconde realidades muito diversas: a Inquisição pontifícia estabelecida no século XIII desenvolve um modelo de ação estranho aos modelos (no plural) seguidos, por exemplo, pelos tribunais de Veneza, Modena, ou Nápoles do século XVI ao século XVIII; a Inquisição espanhola (criada em 1478), tal como a Inquisição

Pompeu baixa a cabeça para ocultar o sorriso.
Isso é muito sério, Júnior. Quem te denunciou?
Eu não sei, mãe. Achei que tivesse sido você.
E o que eles descobriram? O que eles sabem?
Eu não sei. Ainda não sei.
Por que acha que fui eu? Que coisa horrível pensar isso de mim.
Eu só pensei. Não pude imaginar mais ninguém que pudesse ter feito isso.
Sondra empurra o prato no qual estava uma torrada em que havia passado manteiga.
Eu me ferrei, mãe.
E achou que fui eu?
Não sabe como é duro passar por lá. E sabe o que é pior?
Sei.
O quê? O que é pior, mãe?
Um filho sair por aí chamando a mãe de burra.
Foi isso?
Foi isso o quê? Que inferno! Já disse que não fui eu.
Tá bom, mãe. Eu acredito.
Você não faz ideia do quanto isso me machucou. Sair por aí dizendo isso de mim. Burra?
Juro que não pretendia te machucar. Estava falando de outra coisa. Me referia a certa insensibilidade. Eu sei muito bem como a sua vida foi dura.
Foi?

---

portuguesa (estabelecida em 1536), tem um estatuto particular que se traduz por uma quase completa independência de ação em relação à cúria romana..." *História das inquisições*, Francisco Bethencourt.

Júnior coça a cabeça.

Sabe, Júnior, não é fácil ser mãe. Ainda mais quando teus filhos não te ouvem.

Eu sempre te ouvi. Posso não concordar com um monte de coisas, mas sempre te ouvi. E a gente só vai entender as coisas muito depois.

Eu sempre tentei fazer o melhor para vocês. Não o mais fácil, mas o melhor e o certo.

Eu só falei que você era burra porque me ensinou algo errado.

Você sabe muito bem por que eu não terminei os estudos. Sabe muito bem por que larguei o trabalho embora nunca tenha deixado de trabalhar pra sustentar a casa. Porque seu pai... você conhece muito bem a história. Eu tive que cuidar de tudo. O que podia fazer se todos os homens dessa casa são viciados?

Eu sei de todo o teu esforço, mãe. Sei mesmo. Sempre reconheci isso.

Como acha que me senti quando soube que você anda por aí dizendo que eu sou burra?

Eu falo de inteligência emocional, mãe.

Sondra olha para a cafeteira.

Eu sei muito bem o quanto você foi vítima disso tudo, mãe.

Vítima. Esse é o seu problema. Você sempre se fez de vítima.

E sou, mãe.

Você não consegue crescer. Fica sempre preso ao passado. Sempre volta com as mesmas ladainhas. Você é muito rancoroso.

Infelizmente estou descobrindo agora que sou. Realmente sou. Acreditava que não era, mas sou. E sabe por quê?

Porque você é assim. Eu te conheço, Júnior. Eu te conheço.

Não, mãe, você acha que me conhece. E estou descobrindo

que sou rancoroso mesmo. É preciso ser. Hoje eu posso entender e perdoar tudo aquilo. Mas aquela criança não pode. Não posso permitir que aquela criança perdoe ou entenda o que viveu. É isso. Essa criança não deve entender e muito menos aceitar todo o abuso que sofreu.

Ah, meu filho! Puxa vida. Você sempre dissimulando e corrompendo os valores de tudo.

Essa é a sua visão. Mas dizer àquela criança que ela era a causa dos males. E ainda por vontade própria. Dizer a uma criança que ela é má, que é o "pombo" da discórdia?

Sondra sorri enquanto serve o café. Eu sei muito bem o que é um pomo. E sempre disse "pomo". Você, meu filho, que sempre foi um menino burro. Burro, mau e rancoroso.

Você realmente sempre me viu assim, não é? E isso nunca vai mudar.

Você não me engana.

Que pena. Que pena que não consiga me enxergar de verdade.

Como pode achar que eu não sei o que é o pomo da discórdia, Júnior? Por isso você sempre foi mau. Por isso você sempre se afiliou com o mal. Um menino fraco, rancoroso, daninho, pequeno e burro. O pior é que você continua a ser isso. Você nunca foi homem. Cinquenta e sete anos... e... olha pra você. Olha pra você, meu filho.

Eu tenho olhado pra mim, mãe.

Era você quem não sabia o que era o fruto da discórdia e entendeu "pombo". Por isso você fica tão feliz em ver a desgraça dos outros. Porque você é pequeno demais, fraco demais, covarde e, principalmente, burro. Você é tão burro. Você é o pomo da discórdia. É isso que é. Eu teria tantos motivos para te denunciar. Para o teu próprio bem.

Pompeu baixa a cabeça.

Eu queria saber com que dinheiro você vai pagar esse

Livro dos mortos que está inscrevendo. Você se acha tão importante, não é mesmo?

Pompeu não responde.

Eu queria saber se nesse livro você vai contar o que fez com a Flavinha. Isso vai estar no seu livro?

Mãe, isso foi um mal-entendido. Quantas vezes vou ter que explicar essa história?

Vai dizer o que fez com aquela garotinha no clube? Quantos anos a menina tinha?

Pompeu não responde.

Vai contar o que fazia com o Marcelinho? O que fez com teu próprio irmão? Vai contar sobre aquele rapaz que deixou caído na rua? Vai contar o que fez com a Lu? Eu aposto que não. E olha que eu só conheço algumas dessas histórias. As que precisaram da nossa intervenção. Você já imaginou onde estaria se teu pai não fosse policial? Se ele não tivesse influência? Se não conseguisse te livrar de toda essa... nem sei como chamar. De toda a sua natureza? E quando atirou naquelas pessoas?

Pompeu mexe a colher na xícara.

Mas eu te conheço muito bem. Você vai contar só as histórias que te interessam. Vai falar só do que alimenta o teu rancor. Vai continuar distorcendo, manipulando e dividindo. Porque é isso que você é. O pomo da discórdia. E é por isso que tenta destruir a minha imagem. Quer que todos pensem que a burra sou eu. Vai continuar a se fazer de vítima. De coitadinho. Você vai dizer o que fez com aquela amiga com quem trabalhou? Como era mesmo o nome dela?

Pompeu acende um cigarro.

Faz o teu livro, filho. Faz o teu livro. Deixe que as pessoas pensem que você é a vítima.

Sondra vai até a sala.

Traz mil e quinhentos reais e coloca no bolso da camisa de Pompeu.

Ele não consegue levantar a cabeça.

VIII

Pompeu está grifando uma frase no livro que ganhou da Regina quando resolve encarar o que vem evitando. Sabe que, quanto mais adiar, pior será. Vai para o quarto, tira a bermuda e veste uma calça. Olha no relógio. Faltam dezesseis minutos para que possa fumar. Resolve fazer café para encurtar o tempo. Está resolvido. Há quase quatro anos Pompeu fuma com intervalos de ao menos uma hora. Cronometrados. Estava fumando demais. Pretende tomar o café e ir ao Palácio da Inquisição para dizer que perdeu o papel com o título do livro. O que facilita é que o Palácio é próximo à estação Sé do metrô. É fácil chegar. Pensa em resolver de uma vez essa questão e aproveitar para depois disso procurar algum restaurante clássico no centro para comer bife à milanesa. O personagem do livro que ganhou come e fala de milanesas o tempo todo.

O personagem é o próprio Levrero.

Mal dormiu essa noite com esse ruído na cabeça. Esse entre outros ruídos. Acordou com ressaca. Dormiu cerca de três horas apenas. Queria poder resolver todas as coisas que estão pendentes. Queria poder pôr pra fora tanta coisa que precisa engolir.

Sente a garganta pegando. Como se fosse ficar gripado.

A frase grifada não é de Levrero. É uma frase de Somerset Maugham que Levrero citou.

"Dizem que para fortalecer a força de vontade é preciso fazer todo dia pelo menos duas coisas que nos desagradam. Eu cumpro rigorosamente essa regra; me deito e me levanto todos os dias."

Quanto mais ele se prepara para sair, menos força tem para fazer o que deve ser feito.

IX

Bom dia. Pompeu entrega o papel da intimação ao rapaz da recepção.

O jovem espinhento folheia o livro de atas.

Você agendou para hoje?

Não, não. Eu vim me orientar porque perdi o papel que me deram.

Que papel?

O papel com o título do livro.

Como assim, perdeu?

Pois é.

Você não precisa ter o papel, basta ler o livro.

Essa é a questão. Me entregaram o papel, esse que perdi, e eu o guardei sem ao menos ler o título.

Xiii...

Sabe, uma vez minha mãe me entregou um papel. É engraçado. Um papel do mesmo tamanho. Era uma lista de compras. E eu também o perdi. Ficou no bolso da minha bermuda e, acredite ou não, eu perdi a bermuda no caminho do mercado. Desculpa falar disso, é que me lembrou, sabe? Foi uma situação parecida.

O jovem fica impaciente. Procura algo nas gavetas.

Levanta. Senta. Apanha o telefone.

Oi, temos um QR-7 aqui.

Pompeu está aflito.

O que acontece agora?

O jovem faz um gesto como se dissesse: Não está vendo que estou no telefone?

O jovem bate o fone no gancho e, ainda de pé, bufa.

Pompeu espera que ele o instrua.

Puta que pariu. Pragueja.

O que acontece agora?

O senhor tem que aguardar.

O jovem devolve a intimação e aponta para o arquibanco.

Prevendo a demora da burocracia, Pompeu traz *O romance luminoso* na mochila. Se acomoda no banco e lê. Passadas algumas páginas, dois homens vestidos de preto se aproximam. Um é alto e magro. O outro, baixo e atarracado. Parecem ser seguranças. Um deles faz um sinal para que Pompeu os acompanhe.

Eles caminham por um corredor cheio de portas de madeira com pequenas janelinhas de vidro. Parecidas com as de caixões mortuários. O ambiente faz com que Pompeu recorde de uma velha escola onde estudou. Pompeu espia pelas janelinhas das portas e vê que as salas são cheias de carteiras enfileiradas. São de fato salas de aula. O magrelo alto para em frente a uma determinada porta. Abre e faz um gesto para que Pompeu entre. O atarracado aponta uma das carteiras da frente para que Pompeu se sente. O magrelo gesticula para que Pompeu lhe entregue a mochila. Leva a mochila para a mesa que seria a do professor e começa a vasculhar. Retira e inspeciona todo o conteúdo. Colocando item por item sobre a mesa.

E aí? Quer dizer alguma coisa? Pergunta o atarracado.

Bom, eu nem sei o que dizer. Eu simplesmente fui descuidado e perdi o papel.

O atarracado sorri. Depois olha para o parceiro, que ri de volta. Eles balançam a cabeça e riem. Tá foda. O magrelo diz ao parceiro.

Desculpem. É isso, não sei o que dizer.

"A ninguém é dado alegar o desconhecimento da lei."[69]

69

Meu pai me ensinou essa frase quando eu era muito pequeno, e sempre usou disso para destruir muitos de meus argumentos. A forma como ele me apresentou essa lei é muito mais inflexível do que a forma como o TJDFT (Tribunal de Justiça do Distrito Federal e dos Territórios) a apresenta: "Desconhecimento da lei (*ignorantia legis*): Dispõe o art. 21, caput, 1ª parte, do CP: 'O desconhecimento da lei é inescusável'. Em igual sentido, estabelece o art. 3º da Lei de Introdução às Normas do Direito Brasileiro (Decreto-lei 4657, de 4 de setembro de 1942): 'Ninguém se escusa de cumprir a lei, alegando que não a conhece'. Em princípio, o desconhecimento da lei é irrelevante no Direito Penal. Com efeito, para possibilitar a convivência de todos em sociedade, com obediência ao ordenamento jurídico, impõe-se uma ficção: a presunção legal absoluta acerca do conhecimento da lei. Considera-se ser a lei de conhecimento geral com a sua publicação no Diário Oficial. Mas a ciência da existência da lei é diferente do conhecimento do seu conteúdo. Aquela se obtém com a publicação da norma escrita; este, inerente ao conteúdo lícito ou ilícito da lei, somente se adquire com a vida em sociedade. E é justamente nesse ponto que entra em cena o instituto do erro de proibição. Há duas situações diversas: desconhecimento da lei (inaceitável) e desconhecimento do caráter ilícito do fato, capaz de afastar a culpabilidade, isentando o agente de pena. [...] Embora estabeleça o art. 21, caput, do CP, ser inescusável o desconhecimento da lei, o elevado número de complexas normas que compõem o sistema jurídico permite a sua eficácia em duas hipóteses no campo penal: a) atenuante genérica, seja escusável ou inescusável o desconhecimento da lei (art. 65, II, do CP); e b) autoriza o perdão judicial nas contravenções penais, desde que escusável (art. 8º da

Tá certo. Só estou informando, não estou tentando alegar nada.

O magrela ri alto. Puta que pariu. E aí, de repente, ele encontra algo na mochila que o deixa profundamente agitado. Que porra é essa?

Pompeu tenta identificar de longe.

É minha escova de dentes.

Como assim, escova de dentes? Questiona o atarracado.

Uma escova. De dentes.

E para que você carrega isso na mochila?

É pra escovar...

Vai querer dar uma de espertinho agora? O atarracado o interrompe com ar de indignação.

De jeito nenhum. Só estou respondendo.

Então o magrela encontra o caderno de Pompeu.

E isso aqui?

É o meu caderno.

O atarracado enfia um tapa na orelha de Pompeu. Forte e sem aviso.

Fala direito, palhaço!

Pompeu fica em choque. O ouvido arde e apita. Ele olha para o agressor com lágrimas nos olhos.

O atarracado o fuzila com o olhar.

Pompeu baixa a cabeça.

Você se acha todo espertinho, não é mesmo? Pergunta o atarracado.

Lei das Contravenções Penais — Decreto-lei 3688/1941". Masson, Cleber. *Código Penal comentado*. 5. ed. Rio de Janeiro; São Paulo: Forense; Método, 2017. p. 162. (grifos no original)

Pompeu faz não com a cabeça baixa.
O magrela se aproxima trazendo o caderno.
E o que são essas coisas aqui?
São... notas...
O magrela bate forte com o caderno na cabeça de Pompeu.
Pompeu se retrai exageradamente. Assustado. Surpreso.
Você é professor?
Não, senhor.
Então por que está cheio de notas?
Pompeu mal entende a piada.
Os dois riem alto.
Quer dar uma de engraçadinho, é?
Não, senhor.
Palhaço.
Você se acha todo espertinho, não é? Questiona o magrela.
De forma alguma.
Quem te deu?
Minha mãe. Quer dizer, eu achei que tivesse sido a minha mãe. Eu não sei.
Caralho! Os dois riem muito.
Puta que pariu. Tá bem de mãe, hein?
Mais risadas.
Você fica aí, quietinho. Nós vamos dar entrada na ação judicial.
Pompeu mantém a cabeça baixa.
Os homens deixam a sala.

8.
82.
Mauro está abatido.

Ele está com os óculos de leitura pendurados sobre o peito. Presos por uma cordinha encardida. Há o que parece vômito numa das lentes. Como se tivesse vomitado com os óculos pendurados.
 Você está bem?
 Mauro faz sim com a cabeça. Entra.
 Pompeu entra. Preocupado.
 Vai querer café?
 Você vai tomar?
 Sim com a cabeça.
 Espero na sala?
 Sim, mudo.
 Pompeu olha para o palhaço.
 Senta no sofá ensebado.
 Espera.
 Encara a paisagem marinha.
 Lembra de quando se perdeu.
 Mauro entra trazendo a cafeteira italiana e duas xícaras numa pequena bandeja.
 E então?
 Seus óculos estão sujos. Pompeu o alerta, apontando de longe.
 Mauro confere. Que merda. Vou lavar.
 Volta da cozinha secando as lentes num papel-toalha.
 Dá um gole no café. E então? Você a viu?
 Vi. Vi, sim.
 Onde?
 Na rua Sondra Porfírio. Lá no Sesc. Onde era o bairro Pompeia.
 Nossa, é tão bonito lá. Eu já fui.
 É um prédio lindo.
 O que ela estava fazendo?
 Estava desenhando.

Desenhando?
É. Desenhando.
Não sabia que ela desenha.
Também não sabia. E ela desenha tão bem.
O que ela desenhava?
Uma imagem incrível. Uma cena onírica. Um casal entrando num labirinto.
Que lindo. Quase posso ver a cena.[70] Mauro quase sorri.

70

"Ouvir uma coisa para poder vê-la." *Valis*, Philip K. Dick. Nesse mesmo livro, Philip também alude ao estado hipnagógico: "Fat, ponderando, escrevendo e fazendo pesquisas e recebendo fragmentos de mensagens de Zebra durante estados hipnagógicos e em sonhos, e tentando salvar alguma coisa dos escombros de sua vida...". No apêndice de *Valis*, há o maravilhoso *Tractatus: Cryptica Scriptura*, com seus cinquenta e dois tópicos. Gostaria de deixar aqui o segundo e o terceiro: "2. A Mente deixa entrar luz, e depois as trevas; em interação; assim o tempo é gerado. Ao final, a Mente confere vitória à luz; o tempo cessa e a Mente está completa. 3. Ele faz com que as coisas pareçam diferentes para que pareça que o tempo passou". Tradução: Fábio Fernandes. "No deserto, o som quase sempre antecede a imagem." *A sangue frio*, Truman Capote, tradução: Sergio Flaksman. Preciso fazer um parêntese aqui, talvez um tanto emblemático. Quando Capote relata o assassinato da família Clutter, marido, mulher e dois filhos, em *A sangue frio*, no seu maravilhoso e icônico "jornalismo literário", surgem incontáveis teorias e especulações sobre a atrocidade do crime. A teoria que mais me fascinou e fez com que eu pudesse entender muito do nosso mecanismo foi a de que nem

Incrível mesmo, a imagem.

Emblemática, não?

Muito. E era um desenho muito impressionante. Expressivo. O casal estava no canto inferior direito. Ela desenhava num caderno grande. O labirinto, cheio de vegetação ao redor, se dava em perspectiva sobre eles. Eles estavam de costas. Digo, para a cena.

Era colorido?

Não. Preto e branco. A lápis.

Você nunca tinha dito que ela desenhava.

Eu não sabia. Fiquei espantado.

Interessante. Mauro diz isso olhando pra longe.

Seu traço é único.

Ela estava bonita?

Estava linda.

Como ela estava vestida?

Com aquela calça... pula-brejo. Pompeu sorri. Mauro devolve o sorriso. Cúmplice.

O que mais ela vestia?

Um casaco de lã. Alaranjado.

Fez frio ontem?

Ontem fez. E sabe o que é mais incrível?

O quê?

Mesmo desenhando, ela dançava.

Há quem diga que o desenho é uma microdança.

Que bonito esse pensamento.

Perry Smith nem Dick Hickcock fossem capazes de executar essa família de modo tão bárbaro. Porém, Perry Smith e Dick Hickcock, juntos, formavam uma terceira personalidade.

Mauro olha para algo que não está lá.
Você está bem mesmo?
Faz sim com a cabeça. Acende o cigarro.
Ela estava tão alta.
Muito alta?
Dois metros e dez.
E os olhos?
Eles me olharam.
Como assim?
Ela me viu.
Viu?
Ela me reconheceu.
Como?
Eu não sei. Eu estava sentado na mesa ao lado. Tem uma série de mesas de concreto lá num dos corredores. Num espaço aberto. Eu me sentei na mesa ao lado. Queria ver o que ela fazia. Precisa ver o caderno dela. É cheio de desenhos e de coisas escritas. Tudo muito bem disposto. Digo, tudo dentro de uma composição muito harmoniosa.
E ela te viu?
Sim. De repente foi como se ela pressentisse o meu olhar e se virou. Eu estava atrás dela.
Você acha que ela sentiu o seu olhar?
Sim. Ela sentiu a minha presença.
E aí?
Ela me olhou. Seu olhar é tão intenso. Profundo.
E?
Ela disse: "Eu conheço o senhor".
Caramba!
Pois é. Eu fiquei surpreso que ela lembrasse de mim.
Isso não é bom.
Por quê?
Porque ela não podia te reconhecer.

Isso pode ser bom.
Ela falou com você?
Sim.
Nós conversamos um pouco.
Sobre o que conversaram?
Principalmente sobre desenho.
Não vai me contar sobre o que conversaram, é isso?
Estou contando.
Não, não está.
Falei pra ela que eu também desenhava.
Você desenha?
Desenhava.
Você nunca me falou isso também.
Eu mal lembrava disso.
O que mais conversaram?
Ela falou sobre os filhos.
Você disse que ela tem muitos filhos.
Muitos, muitos. Feito a noite.
E o que ela falou sobre eles?
Que por isso desenha. Para sair um pouco da vida.
Mauro não diz nada. Baixa a cabeça.
Ela disse que por isso costuma ir lá no Sesc. Ou nos cafés. Para ficar um pouco sozinha. Um pouco com ela mesma.
Sobre o que mais conversaram?
Basicamente isso.
Mauro se levanta.
Parece arrasado. Apanha a carteira na primeira gaveta do móvel em forma de arca. Conta o dinheiro. Entrega cento e vinte reais a Pompeu.

A arca é repleta de porta-retratos. Todos vazios, exceto um.

XI

Pompeu está encostado num poste observando o prédio do outro lado da rua.

É tarde.

Bebe uísque em sua garrafa niquelada.

Olha o vulto detrás da cortina do segundo andar.

Então, sente a presença.

Ao olhar para trás, vê um homem muito pequeno.

Pompeu fica surpreso com seu tamanho.

Não é um anão.

Apesar de muito pequeno ele tem os membros proporcionais.

Por favor, o senhor sabe que dia é hoje? Pergunta o pequenino.

Adoraria não saber. Hoje é 29 de agosto.

Muito obrigado. O que o senhor tanto olha nesse prédio? Vira e mexe o vejo aqui fazendo isso. Nesse poste. Às vezes me dá a impressão de que está preso a ele.

Você já reparou que não damos falta daquilo que realmente esquecemos?

Me pediram para lhe entregar isso. O homenzinho lhe entrega um pequeno papel, amarelado, dobrado em quatro.

- *Meio quilo de pó de café (moído na hora).*
- *Meia dúzia de ovos.*
- *Meio quilo de alcatra cortado em cubos.*
- *Creme de leite.*

Nossa! Eu perdi isso há tanto tempo. Quem pediu para que me entregasse?

Uma senhora.

Claro! Ela deve ser velha agora. Se for quem eu penso. Como ela se chama?

Yara.

Pior que nunca soube seu nome.

É Yara. Se você jogar no Google tradutor, Yara ele identifica como sendo turco e traduz como "ferimento".

Que bobagem.

Sério. Em turco é "ferimento".

Bem que ela me disse que eu jamais a esqueceria. Ela era um mulherão. Alta.[71] Muito alta. Era trapezista de um circo que, segundo a minha mãe, nunca existiu.

São os melhores.

O quê? Os circos que não existem?

Tudo. Tudo o que não existe é melhor. É como aquela história da igreja invisível. Você conhece essa história?

Pompeu dá um comprido gole. Eu odeio qualquer forma de igreja. Esvazia a garrafinha.

Você reparou que todas as ruas agora têm o mesmo nome?

Todas. E as cidades também. Tudo leva o nome de minha mãe.

Já são quase cinco horas. Diz o homenzinho.

O céu está clareando. Pompeu se sente triste. Miserável.

71

"Ela poderia se apresentar suficientemente por sua beleza e pela distinção de sua mãe. Eu me apaixonei por ela por causa da sua altura e do seu corpo atlético, e tudo estaria resolvido se coração e razão igualmente não tivessem imposto uma quinta mulher na minha vida." Carta, 23 de outubro de 1613, em Schmidt, *Johann Kepler*. Citado em James A. Connor, *A bruxa de Kepler*. Tradução: Talita M. Rodrigues.

Será que o metrô já abriu? Pompeu pergunta ao pequeno homem.

Imagino que sim. Senhor, sabe o que me disseram?

Não.

Disseram que isso acontece com os mergulhadores.

O quê? O que acontece com os mergulhadores?

Dizem que chega uma hora que eles já não sabem se a superfície está pra cima ou pra baixo.

Eu já ouvi isso.

Ela deve ser uma mulher muito importante.

Quem?

Sua mãe.

Ela é. Muito importante. Para mim.

Minha mãe tinha o nome de uma doença.

É mesmo?

Sim, senhor.

Às vezes, só às vezes, principalmente quando me sinto tão cansado, me arrependo de não ter renovado a minha carteira de motorista. Se eu tivesse um carro agora, seria mais fácil.

Por que não renovou a habilitação?

Eu entrei numa briga.

Sério?

É. Por isso parei de dirigir. Caramba! Eu precisava de mais uísque.

Tem dia que não é bolinho. E como vai sua mulher?

Ela está bem. Ela é outra agora.

E você? Continua o mesmo?

Não, claro que não.

E a briga? Como foi essa briga?

Eu sou um cara pequeno, mas brigar não tem nada a ver com tamanho, não é mesmo?

O homenzinho ri. Sei bem disso. E o senhor se saiu bem na briga?

Brigar tem a ver com maldade. Com quanta maldade há em cada um.

É isso.

Ele estava com o vidro aberto. Eu botei o joelho na porta, pra que ele não conseguisse descer, e dei tanto na cara dele, mas tanto.

Ele pediu, não pediu?

Com as costas da mão. Eu bati tanto na cara dele.

E ele? Reagiu?

Foi tão gostoso. Não, ele não conseguiu reagir.

E a sua mulher? Onde ela está agora?

Eu não sei. Eu não sei. Ela me deixou. Foi embora.

E as crianças?

Que crianças?

As crianças.

Eu não gosto delas. Da aparência, sabe? No fim, o problema não é o trânsito. São as pessoas. Porque é assim também no metrô e nos ônibus. As pessoas não têm educação.

Você bate nelas também no metrô?

Não. Só quando não consigo evitar. E essa é a luta da minha vida. Eu luto contra a minha agressividade. Por isso que eu meti a mão na cara dele. Pra educar. Eu fui educado assim. E, mesmo que ele não aprenda a respeitar as pessoas, ao menos aprendeu a andar com a janela fechada.

Paradoxal isso, não acha?

O quê?

Lutar contra a agressividade, hahah.

É. Talvez. Também luto contra a rejeição. Não posso me sentir rejeitado. Eu esfrio. É igual o gelo. Eu vi isso num desses programas pseudocientíficos. Lá eles diziam que tudo mudou quando passaram a transportar o gelo pelo mundo. Porque o fogo, desde que começaram a poder manipular o fogo, sempre percorreu o mundo. Os barcos a vapor, trens, você sabe, o carvão. Dizem que há no Tibete uma chama que os monges mantêm acesa por mais de três mil anos. A mesma chama.

É tempo, hein?

Comigo é assim também, sabe, homenzinho?

Claro. Eu entendo.

Como é seu nome?

Pompeu.

Caramba! Eu também me chamo Pompeu. Mas eu dizia, quando me sinto rejeitado, o frio começa a percorrer meu corpo. Aí o frio atinge alguma parte do meu corpo e começa a se irradiar até chegar ao coração.

E não tem volta, não é?

Não. Não tem volta. Você já fez isso?

Isso o quê?

Já bateu em alguém? Já meteu a mão na cara de alguém?

Puxa, o senhor acredita que não? Eu nunca fui de briga.

Precisa sentir isso. Precisa enfiar a mão na cara de alguém. É uma das coisas mais gostosas que se pode fazer. Por isso é proibido.

Ah! Então preciso experimentar.

Faça isso. Vai ver como é gostoso. Acho que por isso meu pai me batia tanto.

5
O destino
de tudo é ruir

I

Você a viu?
Vi.
Viu?
Sim.
Onde?
No Sesc. Ela estava desenhando.
Jura? Não sabia que ela desenhava.
Desenha, e o trabalho dela é incrível.
O que ela estava desenhando?
Mãos.
Caramba. Dizem que é a coisa mais difícil de desenhar.
Sério?
É o que dizem. Ela estava bonita?
Ela estava linda. Tão linda. Alta.
Alta? Muito alta?
Acho que uns dois metros e vinte, ou mais.
E os cabelos?
Escuros. Os olhos claros. Tão linda. Parece que ela está dançando, sabe?
Dançando?
É. Não dançando, dançando. Seus movimentos são tão bonitos.
Dizem que o desenho é uma microdança.
Legal essa ideia.
Como ela estava vestida?
Uma calça reluzente.
Como assim? Reluzente?
Era uma espécie de veludo muito brilhante. Dependendo da forma como a luz refletia, o tecido parecia mudar de cor.
Furta-cor.
Isso mesmo, me fugiu a palavra.

E as mãos? Como eram suas mãos dessa vez?

Suas mãos são tão lindas. Ainda mais desenhando. Ela falou comigo.

Mentira.

Juro.

O que ela disse?

Ela me reconheceu.

Sério?

É. Eu disse que já devíamos ter nos cruzado por aí.

Isso não é muito bom, é?

Não sei. Nunca tinha acontecido. Acho que, por ela desenhar, deve ser muito observadora. Deve guardar bem as fisionomias.

É possível. E vocês conversaram?

Sim. Um pouco.

Sobre o quê?

Sobre desenho. Essas coisas.

Como assim, essas coisas? Me conta.

Ela olha nos nossos olhos, sabe? Enquanto conversávamos, ela olhava tão profundamente pra mim. Era quase hipnótica a forma como me olhava. Me lembrei de algo que li naquele meu exemplar de Os Bichos. Os ofídios hipnotizam suas presas dessa forma. Com o olhar. Antes de as devorarem.

E o que mais falaram?

Basicamente isso. Ela tentava lembrar de onde me conhecia. Foi isso.

Mauro parece perturbado.

O que foi? Pompeu percebe.

Eu acho que isso vai prejudicar nosso trabalho.

Acho que não.

Claro que vai. Agora ela te conhece. Você não vai mais conseguir observá-la sem que ela perceba. Como vai ser agora?

Eu realmente não sei. Como disse, nunca tinha acontecido antes.

Puxa. E você não conseguiu disfarçar?

Bom, eu disse que não a conhecia. Que devíamos ter nos esbarrado alguma vez. Mas ela disse: "Não, eu me lembro de você".

Puxa vida.

Isso pode ser bom também. Ainda não dá para saber.

Não sei como pode ser bom.

Imagino que possa conhecê-la´cada vez mais. Nesse sentido é bom.

Não sei se é bom. Não será a mesma coisa.

Eu sei, mas pode ser melhor. Sabe, vou especular menos. Vou conhecer detalhes da sua vida.

Eu gostava muito das especulações. Gostava dos espaços em branco.

Vamos descobrir como será agora.

Mauro deixa transparecer sua decepção.

Ele se levanta, apanha a carteira na primeira gaveta da direita que fica no móvel em forma de arca. Conta o dinheiro.

Puxa, Pompeu, isso não foi legal.

Vai ser bom, você vai ver.

Mauro entrega cento e setenta reais a Pompeu.

Acho que acabamos.

Bom, foi mais ou menos isso.

Não. Você não entendeu.

Não, acho que não entendi.

Terminamos.

Por hoje?

É sempre hoje.

É, isso é verdade.

É sempre hoje quando acaba.

II

A mosca em sua enorme poltrona de couro solta baforadas do charuto.
Não vai beber?
Ainda é cedo pra mim.
Que seja. E aí?
Eu a encontrei.
Tá. Vamos lá.
Ela é bonita. Tem os traços delicados.
É alta?
Não, não é alta. Um metro e sessenta e pouco.
Ela dança?
Não que eu saiba.
Mauro puxa o beiço até o queixo.
Caralho, Mauro. Isso está cada vez pior.
Mauro enche a boca de uísque e bochecha.
Você não vai mesmo ao médico ver isso?
Mauro faz não com a cabeça.
Isso deve doer demais.
Mauro fecha os olhos enquanto assente com a cabeça.
Como dizia, ela, como dita a moda, tem várias tatuagens.[72]
Vintage.
Mauro engole. E ri de olhos fechados.

―

72

"Não fareis incisões na vossa carne por morto e não usareis tatuagens. Eu sou o Senhor. Não desonres tua filha, prostituindo-a para que a terra não se entregue à prostituição e não seja invadida pela devassidão." Levítico 19,28-29.

Seios médios. Corpo proporcional. Olhos ancestrais.

E o livro do Levrero? Terminou?

Ainda não. É um tijolão.

Mas é bom, não é?

Muito. E hoje mesmo vou passar no mercado pra comprar bife à milanesa. Ele fala tanto das milanesas que estou morrendo de vontade. No sacolão perto de casa tem um muito bom. Não consigo empanar direito. Nunca dá certo.

Você cozinha?

Cozinho. Eu faço tudo em casa. Cozinho, lavo, faxino.

Muito prendado. Gargalhada.

Alguém tem que fazer.

Meu cóccix está doendo há três semanas. Sem parar. Sem parar um segundo sequer.

Tem épocas que são difíceis.

E dá pra piorar.

Eu me fodi esta semana.

Se fodeu? Por falar nisso, você não trepa?

Não tenho trepado muito, não.

Mauro enche a boca e faz bochecho.

Às vezes você não se sente exausto, Mauro? De tudo?

Jamais. Eu não me canso de viver. Ao contrário, eu quero cada vez mais.

Pompeu arfa enquanto pensa que deve ser mais fácil quando se tem dinheiro.

Você continua casado? Mauro pergunta soltando um anel de fumaça.

Às vezes.

Mauro apanha o interfone. Avise a Diva que eu quero bife à milanesa. E traz gelo. Você vai almoçar comigo hoje.

Imagina. Eu não quero dar trabalho.

Pra mim não será trabalho nenhum. E eu os pago para que trabalhem. Pega logo um copo aí.

Eu não queria beber tão cedo. Pompeu diz enquanto apanha o copo.

Dá uma olhada aí no fundo.

Aqui?

É, bem atrás, atrás do *ushebti*.[73]

Atrás do quê?

Dessa estatueta em terracota.

Pompeu apanha a pequena bolsinha de pano escondida no fundo do armário atrás de uma pequena estatueta que parece representar Osíris. Mostra a Mauro.

Isso, isso mesmo. Abra.

Pompeu desenrola o barbante que a envolve.

Há um pequeno anel e um cacho de cabelo loiro.

O que é isso?

O fim e o começo. Deixa eu ver um pouquinho. Mauro estende a mão.

Pompeu lhe entrega.

Não, eu não quero a aliança. Quero só o tufo.

Mauro faz cafuné na pequena mecha.

Você disse que a sua semana não foi boa? Isso me fez lembrar da minha pior semana.

73

"Figura ushabti, shabti ou shawabty, qualquer uma das pequenas estatuetas feitas de madeira, pedra ou faiança que costumam ser encontradas em grande número nos túmulos egípcios antigos. As figuras variam em altura de aproximadamente dez a cinquenta centímetros." Acredita-se que: "O propósito dessas imagens fosse agir como um substituto mágico para o proprietário falecido...". *Enciclopédia britânica.*

A pior de todas?

Não, a última pior, poderia dizer. Gargalhada.

Faz muito tempo? Digo, essa sua última pior semana?

Alguns anos. Eu estava no Rio de Janeiro. Hoje, Sondra Porfírio.

Mauro devolve os cabelos.

Pode guardar, por favor. Me conte. Como foi essa semana? O que aconteceu?

Deixa pra lá.

O pequeno Pompeu vestindo seu traje de garçom traz o balde de gelo.

Fala pra Diva que eu quero salada de batata pra acompanhar a milanesa. Mauro diz ao homenzinho. Pode ir.

Pompeu se serve de duas pedras e uma generosa dose.

E aí? Você dizia que ela é toda tatuada.

Sim. E tem gestos delicados.

Se tem uma coisa que me irrita é tatuagem. E o que aconteceu com você esta semana? Mauro realmente não demonstra interesse na tatuada.

Nossa, esta semana foi dura comigo. Eu fui lá tentar resolver a questão da intimação.

E resolveu?

Fui espancado. Acredita?

Sério?

Juro. Levei tapa na cara e um chute na canela que vi estrelas.

Por quê?

Porque são uns escrotos. Pompeu tira um envelope do bolso. Olha isso, por ter perdido a porra do papel, vou ler pra você. "Pela presente, comunico que perante este Juízo tramita a ação em epígrafe, da qual Vossa Senhoria CITADO(A) de todo o conteúdo da petição inicial e da decisão para, no prazo de 03 (três) dias úteis, pagar a dívida no valor de R$ 7824,43"...

Puxa vida.

Me ferrei. E eu já estou tão endividado.

Já pagou? Procurou um advogado?

Nada. Eu não vou pagar. Não tenho como. E, ainda, pra piorar e o que mais me doeu foi que pra completar eu perdi um cliente incrível.

Perdeu?

Perdi. Vinha trabalhando pra ele há quase três anos.

E o que aconteceu?

Puxa, é uma longa história.

Temos bastante tempo até o almoço.

Deixa pra lá. O que me perturbou de verdade e me fez pensar foi que fazia tanto tempo que eu não apanhava.

Teu pai te batia muito, não é mesmo?

Meu pai me espancava rotineiramente.[74] A última vez foi num Dia das Crianças.

74

Eu e meus irmãos dormíamos no mesmo quarto. Eu e meu irmão num beliche e minha irmã na cama. Um dia um primo veio em casa e sugeriu brincarmos de subir no beliche e pular na cama. Por prudência, já que meu pai sempre foi muito violento comigo, eu disse que não podíamos fazer isso. Quebraríamos a cama. Naturalmente eles não me ouviram e começaram a voar por ali. Por mais divertido que parecesse, fui para a sala ficar no campo de visão de meu pai para que ele pudesse ver que eu não fazia parte daquilo. Naturalmente, em pouco tempo ouvimos o barulho. Meu pai, furioso, correu para o quarto. Depois de algum tempo, ele me chamou. Calmamente me explicou que eles haviam quebrado a cama e que por esse motivo ele estava muito nervoso (juro que não demonstrava isso). Então, ele, com toda a sua coerência, me informou que estava tão nervoso

Você ainda era criança?

Não. Não sei quantos anos tinha na época. Talvez catorze. Realmente não lembro. Dessa vez ele quase me matou. Foi a primeira vez que minha mãe interveio.

E por que ele te bateu dessa vez?

Ah, meu irmão ganhou um trenzinho elétrico[75] e a gente começou a brincar e rir. Era tarde... acordamos meu pai.

---

que precisaria bater em alguém. Argumentou que não poderia bater no meu primo (meu primo era dois anos mais velho que eu), porque ele não era seu filho. E não poderia bater no meu irmão (meu irmão é quatro anos mais novo que eu), porque ele era muito pequeno e o machucaria muito. Então, por esse motivo, bateria em mim. Pediu que os meninos saíssem, fechou a porta, me arremessou numa cadeira no outro canto do aposento e começou a me espancar. Fiquei uma semana sem poder andar direito. Esse virou seu discurso ideal e o motivo recorrente de meus espancamentos. Ele apenas o ajustou dizendo: "Não posso bater na sua irmã porque ela é mulher e não posso bater no seu irmão porque ele é muito pequeno e ia machucar muito ele. Então vou bater em você, tá bom?".

75

Meu irmão ganhou um trenzinho elétrico. Sempre foi o meu sonho ter um trem elétrico. Mas, quando eu era pequeno, nossa situação financeira era mais complicada. Aí, nesse dia eu o ajudei a montar o trenzinho. Eu já era grande para brincar embora estivesse morrendo de vontade. Então o que fiz foi ficar perto vendo o trem fazer seu caminho cíclico. Num dado momento, deitei um lápis nos trilhos e gritei: "Madeira". Meu irmão quase morreu de rir. E o seu riso me contagiou. E deu bobeira. Não conseguíamos parar de rir. Já tinha passado um pouco das dez, meu pai já tinha se deitado e nossa

Tudo isso porque vocês se divertiam?

É. É mais ou menos isso. Meu pai era viciado.

Vou comprar um trenzinho elétrico pra você.

Pompeu ri. Por favor, não faça isso. Só pioraria as coisas. Mas é isso. Ele era viciado em corrida de cavalos. Perdia muito dinheiro. Vivia fodido.

Nada justifica tanta crueldade.

Tá tudo bem. Eu me vinguei. Com o tempo eu me vinguei.

De que forma?

Perdoando.

Maravilhoso. A vida, maravilhosa.

III

A velha cadela chora de forma quase humana.

As lágrimas escorrem por seu rosto e pingam na boca das crianças. Elas se alimentam bebendo suas lágrimas. A professora, cujo turbante se prende à pedra brilhante por

---

risada o acordou. Aí ele berrou. Berrou meu nome. "Júnior!" E eu percebi que estava fodido. Fui até a porta de seu quarto. Ele me perguntou: "Como tá indo na escola?". "Mais ou menos." Respondi. Ele voou pra cima de mim, me catou pelo pescoço e começou a me bater contra a parede enquanto me estrangulava. Batia minhas costas e minha cabeça enquanto me esganava. Ele me levantou acima de seus ombros. Meu pai era muito forte. Fazia boxe, essas coisas. Minha vista começou a escurecer. Então minha mãe jogou o travesseiro dele pra fora do quarto e trancou a porta. Ele me soltou. Foi a última vez que bateu em mim. Era Dia das Crianças.

alfinete de ouro, corrige dizendo ser uma loba, não uma cadela. Para nós seria mais fácil entender a alegoria se fosse cadela. A professora explica que as crianças que bebem as lágrimas não são seus filhos. Diz, ainda, que "loba" era uma forma discreta de dizer "prostituta". E que no futuro, ali, onde estavam, se faria a maior de todas as putas. Que a partir dessas duas crianças, eram duas, se faria a maior de todas, a maior de todas as lobas.

A maior cidade do mundo.

A grande Puta.

A grande Puta da Babilônia.

Baby loira, anal sem frescura.

Sempre associava quando lia esse pequeno anúncio de seis centímetros por quatro colado no telefone público na avenida Pompeia quase esquina com a Padre Chico quando ia dar aulas no Sesc. Hoje Sondra Porfírio quase esquina com Sondra Porfírio. O anúncio se multiplicava colado sobre o aparelho que ficava ao lado do ponto de ônibus onde meu personagem Oliver, neste exato momento, espera o ônibus para voltar para a pensão.

Babyloira.

Como gelatina enquanto assisto televisão num quarto.

Não é o meu quarto.

Uma jovem entrevista um velho cego.

O velho sorri dizendo que, se voltasse a enxergar, provavelmente não se reconheceria no espelho.

Me levanto e caminho até o banheiro.

Fico impressionado com o meu próprio rosto.

Apesar de enxergá-lo, tampouco o reconheço.

A jovem e o moço limpam meu corpo com um pano umedecido. Depois me secam com os lençóis. Seus olhos são claros. Os olhos da enfermeira, da entrevistadora e os de uma mulher que agora entra num lago. Os olhos do jovem são desprovidos de cor.

"Pelos rios da Babilônia, lá nos sentamos. Sim, nós choramos, quando nos lembramos"...

A água é morna e agradável.

Eu preciso dizer que eu as confundo, sabe? Insisto.

Baby loira agora dança com suas pernas prateadas feito uma loba.

E não é para mim.

Vai, Frau Troffea,[76] desce até o chão.

76

Dizem que em julho de 1518, em Estrasburgo, na França, uma mulher chamada Frau Troffea desencadeou uma epidemia de dança. Patricia Bauer, para a *Enciclopédia britânica*, relata o episódio da seguinte forma: "A epidemia de dança de 1518, evento no qual centenas de cidadãos de Estrasburgo dançaram incontrolavelmente e aparentemente sem vontade por dias a fio. Uma mulher cujo nome foi dado como Frau (Sra.) Troffea (ou Trauffea) saiu para a rua e começou a dançar. Ela parecia incapaz de parar e continuou dançando até desmaiar de exaustão. Depois de descansar, retomou a atividade frenética de forma compulsiva. Frau Troffea continuou assim por dias e, em uma semana, mais de trinta outras pessoas foram afetadas da mesma forma. Elas continuaram indo além do limite físico. As autoridades da cidade ficaram alarmadas com o número cada vez maior de dançarinos. Os líderes cívicos e religiosos teorizaram que talvez a cura poderia ser mais dança. Então, reuniram músicos para acompanhar a dança, no entanto isso só agravou o contágio. Cerca de quatrocentas pessoas acabaram sendo consumidas pela compulsão. Várias

Minha prima toma iogurte imitando Rose di Primo.

Me servem mais gelatina. Dessa vez, vermelha.

Quando era criança, tive um médico com nome engraçado. Quer dizer, na verdade seu nome não era engraçado, eu é que o compreendia errado.

E como chamava seu médico?

Doutor Paiva Ramos. E eu entendia "doutor Pai Varramos".

Vou varrendo, vou varrendo, vou varrendo, vou varrendo.

"Você disse alguma vez que está sempre apaixonado por uma mulher."

"Eu sempre estou apaixonado, mudam as pessoas, mas o amor é o mesmo e a pessoa é sempre única."

Assim conversam na TV.

Você ouviu o que ele disse?

Quem fala agora é um homem de jaleco branco e máscara de rato.

Minha mão está muito inchada. Mostro a ele.

Só então percebo que seguro a pedra de tabuleiro. Vermelha.

O pernilongo zune no meu ouvido justamente quando muda minha onda mental. A frequência, entende?

Um cara que se parece comigo diz isso sentado numa poltrona instalada abaixo da janela.

As janelas são enormes. De quatro folhas.

---

delas morreram devido ao esforço. A mania durou cerca de dois meses antes de terminar tão misteriosamente quanto começou". Pieter Bruegel representou esse incidente em gravuras e pinturas.

Sei, sei. Digo, tentando fazer com que ele não comece a me aborrecer com reclamações.

Tinha um desenho do Luiz Gê, você lembra?

Do que você está falando?

Tinha uma tirinha muito boa do Luiz Gê sobre isso.

Sobre pernilongos?

Não, sobre amar o que se tem.

Então já não tenho a peça do tabuleiro nas mãos.

Seguro um maço de fotografias.

Não sei por que instinto ou diabos viro as fotos e olho o verso.

Há algo escrito em cada uma delas. Marcatti 1988. A equipe. A beira do rio. Não é droga, só sono. Demorou, mas chegou! Feliz 96. "Ele não é um doce?"[77]

Viro.

Me entristeço com algumas das imagens.

O senhor dormiu bem?

Eu a vejo.

É a jovem de olhos claros quem pergunta enquanto me serve café.

Bebo o café igual minha avó bebia.

De olhos fechados.

77

Frase escrita por Katharina Fett, no verso de uma fotografia em que se vê "o filho com calças de veludo e camisa com babados na gola, bem no estilo alemão". O garoto era Charles Bukowski. Howard Sounes, *Charles Bukowski: vida e loucuras de um velho safado*, tradução: Tatiana Antunes.

Quando termino o café, vejo que a borra forma um desenho.

Parece um chapéu.[78]

IV

Posso pegar outra dose?

Por favor, fique à vontade. Serve uma pra mim também. Mas e aí? Conseguiu resolver a porra do livro? Descobriu qual era?

Você acredita que passei sete horas e meia na porra daquele prédio? Só na sala onde me bateram, me deram um chá de cadeira de mais de quatro horas. Sem fumar, sem banheiro, nem ao menos um copo d'água eles me deram.

Mas e o livro? Qual te passaram?

Eu não sei de cor, mas está anotado.

Não brinca.

Não, anotei no caderno e guardei o papel. E mais ou menos eu sei o título. É algo como O Sonho de Porfírio ou coisa que o valha.

78
Segundo o método de adivinhação da leitura da borra do café, a forma de um chapéu no fundo da xícara significa: "conhecerá um homem rico". Se fosse um navio: "viagem curta com destino incerto". Se formasse a letra Z: "receberá uma carta do norte". Gato: "não entre em relação com desconhecidos". Se fosse um vaso: "receberá uma proposta. Não aceite". *Como ler a sorte*, editor: Richard Civita, 1988, revista de banca.

Puta que pariu! Não me diga que é *Batalha de amor em sonho de Polifilo*?

Esse mesmo.

Puta que pariu.

Por quê?

É um livro chato pra caralho. E difícil. *Hypnerotomachia Poliphili*. Foi escrito em mil quatrocentos e pouco.

Bom, é esse que tenho que ler. Vou ler.

Deve ser um castigo.

É tão ruim assim? Você já leu?

Tive que ler. Mas é muito difícil e chato. Mas deve ser um castigo por você ter perdido o outro título.

Melhor esse castigo do que a multa. Eu acabei sendo castigado em dobro. E por que você diz que teve que ler?

Ah! Por causa dos meus estudos. Costumavam dizer que é um dos livros mais misteriosos que existem. Se atribui a um tal Francesco Colonna porque as letras iniciais de cada capítulo formam a frase *"Poliam frater Franciscus Columna peramavit"*. É um livro repleto de simbologia. Tem uma edição relativamente recente da Imprensa Oficial.

Bom, paciência. Vou ter que encarar. Eu gosto de simbolismos.

É isso. Não sei se é fácil conseguir esse livro. Se quiser, posso procurar o meu e te empresto. Não costumo emprestar livro, sabe como é, diz o ditado: "Livro não se empresta e não se devolve".

Eu não gosto de pegar livro emprestado, mas podia ser uma boa. Assim eu lia logo de uma vez.

Quando formos almoçar, procuro ele na estante. Eles deviam ter te passado *Sílvia*, do Nerval.

É bom?

Seria mais coerente.

Por quê?

Porque é a história "meio sonhada" de um homem que se apaixona por duas mulheres que às vezes são três.

São três feito um triângulo? É isso?

Não, essas duas mulheres às vezes são três, três amores. Ah! Você teria que ler. É uma novelinha bem curtinha, quase um conto.

Está certo. Vou pôr na lista. Agora, vamos voltar a sua garota. Pompeu tenta retomar o trabalho.

Eu não me interessei muito por essa.

Mas eu mal falei sobre ela.

Que idade ela tem?

Acho que quase quarenta.

Deve ser dessas garotas de brechó. Essas hipsterzinhas não me atraem.

É que tem algo antigo nela. Realmente. E ela tem gestos, não sei bem como dizer.

Deixa pra lá. Não gostei. Tatuagem me irrita.

Então vou continuar procurando.

Que seja. Manda uma das suas histórias. Não precisa ser das que não gosta de contar.

Eu só queria dizer mais uma coisa sobre meu pai. Apesar de tudo, de seu problema de temperamento e tudo mais, ele foi um homem incrível. E apesar de toda a violência ele era o único que me dava algum carinho. Porque, sempre que me batia, ele esperava eu dormir, na maioria das vezes eu só fingia que estava dormindo, ele vinha na minha cama e pedia perdão. Sussurrando e fazendo carinho na minha cabeça. Nossa relação foi muito paradoxal. E ele era um homem muito sensível. Tinha uma bagagem cultural impressionante para as suas origens. Foi um artista que, por não conseguir se manter com sua arte, acabou se tornando policial. E isso só agravou o seu gênio.

Ele teve uma origem humilde?

Muito. Meu pai começou a trabalhar aos oito anos de idade. A trabalhar e a fumar. Eram outros tempos, eu sei. Meu avô era sapateiro[79] e meu pai começou a engraxar sapatos nas ruas no início dos anos 1940. Nasceu em 33. Meu avô nasceu em 1900.

E por que você perdeu seu cliente esta semana?

Porque seu amor, o amor que eu levava para ele, me reconheceu. E isso o desencantou. Pior que eu o entendo. Ele mesmo disse, e bem disse, que ele gostava mesmo era das lacunas. Agora, quando vou observar a mulher que ele tanto amava, ela me vê. E isso muda tudo.

O olhar muda tudo. Mas ele ficou com ciúme?

Não. Não foi ciúme. É que ele amava mesmo as lacunas. As entrelinhas. Amava aquilo que ele mesmo preenchia. Você o conhece. Era o Mauro. Aquele com quem conversava na festa da Regina. O que me indicou a você.

Claro. O Mauro. Mas dá pra resolver isso.

Como? Impossível.

Deixe de observá-la.

Mas aí o que vou levar pra ele?

79

"Vivo e de volta cá embaixo, como uma espécie de afogado do eu que não pode mais emergir na superfície de seu ser. Tudo o que faz o ser, deste lado da existência, é inutilizável ou apagado. Digo o ser como diria o ser de um simples, de um inocente sapateiro. Sendo o que sou, se eu fosse em relação a mim mesmo o que o sapateiro é em relação a si mesmo, eu não correria mais o risco de me afogar." Antonin Artaud, *Textos surrealistas*, tradução: Olivier Dravet Xavier.

As lembranças.
Será?
Especule.
Quando for procurar o seu livro, aproveito para ler uma citação que pode te ajudar. Eu não lembro de cor e não quero corrompê-la. Mas acho que poderia levar esse pensamento a ele e isso pode ajudar. É uma frase de François Mauriac, você já leu algo dele?
Não, nunca li.
Não sei se foi publicado em português. Você lê francês?
De jeito nenhum. Sou um monoglota.
Para quem discursa em aramaico, ouvir isso é surpreendente.
Quê?
Nada não. Que pena. Mas, de qualquer forma, diga a seu empregador que é muito mais triste perder alguém em vida. Continuem a celebrar as lembranças.

Eles seguem conversando até que o homenzinho anuncia que o almoço está servido. Pompeu nunca tinha entrado nessa área do apartamento. Sempre, ao chegar, era conduzido ao gabinete com as portas de correr. Era um prédio antigo. Pé-direito alto. Cômodos enormes. Muitas varandas e incontáveis janelas. Mobiliado de forma sóbria, clássica. Elegante. Móveis antigos de madeira de lei. Peças decorativas igualmente antigas. Muitas obras de arte. Para surpresa de Pompeu, eles passam pela sala de jantar e seguem para a cozinha. Uma cozinha imensa muito bem iluminada pelas tantas janelas. Na cozinha Mauro o apresenta a Diva. A empregada que o acompanha há quase quatro décadas. É uma mulher pequenina de olhar profundo e sábio. E é ali que se acomodam. A uma pequena mesa na cozinha. Depois de lhes servir a refeição,[80] Diva senta à mesa com eles. Em seguida surge o homenzinho, que puxa um cadeirão de madeira e também se acomoda com eles. Nesse momento, Pompeu sente um pouco da solidão e da miséria daquele homem. Estranha a ausência da outra empregada, a que sempre o recebe.

Pompeu observa a dificuldade com que Mauro mastiga. De olhos fechados. Movendo a comida na boca de um lado para outro. Provavelmente tentando evitar o contato com a ferida. A aparência dessa ferida está cada vez pior, e já é visível o inchaço. O beiço de Mauro parece ter dobrado de tamanho. Enquanto, realmente sensibilizado, observava com discrição as coisas a seu redor, é surpreendido por Diva, que, olhando fundo pra ele, pergunta: Você viveu?

Por alguma razão Pompeu sente todo o seu corpo se arrepiar. Ele gesticula. Uma das mãos na boca e a outra como se fizesse ondas. Como se dissesse que responderia assim que terminasse de mastigar. O homenzinho solta: O importante é que a comida seja boa.

Nossa, por falar nisso, está deliciosa. A comida, o almoço. Diz Pompeu.

Mauro solta um gemido de dor.

―

80

"Prezado amigo: estou pedindo uma ajuda para comprar arroz e feijão para meus irmãos menores. Aceito vale-transporte e vale--refeição. Obrigado por sua ajuda. — Deus lhe pague — (escrito à mão). Bilhete entregue a Valêncio Xavier, no semáforo da avenida Sapetuba com Francisco Morato na quinta-feira 15/04/93 — SP". *RrEMEMBRANÇAS da menina de rua morta nua e outros livros*, Valêncio Xavier.

Eu sobrevivi, seria mais honesto dizer. Pompeu responde procurando retribuir toda a profundidade e a mesma honestidade no olhar.

Mauro empurra o prato e desiste de comer. Ao terminarem, Mauro diz a Diva que quer um docinho de sobremesa e café. Diva pega num dos inúmeros armários embutidos da cozinha uma lata e a coloca na mesa. Arrepiado, Pompeu observa a velha imagem. A imagem que ainda povoa suas fantasias. A jovem Diana, seminua, sentada sobre um tronco de árvore no desenho emoldurado pela ogiva floral. As árvores no fundo em perspectiva. A montanha rochosa. E a faixa em que se lê: "Diana Caramels hachés". Está tudo ali. E, para aumentar sua surpresa, há caramelos dentro. E pela primeira vez ele pode provar.

Tudo bem por aí? Pergunta Mauro notando o desconcerto de Pompeu.

Caramba! Tudo bem, tá tudo bem. Posso provar um caramelo?

Esteja à vontade.

Pompeu pega um caramelo. O observa. Os caramelos são embalados individualmente em celofane colorido. Ele analisa o caramelo e então o devolve à lata.

Enche a mão. Mauro o estimula.

Diva acomoda a louça na pia enquanto coa o café.

Vai, homem, experimenta esse caramelo. São deliciosos. Mauro insiste.

Outra hora eu provo.

Enche a mão e põe uns no bolso pra comer em casa.

Pompeu apanha um caramelo e coloca no bolso.

Vamos até a biblioteca. Diva, depois nos leve o café na biblioteca.

Sim, senhor.

Um dos cômodos do apartamento foi transformado numa biblioteca com estantes que vão do chão ao teto. Mauro procura um título. Pompeu se perde lendo as incontáveis lombadas. Até ser surpreendido pela exclamação de Mauro.

Aqui está! Para dizer a verdade, eu não lembro em que livro está esse fragmento, mas lembrei que tinha nessa edição de citações francesas. Vou traduzir livremente e espero não comprometer a beleza dessa frase. Seria bom você anotar e conversar com o Mauro. Vamos lá: "A morte não nos rouba os seres amados. Ao contrário, os guarda e os imortaliza na memória. A vida, sim, nos rouba muitas vezes e definitivamente".

Que lindo isso. Pode repetir, por favor?

Mauro relê.

Senta. Mauro indica as poltronas. Há duas. De espaldar imenso e couro avermelhado. Há duas luminárias suspensas em hastes metálicas ao lado de cada poltrona. Escolha algo para ler. A música atrapalha a sua leitura?

De forma alguma.

Então, vou escolher algo de fundo.

Mauro começa a procurar uma trilha no imenso móvel envidraçado em que guarda os CDs. Pompeu apanha um livro quase ao acaso. O primeiro que lhe salta à vista, e se instala, um tanto perplexo com o conforto do lugar e também com a hospitalidade de Mauro. Como alguém pode ser tão contraditório? Se pergunta. Pois Mauro transita entre a pessoa mais desagradável que ele conhece e a mais generosa e amiga.

Você é italiano, não é? Pergunta Mauro.

Bom, meus bisavós eram.

Então vou lhe prestar uma homenagem e uma heresia.

Mauro completa as três bandejas do aparelho de CDs.

O homenzinho pede licença e entra carregando a bandeja com o café num bule de prata, a garrafa de uísque, o balde de gelo e a lata de caramelos.

Pronto! Vamos começar... por aqui. Diz enquanto manipula o controle remoto.

A estrondosa voz de Joseph Schmidt cantando "La Danza" de Rossini preenche a sala.

O livro que Pompeu escolheu é *Encontro Magick seguido de A Boca do Inferno*,[81] compilação e considerações de Miguel Roza, Assírio & Alvim. É um livro que documenta o infame encontro de Fernando Pessoa e Aleister Crowley.

Após a música de Schmidt, Mauro aciona *Concerti Grossi* de Arcangelo Corelli.

Açúcar? Pergunta o homenzinho a Pompeu.

Pode ser sem.

O xará os serve, pede licença e deixa o cômodo encostando a porta.

A grande surpresa dessa breve seleção italiana é o último. Mauro sorri envaidecido.

Então eles realmente se encontraram? Pompeu pergunta apontando para a capa do livro.

Ah! Esse livro é maravilhosamente patético.

Por quê?

Porque tratam Pessoa como um banana. E Crowley feito um idiota. O pior é que é tudo devidamente documentado. Epistolar. De qualquer forma, um livro muito divertido.

Terminado o café, Mauro os serve de uísque.

81

Pompeu lê uma parte grifada no livro: "8ª carta de Aleister Crowley a Fernando Pessoa, de Berlim. Já não há mais subterfúgios. Dirigiu-se a Fernando Pessoa directamente e assina 666".

Bom, já tomei muito do seu tempo. Muito obrigado por toda a hospitalidade.

Aonde vai?

Puxa, Mauro, já fiquei tempo demais.

Você tem algum compromisso?

Hoje não.

Então senta e não me enche o saco. Não está se divertindo?

Claro. Muito, mas não quero ser inconveniente.

Deixa de bobagem. Senta aí. Esse Corelli tá chato pra caralho, vamos lá. Ouve isso aqui, a cereja do bolo.

Entra Air & Baricco, *City Reading*. Este álbum, muito divertido, é a parceria do escritor Alessandro Baricco narrando algumas passagens de seu romance *City* enquanto Air o acompanha melodicamente.

Quem é esse homem no retrato? Pompeu aponta para um quadro na parede.

Esse é meu pai.

Muito expressivo.

Foi um homem incrível. Mauro volta a procurar algo na estante. Sabe o que podíamos fazer depois?

O quê?

Assistir a um bom filme.

Qual filme?

Não sei. Pensarei em algum. Sabe a mecha de cabelo que te mostrei?

Que que tem?

Eu tenho muita dificuldade em me despedir.

Pompeu não diz nada. Espera a conclusão.

Olha! É este livro que você deveria ler. Este que deveriam ter te passado lá na inquisição.

Mauro entrega *Pedro Páramo*, de Juan Rulfo.

Leve para ler.

Você disse que não empresta livros.

Leve de presente. Tenho três edições desse livro. É um livro que me impressionou muito a primeira vez que o li. E acho, realmente, que fará sentido pra você. Aqui! Então ele encontra *Batalha de amor em sonho de Polifilo*. Esse você lê e devolve.

Prometo cuidar dele e devolver assim que terminar.

Tá legal. *O inquilino* do Polanski. É isso que veremos à noite. Já assistiu?

Claro.

Então vou pensar em outro.

Não, podemos rever. Eu adoro esse filme.

Eu diria que está entre os meus dez filmes preferidos.

Eu também amo esse filme e há muito não o vejo.

Então vai ser ele.

Mas você dizia que tem dificuldade em se despedir.

Pois é. Essa é a história daquela mecha. Uma vez tive um almoço de negócios e...

Eu não sei com que você trabalha. Pompeu o interrompe.

Fui gerente comercial da Paramount Têxteis. Hoje sou consultor.

Entendi, mas você falava de um almoço e eu o interrompi.

Pois é, teve esse almoço. Uma das representantes, do interior de São Paulo, grande distribuidora, estava nesse almoço. E o almoço se estendeu. Pedi uma garrafa de uísque e seguimos bebendo. Aos poucos um a um foi indo embora. É isso, não estávamos almoçando só nós dois. Havia muita gente. Foi depois de um congresso. Bom, aos poucos o povo foi indo embora e no fim da tarde só ficamos os dois. Eu e essa mulher. Ela era tão linda. Olhar para ela era como apreciar uma obra de arte, sabe?

Sei. Sei muito bem.

Pois é. E estávamos nesse restaurante bacana e, num dado momento, essa mulher me disse que tinha muita dificuldade de ir embora. E eu disse a ela que sou assim também. Foi isso.

E vocês continuaram ali?

Sim. Acabamos jantando, naquela época se podia fumar nos restaurantes. Dividimos um maço de cigarros. E, quando o restaurante estava para fechar, eu propus que viéssemos para casa assistir um filme.

E ela topou?

Sim. Ela veio. Ela era tão linda. E apesar de tão linda, tão vulnerável. Frágil. E eu quis cuidar dela. E ela cuidava de mim e não conseguíamos nos separar. Ela não conseguia ir embora e eu não conseguia deixá-la partir. Então, ela ficou.

Que bom.

É. Foi bom por um tempo.

O que aconteceu?

Ela começou a descuidar da gente, do que tínhamos. Deixou de dar valor, entende?

Claro.

Eu detesto quem descuida do que tem. Por isso me afastei.

E o cabelo?

Quando estávamos juntos, a primeira vez que ela cortou os cabelos foi aqui. No banheiro da minha suíte. Eu lhe pedi uma mecha e guardei. E, quando ela foi embora, ela deixou a aliança na mesa de outro bar e se foi. Pra sempre. Por isso te disse que o que guardo naquele pequeno embrulho é o começo e o fim.

Faz tempo que isso aconteceu?

Tanto tempo, tanto tempo. Sabe o que é mais curioso?

O quê?

Até hoje, quando esfria, a mecha de seu cabelo escurece. Acredita?

Interessante. E você mantém contato?

Não. Nunca mais a vi.

Quer que eu a encontre pra você?

Não.

Não?

De jeito nenhum. Foi tão difícil aprender a sobreviver sem ela. Estou bem assim.

É. Eu te entendo. Terminei uma relação há pouco e também me sinto melhor estando longe. A gente é muito vulnerável às vezes.

Sabe o que vamos fazer? Vou pedir para que arrumem o quarto de hóspedes, vamos assistir ao filme mais tarde, abrir outra garrafa e vamos beber até cair.

Antes do filme, completando a discotecagem italiana improvável, Mauro ainda tocou o disco inteiro de Ennio Morricone, *A Fistfull of Dollars & A Few Dollars More*, seguido por Giuseppe Tartini, que, nascido em 1692, era de fato italiano, pois, embora hoje Pirano faça parte da Eslovênia, na época pertencia à Serreníssima República de Veneza. Mauro fez questão de observar isso antes de tocar a célebre "O trilo do Diabo".[82] E, com ironia e demonstrando seu

---

82

"Uma noite sonhei que tinha feito um pacto com o Diabo: ele era meu servo e antevia todos os meus desejos [...] me peguei entregando o meu violino para ver se ele conseguia tirar algumas melodias bonitas; mas imagine meu espanto ao ouvir uma sonata tão inusitada e tão bela, executada com tanta maestria e inteligência, num nível que eu nunca havia imaginado ser possível! Fiquei tão emocionado que parei de respirar e acordei ofegante. Imediatamente peguei meu violino, na esperança de me lembrar de algum fragmento do que tinha acabado de ouvir — mas foi em vão. A peça que então compus é sem dúvida a minha melhor, e ainda a chamo de *Sonata do Diabo*, mas está tão longe de ser aquela que me surpreendeu. Eu teria quebrado meu violino e desistido da música para sempre se eu pudesse apenas possuí-la." Tartini em carta a J. J. de Lalande (1765-66).

conhecimento eclético, encerrou a playlist com "Mi Scusi", de Teho Teardo.

V

Vem, Júnior.
Eu tenho medo.
Eu estou com você. Me dê a mão, eu entro com você.
Eu tenho medo, mãe.
Não tenha. Vem.
O mar está muito agitado.
Vamos.
Pompeu se aproxima da mãe.
Vem. Ela segura sua mão. Vamos.
A praia está lotada.
Cheia de pessoas sem rosto.
Uma vez, quando brincava com a lata de caramelos, sua avó o surpreendeu.
O que o senhor está fazendo aí?

"Tartini contribuiu para a ciência da acústica por sua descoberta do tom de diferença, também chamado de tom de Tartini, uma terceira nota ouvida quando duas notas são tocadas de forma constante e com intensidade. Ele também descobriu uma teoria de harmonia (expôs a sua concepção harmônica do modo menor) baseada em afinidades com álgebra e geometria. *Trattato di music* (1754), expandido em *Dissertazione dei principi dell'armonia musicale* (1767). Seus trabalhos teóricos também incluem *Traité des agréments de la musique* (1771; 'Tratado sobre a ornamentação na música')." *Enciclopédia britânica.*

Nada, vó. Só estava olhando.

Sua avó olha com ar desconfiado.

Pompeu devolve a lata à penteadeira.

Sabe, Júnior, essa noite um deles veio me ver. Eu estava quase dormindo, sabe aquele momento em que atravessamos os mundos?

Pompeu faz sim com a cabeça mesmo não sabendo sobre o que sua avó fala. Ele procura ganhar a confiança dela. Desconfia que a sua avó tenha pensado que ele queria roubar alguma de suas joias.

Aí eu senti uma mão no meu ombro e acordei. Não abri os olhos, apenas perguntei: Pequita? Você não conheceu sua tia. Minha irmãzinha.

A senhora sempre fala dela.

Era a minha irmãzinha. A caçula.

Mas ela já morreu há tanto tempo. Como podia ser ela?

Sua avó ri com ar de sabedoria. Quase desprezo.

Quando segurei aquela mãozinha e perguntei se era ela, percebi que não tinha ossos.

Júnior sente um frio percorrer seu corpo. Como, não tinha ossos? Era mole?

Sua avó fecha os olhos no mesmo riso profundo.

Quando eles vêm, não dá para ver os seus rostos.

Eles... são os mortos?

Sua avó consente. Mantendo o sorriso e os olhos fechados.

Por que não dá pra ver o rosto?

São disformes. É só uma massa disforme.

A senhora não tem medo, vó?

Ela faz não com a cabeça.

Já estou acostumada. Se você os respeita, não tem o que temer. Só precisa saber se não é um espírito obsessor.

Vem, Júnior, vem.
Eu tenho medo, mãe.
Não tenha, vem.
O mar está muito bravo, mãe.
Vem.
Mãe, quem era aquele que era casado com duas mulheres? Era seu tio?
Era meu avô.
Ele vivia com as duas?
Vivia. Ficava sentado numa cadeira de balanço com uma escarradeira do lado. Era nojento.
Era seu avô materno?
Paterno.
Como ele chamava?
Luiz.
Venha, a água está uma delícia.
E a sua avó? Como chamava?
Nona.
Nona?
Ah! Quer dizer, Tereza. Mas a gente a chamava de Nona. Vem, Júnior.
Eu tenho medo, mãe.
Pompeu luta contra a correnteza. As ondas são imensas.
Se agarra às mãos da mãe. Ela é muito mais forte do que ele.
A sua avó era a primeira mulher dele?
Não. Ele era casado com a Angelina quando a conheceu. Aí se apaixonou e levou ela para casa. Para morar com a primeira esposa.
E ela aceitou?
Ela não podia perder.
Perder o quê?
Ele era nojento, Júnior. Ele era nojento.

Sondra Porfírio segura forte as mãos do filho. O mar tenta arrastá-lo. Ela consegue ampará-lo.

Eu estou com medo, mãe.

Não tenha medo, meu filho. Não há ninguém pior do que você.

Mãe, mãe, a gente tá indo muito fundo. Eu não sei nadar direito.

Eu te conheço, Júnior. Eu te conheço. É o mar quem deveria temer.

VI

8. 82.

Mauro abre a porta.

Desculpe vir sem avisar.

Tudo bem. Você é sempre bem-vindo. Entra.

Pompeu entra.

Vou fazer um café. Eu sentiria a sua falta se não viesse. Estava tão acostumado às nossas sextas.

Pois é. Eu vim te fazer uma proposta.

Vamos lá, faça.

Não acho justo você ficar sem o que tinha. Sem sua paixão. Eu sei o quanto te fazia bem saber sobre ela. Era de alguma forma seu único contato com o mundo lá fora.

Eu fiquei tão arrasado. Você não pode imaginar. Fiquei até febril, acredita?

Claro. Eu sei como é perder uma paixão.

Nesses dois anos que desenvolvemos essa parceria você é o que me salva. Esperar pela sexta-feira me mantinha vivo. Mauro põe a cafeteira no fogo. A grande panela permanece sobre a geladeira. Embrulhada.

E o que você propõe?

Primeiro eu quero ler algo. Eu estive no Mauro e comentei sobre o que tinha acontecido, e ele me aconselhou e pediu para que lesse essa frase pra você. Pompeu pega o caderno na mochila. Aqui. Leia você mesmo.

Mauro lê a frase de François Mauriac.

Que lindo isso.

O Mauro me sugeriu que nós continuássemos apenas nos lembrando dela. Disse que eu poderia vir e relembrar as tantas vezes que a vi. Mas pensei algo ainda melhor. Eu posso contratar alguém para observá-la. Alguém que ela não conheça. E assim você continuaria a saber dela, a ter notícias. O que acha?

Não sei. Acho que ninguém olharia pra ela da forma como você a via.

Imagina. Tudo o que via é tão evidente.

Será que alguém, além de você, poderia perceber que ela dança?

Claro que sim. Isso é tão aparente.

Será? Não sei se acredito.

Eu posso orientar essa pessoa. Tentar nortear o que te fascina nela.

Não seria a mesma coisa.

Posso pedir para que a pessoa me conte o que viu e eu venho e lhe conto da minha maneira.

Isso ia virar um telefone sem fio.

Eu teria todo o cuidado.

Acredite. Seria preciso que esse alguém a amasse da forma como você a ama.

É você quem a ama. Sou apenas um instrumento desse amor. Pompeu, realmente surpreso.

Não, meu caro, eu a amo através do seu amor. É você quem a ama.

Imagina. Esse é o meu ofício. O amor é seu.

*

Você toma com açúcar?

Pode ser sem.

Vamos para a sala?

Vamos.

Você pode fumar?

Não, acabei de fumar antes de interfonar. Estava tomando coragem. Tinha medo que não me recebesse.

Que bobagem. Eu gosto de você e senti a sua falta.[83]

Eles vão para a sala. Pompeu observa sorrindo o palhaço, o cavalo branco, o quadro com a paisagem marinha. O gato duplicado que dispara ao vê-lo.

Você acredita que eu dormi na casa do Mauro?

Sério?

Incrível, não é?

E ele não te incomodou? Não veio com aqueles inconvenientes?

Não. Ele foi de uma generosidade absurda e de uma doçura extrema. Estava desarmado. Pela primeira vez me falou sobre a sua vida.

Que bom.

Foi estranho, sabe? Bebemos até cair. Bebi até realmente apagar. Acordei perdido e com uma ressaca horrível,

---

[83] "Hegel sonhou com uma realidade em si e para si, eu sonhava uma realidade comigo e para mim. Onde os outros não cabem, porque não existem." Guido Morselli, *Dissipatio H. G.*, tradução: Maurício Santana Dias.

sem saber onde estava. Levei um tempo para lembrar quem eu era.

Mauro fuma sorrindo.

Sabe o Letes, o rio de que te falei da outra vez?

Claro, lembro.

O Mauro disse que há algumas gotas do Letes no álcool.

Muito boa.

É. Ele estava completamente desarmado. Eu ando muito preocupado com ele.

Por quê?

Ele está com uma ferida terrível na boca. Acho que é câncer.

Sério?

É. É horrível e a ferida não para de crescer.

Mas já tem um diagnóstico?

Não, ele não vai ao médico.

Poxa, essas coisas, o quanto antes se trata, melhor.

Ele não quer saber. Disse que não vai ao médico de jeito nenhum.

Caramba, um homem tão inteligente.

Pois é.

Mais café.

Se tiver um golinho, aceito.

Mauro o serve.

E então? Como fazemos? Pompeu insiste.

Acho que não temos o que fazer. Eu fiquei arrasado quando você se foi. Dia 29 de agosto. Anotei no meu diário: fim. Foi tão doloroso.

Você lembra quando a encontrei? Lembra da primeira vez que a vi?

Claro que lembro.

Ela entrou naquela sala. Era a primeira aula daquele curso. Ela foi a primeira a chegar depois de mim. Ficamos um tempo sozinhos. Ela entrou dançando e eu fiquei hipnotizado. Tive que baixar a cabeça porque não conseguia parar de encará-la. Foi lindo.

Eu me lembro.

Podíamos reviver. Relembrar.

Faço isso constantemente.

Faz mesmo?

Sim. Quando me deito aqui sozinho, começo a lembrar.

Por falar nisso, você ficou de me contar de quando estava casado e se apaixonou por outra mulher.

Mauro sorri com tristeza. É verdade. Eu comecei a te contar essa história.

Pompeu aguarda a história. Mas Mauro se cala.

Me conta.

Ah! É uma história tão longa.

Eu tenho tempo e adoraria saber.

Acho que seria bom pra você ouvir. Tem a ver com aquela sua dúvida. Se a verdade deve ser dita ou não.

Agora me interessa ainda mais.

Não sei, não, Pompeu. Fazendo uma síntese profunda, uma sinopse, tudo se resume à antiga sabedoria popular. Tudo está nos velhos ditados. "Quem tudo quer nada tem." Mauro balança a cabeça negativamente. Sem parar. Os olhos embotados. Deixa pra lá, meu amigo.

Conta, vai.

Deixa pra lá.

Sério mesmo?

Só acho que devíamos aceitar que podemos amar mais de uma pessoa ao mesmo tempo.

VII

O sol está forte, porém o ar é frio e agradável. Saio com a desculpa de fumar um cigarro. Caminho até a série de bancos de ferro dispostos em círculo.

Acendo o cigarro e dou uma longa tragada.

O menino se aproxima e se lança em meu colo.

Fico incomodado com medo de que ele inale a fumaça.

Papai está fumando agora. Vai brincar. Eu já vou brincar com você.

Eu quero ficar com você.

Espera o papai fumar esse cigarro.

Por que você não para de fumar? Faz mal.

Faz. Faz mal.

Eu tô ouvindo o trem?

Posso ouvir também.

É um trem de guerra?

Trem de guerra?

É, daqueles que levam prisioneiros.

Não, querido, é só um trem. Aqui não tivemos guerras.

Aqui teve guerra, sim!

É verdade, mas não essa guerra que você viu no filme.

Teve, sim!

Tá bom, deixa o papai terminar o cigarro e vou brincar com você.

Eu queria ter trazido meu trenzinho.

A gente faz um trenzinho.[84]

84

Numa quinta-feira, quando caminhava entre a avenida Sapetuba e a Francisco Morato, hoje Sondra Porfírio com Sondra

Como?

A gente pega umas caixas.

Eu quero um trenzinho de verdade.

Vai ser de verdade. A gente imagina até ele ficar de verdade.

Há algumas manchas amareladas no rosto da criança.

As manchas amareladas e suas sugestivas formas.

Poderia passar o dia assim.

Fumando e olhando as formas surgindo das manchas.

Minha lembrança primordial.

A primeira memória. Eu, deitado de barriga para cima, em meu berço, vendo as ranhuras da porta na minha frente dançarem enquanto se transformavam.

Elas nunca paravam de se transformar.

E eu as observava.

Trago o último trago.

Trago o filtro.

Porfírio, recebi de um belo e sorridente jovem vestido de laranja um impresso que detalhava as sessenta e quatro matérias aprendidas por Krishna e Balarama em sessenta e quatro dias. Listo algumas pela peculiaridade e não pela ordem ou grandeza: 61. Brincar com brinquedos de crianças; 50. Construir carrinhos de brinquedo com flores; 22. Praticar a arte do disfarce; 44. Saber treinar papagaios machos e fêmeas para falar e responder a perguntas de seres humanos; 11. Arrumar a cama; 9. Colorir as roupas, os dentes e os membros do corpo; 43. Treinar e ocupar carneiros, galos e codornas em lutar; 3. Dançar. Retirado do *Srimad Bhagavatam: décimo canto — parte 3*. Não consta quem traduziu.

Apago na estrutura de ferro do banco e entro para criar um trem e brincar.

VIII

Você quer mesmo saber se a verdade deve ser dita?
Quero.
É claro que não. É uma ingenuidade muito grande acreditar nisso.
Pompeu realmente se surpreende com a resposta.
Muitas coisas devem ser caladas. Guardadas.
Eu também venho tentando guardar coisas que não cabem mais em mim, Mauro. Isso me consome. Também não consigo esquecer. Por isso o Letes é tão importante e simbólico. Bastaria esquecer. Acredito que por isso bebo cada vez mais e mais. Para anestesiar isso que me devora. Sempre acreditei não cair nesses jogos morais. Sempre procurei viver na lei de Crowley, na minha lei. Mesmo assim, fomos moldados, forjados no jogo da culpa. E minha lei só vale pra mim. Realmente fiz muitas coisas graves na minha vida. E, infelizmente, meus crimes não prescrevem. E estou tentando acertar as contas.

Há um tempo comecei a ver uma série bobinha na Netflix. Uma série francesa. Tinha uma premissa muito boa. Não lembro o nome da série agora e nem vale ser lembrado. De qualquer forma, é a história de uma mulher que desconfia que o marido a está traindo. Seus filhos adolescentes a tratam mal. A vida tem sido dura e sem graça com ela. Então ela descobre que está com suspeita de câncer. E todos mudam. Todos passam a tratá-la com muito carinho. Quando ela vai pegar os resultados dos exames, descobre que não está doente. Mesmo assim, esconde esse fato da família. Finge que a doença é séria para continuar a ser bem tratada por eles.

É mesmo um bom argumento.

Claro que a série não se sustenta. Fica chata e forçada. Mas, pouco antes de eu parar de acompanhar, teve um episódio que se passava na Itália e um personagem dizia um ditado italiano. "O que você der ao tempo, o tempo lhe devolverá." Achei tão preciso isso.

Realmente.

Porque às vezes pode parecer que fazemos certas coisas como uma espécie de vingança. Mas não é isso. O tempo apenas devolve a cada um de nós o que lhe demos.

IX

Separei algo que gostaria de ler para você. Mosca.

É de um livro de Anatole France, *O crime de Sylvestre Bonnard*, na tradução de Marcos de Castro, que, para mim, é mais precisa do que a de Álvaro Moreyra. Vamos lá, é importante dizer que esse livro é narrado como se fosse um diário do personagem. Um diário do senhor Sylvestre. Achei pertinente, já que está inscrevendo seu *Livro dos mortos*.

O rei de Thule usava sempre uma taça de ouro que sua amante lhe tinha dado de lembrança. À beira da morte, sentindo que nela tinha bebido pela última vez, jogou a taça no mar. Guardo este caderno de lembranças como esse velho príncipe dos mares brumosos guardava a taça cinzelada e, da mesma forma pela qual jogou nas profundezas sua joia de amor, queimarei este livro de registros de uma vida. Não será certamente por um sentimento de avareza e por um orgulho egoísta que destruirei este monumento de uma vida humilde; é que temo que as coisas por mim amadas, coisas sagradas, pareçam vulgares e ridículas, por defeito de minha arte.

Incrível. Pompeu afirma.

"Temo que as coisas por mim amadas, coisas sagradas, pareçam vulgares e ridículas, por defeito de minha arte." Vale frisar.

Muito lindo.

Você sabia que Goethe escreveu uma balada que se chama "O rei de Thule"?[85] Pega um copo, vou pedir gelo pra você.

Não, obrigado. Não quero beber. Pompeu repara o inchaço no lábio inferior de Mauro. A tumefação quase chega ao queixo. Mauro enche a boca de uísque e deixa o álcool agir por um tempo sobre a ferida antes de engolir.

Sério, Mauro, você precisa ver isso.

Não vá me dizer que você é desses que acreditam em médicos. Riso e tosse. A mão da mosca cobre a boca.

É sério. Vá ver isso.

Não me torra o saco, Pompeu. Me diz, conversou com o Mauro?

Sim. Não adiantou muito. Ele sente que realmente acabou.

Bom, se para ele acabou, então acabou.

É. Ele se abriu comigo. E me disse que a verdade às vezes deve ser calada.

Eu já havia lhe dito isso. Não perguntei se a verdade te

85

Em *Fausto*, Margarida chega a cantar essa balada composta em 1774.

prejudicaria? Essa questão está te corroendo mesmo. Conta pra mim, conta o que não consegue guardar?

Eu queria. Queria poder dizer. Contarei ao inscritor e isso se tornará apenas uma mancha em seus cadernos. Deixarei meu relato em forma de nódoa. Garatuja.

Se for o suficiente pra te aliviar, já basta.

Eu espero.

Você pagou a multa?

Não. Não tenho como pagar. Além de não achar justo.

Eles são a justiça. E não é à toa que a justiça é cega.

Não é à toa.

Vou pagar essa coisa pra você.

De jeito nenhum, não posso aceitar.

Deixa de ser orgulhoso.

Não é orgulho, é que não tem cabimento.

Não me venha com essa. Vou pagar, e pronto. Ainda mais agora que perdeu uma das suas fontes de renda.

Me doeu mais perder o que tínhamos do que o dinheiro.

Você gostava dessa garota.

Eu gostava de olhar para ela. E gosto muito da companhia do Mauro.

Me conta daquela que mordia as suas costelas.

Não vamos começar com isso.

Mauro puxa o lábio para baixo e expõe a ferida.

Puta que pariu!

Não te lembra aquela piada? Começou com uma bolinha roxa e foi crescendo, crescendo. Gargalhada monstruosa e gotas de sangue e pus na mesa de ébano. Então me dá uma das piadas do tio Moacyr.

Tem aquela do português que ficou rico.

Opa! Não se contam mais piadas de português. Antigamente era o tema de oitenta por cento das piadas. O que será que aconteceu?

Aconteceu que finalmente descobrimos que os portugueses são um povo incrível. E eles têm tanto carinho por nós.

Que merda isso. Que sem graça é o mundo politicamente sem graça. E porque são gente boa e gostamos deles não podemos mais fodê-los? É um contrassenso. Mas conta logo a piada.

O Joaquim veio de Portugal e encontrou Manuel. E Manuel estava muito rico. Eles eram amigos, cresceram no Alentejo, eram de origem humilde. Surpreso, Joaquim indagou como Manuel havia ficado tão rico. Manuel lhe disse que chegou com uma mão na frente e outra atrás, e que para sobreviver abriu um puteiro.

A mosca esfrega as mãozinhas e ri de orelha a orelha.

Então Manuel explicou que abriu um puteiro diferenciado. Essa palavrinha tosca da moda, "diferenciado". O puteiro tinha três andares. O primeiro era para quem gostava de mulheres. O segundo, para quem gostava de homens. E o terceiro, para pedófilos homossexuais. Joaquim ficou admirado. E Manuel disse: "Mas não pense que foi fácil. No começo era eu, minha mulher e meu filho".

Mauro engasga de tanto rir.

X

Estava acocorado no pátio. Esfregando um pequeno pano branco na bacia de alumínio. Quando ela se aproximou sem que me desse conta.

O que está fazendo?

Estou tentando tirar essa mancha de sangue. Me ensinaram que água oxigenada ajuda.

O que você está fazendo?

Já falei. Tentando tirar essas manchas.

Não, o que você está fazendo com a sua vida?

Bom...

Sério. O que está fazendo?

Me contaram sobre a sala das duas verdades. Me falaram sobre a pergunta final de Osíris. Eu estou procurando viver. Procurando viver para ser absolvido no julgamento final.

Ao dizer isso, percebo o velho caminhando em minha direção. Ele vem do pomar. Está vestido de amarelo. Todo de amarelo. Terno, camisa, gravata, sapatos. Usa uma grossa luva. As luvas não são amarelas. São feitas de lona. Ele ri. Ele caminha em minha direção com um sorriso indecente. Obsceno. Me aproximo dele antes que ele chegue muito perto e ela possa me ouvir.

Eu nunca morei aqui, não é mesmo? Falo baixo.

Ela me olha e não diz nada. Não daria tempo. O velho dá um tapa em meus ombros. Você precisa ver o tamanho das rosas. Ele diz.

Estão bonitas. Eu sempre faço isso. Expresso as coisas mais estúpidas. Digo o que imagino que queiram ouvir. Nada disso me interessa. Juro. Nada mais me interessa.

Ela me olha com aquele olhar de superioridade. Venha ver, venha ver. O velho de amarelo bate em minhas costas enquanto fala. Venha ver que beleza.

Eu já vou, vá indo, já te alcanço. Só vou terminar um negocinho aqui.

Eu preciso fazer xixi, por isso eu vim. Quando terminar o que tiver de fazer, vá ao roseiral que te encontro lá.

O velho vai para a casa. Entra pela porta da cozinha.

Roseiral. Ela diz com um sorriso irônico.

O que é que tem?

Roseiral. Ela repete.

Eu nunca morei aqui, não é mesmo? Pergunto, sentindo uma pontada forte na cabeça. Uma agulhada no fundo do olho.

Rose. Não é o nome da mulher que você ama? Ela, ainda sorrindo.

Não! Não é Rose. Contesto indignado. Eu nunca morei aqui... isso, o que é? Acho que vi esse lugar em algum filme.

Rose é o nome da mulher que você ama.

Não é Rose.

Rose.[86] Ela insiste, me fazendo assim esquecer o nome de quem eu amo.

86

"Rose, oh reiner Widerspruch, Lust, Niemandes Schlaf zu sein unter soviel Lidern." Epitáfio de Rainer Maria Rilke. "Rosa, ó pura contradição, prazer de ser o sono de ninguém sob tantas pálpebras." Tradução: José Paulo Paes. "Rose, oh pura contradição, luxúria, ser ninguém dormindo sob tantas pálpebras." Google tradutor. Termino *Desgraçados* (1993), meu segundo álbum de história em quadrinhos, com um fragmento do poema Der Panther (A pantera), de Rilke. Não sei de quem era a tradução. Infelizmente, nos tempos das vacas magras vendi meus livros e CDs. O que mais lamento é não ter mais os grifos. As coisas que marquei na época em que li. Sempre que releio um livro, me surpreendo como são outras as frases que agora roubam minha atenção e que elejo destacando-as com uma linha sobre seus pés. Aquelas foram escolhidas por aquele outro eu. Seja como for, o fragmento que usei em *Desgraçados* dizia: "É como se existissem mil grades/ E atrás dessas grades,/ Nenhum mundo". José Paulo Paes traduziu: "É como se existisse uma infinidade/ de grades e mundo nenhum mais além". O Google traduz: "É como se houvesse mil varinhas e nenhum mundo atrás de mil varinhas". Nem sempre dá certo, mas, se entendermos "varinhas" como barras, barras de ferro, o sentido é dado. *"Ihm ist, als ob es tausend Stäbe gäbe/ und hinter tausend Stäben keine Welt."*

XI

A menina, jovenzinha, toda paramentada de trajes de fanfarra, francaletes, barretina e tudo mais, se aproxima de Pompeu.

Ele está sentado numa cadeira de ferro pintada de vermelho. Segura um copo de uísque. Transpira muito. É uma noite extremamente quente.

A menina lhe sorri com olhos tristes.

Eu não deveria conseguir ver seu rosto. Pompeu fala enrolado. Visivelmente embriagado. Não é assim? Não foi assim que a vovó nos ensinou?

Júnior... A menina diz num fio de voz.

Júnior é o caralho! Pompeu aperta o pau sobre a calça. É Pompeu, Pompeu!

Daqueles dias só restaram as sombras. Ela diz.

Sai pra lá, assombração! Me deixa beber em paz, caralho.

Eu despertei o pior em você e então você foi você de verdade.

Me deixa, porra. Pompeu faz gestos com a mão chamando o garçom. Cadê a Grazi? Grita. Cadê o Carlos? O Igor? Chama os garçons que o atendiam no bar do Valmir.[87] Mas Pompeu não está lá agora. Apenas pensa estar.

O homenzinho vestido de branco se aproxima trazendo a garrafa de White Horse e o balde de gelo. Serve uma generosa dose a Pompeu.

---

[87] O bar do Valmir se chama Pompeu e Pompeia. Endereço: rua Clélia, 233. Hoje, rua Sondra Porfírio, 233.

Nos dias de grandes festas, festejamos. A voz da menina encorpa.

Me deixa em paz, desgraçada! Pompeu, completamente alcoolizado.

E, no grande erro, erramos. A menina diz com os olhos cheios de lágrimas.

Pompeu puxa o pequenino garçom pelo colarinho e beija a sua cabeça. Obrigado, homenzinho. Não me faça esperar a próxima dose.

Minha enorme sombra ainda te escurece. A menina sorri. Nos fizemos sangue do sangue. Somos os filhos dos fracos.

Somos. Pompeu chora. Somos. Me perdoa?

A menina começa a andar de costas.

Você pode me perdoar? Pompeu, descontrolado.

Não adianta, Júnior. Você sabe que não adiantaria.

Me perdoa?

A menina se afasta cada vez mais.

Eu, às vezes, de verdade, sinto que não era eu. Grita Pompeu.

A garotinha da fanfarra põe o dedo sobre os lábios pedindo silêncio.

Era algo em mim! Não eu! Pompeu chora aos soluços.

Eu sei o seu nome. Ela diz movendo os lábios.

Eu também sei o seu! Eu também sei o seu! Grita Pompeu.

Mauro, o torto, puxa uma cadeira e se acomoda ao lado de Pompeu.

Que festa linda, meu amigo. Põe a mão em seu ombro. Está igualmente bêbado e emocionado. Faz a mosca. Limpa o sangue nas próprias calças. Pompeu encosta a cabeça em seu ombro. Mauro acaricia a cabeça do amigo.

O pequeno garçom se aproxima trazendo uma bandeja repleta de pedras.

Pompeu seca as lágrimas no guardanapo.

É chegada a hora, senhor. O homenzinho diz ofertando a bandeja.

Chegou a sua hora, meu amigo. Mauro ainda mais comovido dá fortes tapas nas costas de Pompeu.

Pompeu tenta engolir as lágrimas.

Vai lá, meu amigo. E arrebenta no seu discurso.

Pompeu vai selecionando as pedras e as colocando na boca.

Você não sabe a felicidade que estou sentindo. Mauro em prantos. Você podia escolher quem quisesse. E escolheu a mim.

O que resta é escolha? Brinca Pompeu. Eu só tenho você, meu amigo. Eu só tenho você.

Pompeu puxa as calças pra cima. Ajeita o blazer. Empurra a camisa amarrotada pra dentro da calça. Tenta dizer: "Eu já não sei mais o que é verdade e o que não é". Mas não consegue. O que sai é um som ininteligível misturado a gemidos. As pedras machucam demais. Ferem as gengivas. Cortam sua língua.

XII

> *O palhaço está na rua*
> *E vem anunciar*
> *Que o Rei Momo já chegou*
> *E é hora de brincar...*[88]

---

[88] Canção "O palhaço, o que é?", de Bide e Paulo Barbosa, interpretada por Carlos Galhardo.

Elvira Pagã canta e dança enquanto se esfrega na imensa barriga do representante do Rei Momo no Carnaval de 1957. A imagem é em preto e branco num vídeo de baixa resolução. É visível a ereção de Momo.

Ele adormece sobre o grande livro de capa vermelha.

As crianças riem.

Vai dormir na cama. Está todo torto aí no sofá.

Ele não acorda totalmente.

Que horas são?

Três e trinta e três.

Eu bebi muito. Esse livro é insuportável.

Sobre o que é esse livro?

É a história desse jovem Polifilo que procura por sua amada Polia dentro de um sonho. Foi escrito em mil quatrocentos e pouco.

Só por isso que falou, me pareceu um livro muito interessante.

Sim. A premissa e as questões que o envolvem são muito interessantes. Só que a leitura é um porre. É pedante e muito descritivo.

Mas isso se deve à época em que foi escrito.

Não. Se você ler Platão, Aristóteles ou qualquer filósofo grego, vai ver que, apesar de serem muito mais antigos, são textos dinâmicos. E o pior é que, além de ser extremamente descritivo, é acompanhado de uma série de ilustrações. Então, não faz muito sentido para mim. Pra que ilustrar se já foi descrito? As imagens são extremamente ilustrativas. Ou vice-versa.

E isso que está passando na TV?

Eu tinha deixado no YouTube e peguei no sono.

Você viu quem estava em cena?

Não. Dormi. Quem era?

O Rei Momo.[89]

Caramba. Ele me persegue.

Você ainda sente medo dele?

Não é medo. É pior do que isso.

Vamos deitar.

Vou fumar um cigarro.

Vou fumar com você.

Ele acende o cigarro. Momo de pau duro se esfrega na vedete. Desliga a TV. Vão dormir! O que estão fazendo aqui? Ele diz rispidamente às crianças.

Elas começam a desfazer a formação. E uma a uma seguem para o quarto. O cheiro é forte.

Eu gosto quando você acorda. Ele diz para a mulher que fuma com ele. Gosto de conversar com você.

Eu também gosto. Adoro te ouvir.

Gosto até de fumar em silêncio com você. Porque você nunca fala.

Eu sou quietinha.

Você é.

Conta a história de quando nos conhecemos.

Você conhece muito bem. Ele ri.

Eu adoro ouvir você contando essa história.

Eu estava em casa. Queria falar com alguém. Era o ano de

---

[89] *"Tiempo raudal, una luz cenital/ Cae a plomo, en la fiesta de Momo/ Tiempo torrente que fluye/ Por Isla de Flores, llegan los tambores."* "Candombe del olvido", Alfredo Zitarrosa. ("Tempo caudal, uma luz zenital/ Cai plano, na festa de Momo/ Tempo de torrente fluindo/ Pela Ilha de Flores, chegam os tambores.")

1991. A gente usava agenda de telefone. Agenda de papel. Eu folheei toda a minha agenda procurando alguém com quem quisesse falar. Não encontrei ninguém. Comecei a folhear de novo com menos critério. Nada. Você estava na escola em que dava aula. Você tinha vinte e dois anos. Folheava a sua agenda procurando alguém pra conversar. Correu todos os nomes, e nada. Aí lembrou que tinha meu telefone anotado numa das páginas de sua agenda.

Dois de novembro.

Ele ri sem graça. É. Dois de novembro.

Conta por que estava anotado nessa data? Ela ri. O mesmo sorriso de quando tinha vinte e dois anos.

Meu pai tinha sofrido um infarto. Teve que passar por uma cirurgia. Uma safena e duas mamárias. Algo assim. Ficou um mês internado na UTI. Eu passava quase todo o tempo no hospital. No dia que ele sofreu o infarto, o Marcatti largou a família e foi passar a noite com a gente. Nos confortando. Ele dá uma longa tragada. Aí, depois desse quase um mês em que eu estava no hospital acompanhando meu pai, o Marcatti me convidou, quase me obrigou, a ir a uma palestra que daria. Pra me tirar de lá. Para que eu me distraísse um pouco. Ele faria uma mesa na Gibiteca com o Glauco Mattoso e o Angeli.

Eu era apaixonada pelo Angeli. Ele era tão lindo.

O Marcatti acabou me convencendo e fui. O Angeli não foi. Aí o Klink me convidou para o substituir. *Transubstanciação*,[90] meu primeiro álbum, estava na gráfica. Acabei me juntando a eles.

90

"Kepler gostava do nome Hildebert e o escolheu (para nomear

Mas antes disso tem aquele momento em que eu fui falar com o Glauco Mattoso.

É verdade. Eu a vi entrando. Você e a Geovana. Te vi de longe. Fiquei encantado. Você era tão linda. Tão segura.

Lucimar ri envaidecida.

Eu estava sentado ao lado do Glauco. Ainda nem tinha sido convidado para compor a mesa de estepe. Você veio na nossa direção e começou a falar com o Glauco. Sentou ao lado dele e conversaram. O Glauco ainda enxergava de uma vista na época.

É verdade.

E você não me viu.

Lucimar ri.

Era como se eu não estivesse lá. Como se fosse invisível.

Ela apaga o cigarro. Continua.

É isso.

Não, você não falou por que 2 de novembro.

Bom. Eu acabei me juntando a eles. Era a inauguração da Gibiteca. Não lembro em que mês estávamos.

Maio.

É. Eu lembrava que foi perto do seu aniversário. No fim da palestra...

Não, fala da palestra. Lucimar interrompe.

---

um de seus filhos) por motivos eruditos. Existiu no século xi um teólogo com esse nome que escreveu textos muito bonitos sobre a natureza e a importância da Eucaristia e foi o primeiro a usar o termo 'transubstanciação'." Segundo James A. Connor, em *A bruxa de Kepler*, tradução: Talita M. Rodrigues.

Bom, você ficou me provocando o tempo todo. Tudo o que eu dizia, você contestava.

Ela ri.

E eu rebatia. Acabamos roubando a cena. Os loucos de palestra. Ri... No fim você veio com sua agenda e me entregou. Eu perguntei o que devia anotar. Você disse: "Nome, endereço, estado civil". E eu anotei. Depois perguntou meu aniversário. Eu disse: "18 de abril". Você queria anotar meu telefone nessa data. Quando viu a data, me disse...

"Tá muito cheio esse dia, fala outro."

E, pra te provocar, eu perguntei: "Que dia é o Dia dos Mortos?".

Lucimar sorri.

Aí você me escreveu uma carta toda saidinha me convidando para o seu aniversário. Dia 23 de maio. Ia ter uma festa. Eu não gostei do tom da carta. Achei que você fosse mais uma daquelas meninas de quem eu estava cansado. Eu, naquela época, já tinha me cansado de transar por transar. Por isso não fui.

E...?

Três meses depois eu estava em casa procurando na agenda alguém pra conversar. Enquanto fazia o mesmo. Aí se lembrou do Dia dos Mortos.

XIII

Ele se anuncia.
Pode subir.
Sente o frio na espinha ao passar pelo saguão.
8.
82.
Mauro abre e dá as costas. Nem olha em seu rosto.
Tudo bem? Não sabia se devia vir.

Já que está aqui, entra.
Pompeu entra e encosta a porta.
Café?
Seria ótimo.
Vou fazer.
Ele vai para a sala. Senta no sofá encardido.
O palhaço.
O cavalo branco.
A paisagem marinha.
O café demora.
Açúcar?
Não precisa.
Mauro se acomoda na poltrona.
Uma poltrona bordô. O couro todo rachado. Ressecado.
Baixa a cabeça em silêncio.
Como é que você está? Ele quebra o silêncio.
Estou.
Bom. Não quero tomar seu tempo.
Mauro se levanta.
Eu lembrei de uma cena agora. Não lembro o nome do filme.[91] Foi uma das cenas que mais me tocaram. Posso pegar mais um café?
Claro.
Nos anos 1980 meu pai entrou num consórcio de videocassete. É engraçado pensar nisso agora. O aparelho era tão

---

[91] *Cidade das ilusões*, de John Huston (*Fat City*, EUA, 1972), com Stacy Keach, Jeff Bridges, Susan Tyrrell. Assisti dublado, na Globo, no dia 15 de agosto de 1989, à meia-noite.

caro que era comprado em consórcio. Não lembro o ano exatamente. Se não me engano, foi entre 83 e 84. Na época eu achei muito estúpido. Um aparelho que gravava coisas da TV. Depois descobri a grandeza daquilo. Porque eu e meu pai criamos um elo profundo a partir desse aparelho. Ele mata o café e acende um cigarro. Aconteceu que meu pai foi sorteado logo na primeira prestação. Meu pai tinha um conhecimento profundo sobre cinema. Mauro levanta a cabeça e o encara. Parece se perguntar aonde ele quer chegar com essa história. Então, ele seguia a programação da TV que saía no jornal e assinalava os filmes que queria que eu gravasse. Na época eu dormia muito tarde. Ficava desenhando na sala até de madrugada. Eu dividia o quarto com o meu irmão. Então deixava minha escrivaninha quando ele ia deitar e continuava desenhando na sala. Acho que nunca te falei, mas naquele tempo eu fazia histórias em quadrinhos.

Outro dia você me disse que desenhava. Não sabia que fazia quadrinhos.

Pois é. Estava começando a tentar fazer. Sonhava em me profissionalizar nessa área. Sonhava em viver disso. Eu era muito jovem e ingênuo na época. Naqueles tempos passavam filmes incríveis na TV. Fellini, Bergman, Sam Peckinpah, John Huston. Alguns filmes passavam muito tarde e então meu pai começou a pedir para que eu gravasse para ele. E assim o fiz. Acredite ou não, gravei uns quinhentos[92]

92

Gravei quatrocentos e sessenta filmes em duzentas e trinta e duas fitas de VHS. Em todos os meus livros, nunca fui o narrador. Meus narradores são sempre personagens. Este capítulo e o anterior, pela primeira vez, os narrei.

filmes. Em VHS se podia gravar em duas velocidades. SP e EP. Em SP a qualidade era maior, mas só cabia um filme de duas horas. Em EP a qualidade era inferior, mas cabiam até três filmes. Por isso, para aproveitar espaço, sempre gravávamos em EP. Os filmes tinham intervalos e meu pai pedia para que eu os cortasse. Então eu pausava durante o comercial e, quando voltava, eu dava o rec. Depois que meu pai morreu, fui na casa dele e peguei as cinco pastas com os recortes de jornal que ele separava e catalogava. Tenho ainda comigo todos os filmes que gravei. Ele fazia também uma lista por diretor e autor. Tudo datilografado. E assim os filmes ficavam editados. Mas, como dizia, certa noite passou esse filme cujo nome não lembro. Era uma história de um lutador de boxe que estava em franca decadência. E um jovem lutador em ascensão que ia tomando seu lugar. No fim do filme o lutador decadente está sentado sozinho numa lanchonete quando chega o jovem. Eles se cumprimentam. E o mais velho o convida a sentar a seu lado. Ele está no balcão. Eles ficam olhando o chapeiro. Na minha lembrança é um chinês muito velho. O mais jovem acaba se sentando ao lado do boxeador decadente. É notável que senta por piedade. Não estava a fim. Depois de um tempo ele se despede e ameaça ir, então o mais velho diz: "Fica mais um pouco. Vamos conversar mais um pouco". Eles mal tinham se falado. O jovem cede. E a cena continua por um tempo infinito. No mais absoluto silêncio.

Mauro baixa a cabeça.

Quando fazia história em quadrinhos, eu conseguia representar o silêncio. Acho o silêncio uma das coisas mais difíceis de representar.

Parece bonita essa cena. Mauro diz por compaixão.

Seria muito pedir outro café?

Não. Posso fazer. Mauro se levanta e a caminho da cozinha se detém. Não prefere tomar algo mais forte?
Opa! O que você tem?
Ypióca.
Perfeito.
Ouro.
Oi?
Ypióca ouro.
Lindo.
Mauro se ajoelha diante da arca, que é repleta de porta-retratos, e na porta inferior, logo abaixo da gaveta onde guarda a carteira, apanha a garrafa de cachaça e dois pequenos copos. Ele serve as doses.
Se é para terminar, que seja com cachaça. Eles brindam.

XIV

Pompeu toma fôlego para abrir a porta.
Como se fosse mergulhar fundo.
Acende a luz da cozinha.
Enche um copo de água e joga uma Aspirina efervescente.
Senta no banquinho.
Acende um cigarro.
Alguém grita lá fora.[93]

93

"Da rua lhe chegavam nitidamente berros terríveis, desesperados, que aliás, toda noite ele ouvia debaixo de sua janela quando já passava das duas. Foram eles que desta feita o acordaram." Fiódor Dostoiévski, *Crime e castigo*, tradução: Paulo Bezerra.

Alguém grita dentro.

Chegou tarde.
Cheguei.
Bebeu muito?
Muito.

Você parece preocupado.
Estou.
Quer conversar?
Estamos conversando.

Você precisa terminar de ler o livro.
Eu não consigo.
Você sabe que, quanto mais demorar, pior vai ser. Precisa se livrar logo desse tribunal.
Preciso. Só que leio duas páginas e durmo. Não é à toa que o livro chama *O sonho de Polifilo*.
Quer um chá?
Eu faço.
Eu faço.
Um chá é sempre bom. Eu não queria te machucar. De verdade. Não queria te fazer passar por isso. Ainda mais agora que você acordou.
Ela põe a água no fogo. Não diz nada.
Eu quero te ver bem. Quero te ver feliz. Pompeu diz.
Ela não responde.

Eles terminam o chá em silêncio.
Fumam juntos e vão dormir.
Ao chegar no quarto, veem seus corpos deitados na cama.

XV

Dessa vez, na mesa da recepção, no lugar do garoto espinhento está uma jovem com olhar agressivo. Pompeu lhe entrega o papel.

Você agendou por e-mail?

Não. Por telefone mesmo.

Ela prageja baixinho. Não lhe informaram que o retorno precisa ser agendado por e-mail?

Avisaram, sim, mas não consegui fazer. O sistema caía e, quando voltava, dizia que o meu e-mail e CPF já estavam registrados. A senha nunca batia. Me enviavam por SMS e não batia.

Que saco!

Realmente.

A mocinha levanta e procura algo no fichário na parede do fundo da sala. Volta com um cartão e anota alguns números na ficha que destaca de um bloco.

O senhor leu o livro?

Li, sim, senhorita.

Pela expressão ela não gostou do termo usado.

Retire a senha no totem e aguarde.

Muito obrigado.

Pompeu senta na sala de espera.

A sala está cheia.

Pompeu está calmo. Apesar da última experiência. Por alguma estranha razão não está ansioso. Mesmo não tendo lido o livro. Não conseguiu ler e achou melhor mentir do que deixar passar mais tempo. Com muito esforço leu cento e noventa e uma páginas das quinhentas e cinquenta. Para ele foi de fato um impedimento físico. Caía no sono a cada duas páginas lidas. Era infalível. Nunca conseguiu ler mais de duas páginas por investida.

Pompeu entra na pequena antessala decorada de modo luxuoso.

Os móveis dispostos de forma quase simétrica. A pequena mesa chippendale, as cadeiras em estilo bergère, o papel de parede com temática floral. O tapete com o leão no centro e a mesma inscrição da lata de caramelos de sua avó.

Pompeu permanece parado. Esperando.

O casal entra de forma teatral. Ensaiada. Cada um surge de um lado. À esquerda, a mulher vestida com roupas claras. O mesmo figurino da outra vez. A saia plissada que desce até os pés. A blusa branca de mangas longas abotoadas no punho. O mesmo camafeu. Os cabelos presos.

À direita surge o homem de terno escuro. Azul ou preto. Cabelo e cavanhaque tingidos.

Pompeu sabe que não deve dizer nada a menos que seja questionado.

O casal olha intensamente para Pompeu.

O casal se entreolha e ambos assentem. O homem bate palmas.

Aquele com a máscara de Diabo entra.

O Diabo se aproxima de Pompeu.

Sussurra com sua voz muito doce.

Preciso que arregace a manga direita.

Pompeu dobra a manga.

O mascarado tira o estojo do bolso.
Preciso te marcar.
Faça o que deve ser feito.
O Diabo[94] fere o braço de Pompeu.
A lâmina do estilete é finíssima.
Pompeu sente a dor aguda.
Sente como se a lâmina entrasse em suas veias
e deslizasse até o coração.
Não limpe o corte. Apenas desça a manga.
Pompeu obedece.
O casal se entreolha.
Você tem um advogado? O homem pergunta com a voz efeminada.
Não, senhor. Pompeu responde com firmeza.
Gostaria de se defender? Gostaria de ser seu próprio advogado?
Na verdade, senhor, preferia ser meu juiz.
"Podes ser teu próprio juiz e vingador da tua lei?"[95] Cita o homem com sua voz fininha.
"Feliz aquele que perdoa a si mesmo." Não foi isso que Borges disse? A mulher observa com sua voz grave.
"E quando se dá ordens a si próprio também tem que

94
"O Diabo é sempre filho de seu tempo." Robert Muchembled, *Uma história do Diabo*, tradução: Maria Helena Kühner.

95
"Do caminho do Criador", *Assim falou Zaratustra*, Friedrich W. Nietzsche, tradução: Mário da Silva.

expiar sua autoridade, ser juiz, vingador e vítima das suas próprias leis."[96]

Tudo o que penso já foi muito mais profundamente pensado. Mas e o que sinto?

Ela não responde.

O que faço com os meus sentimentos, mãe?

Quem te deu? O homem de voz fina pergunta.

Eu não sei, senhor. Não faço a mínima ideia.

O casal se entreolha.

A mulher pergunta com sua voz grave.

Você viveu?

Vivi, sim, senhora.

Seu inscritor nos enviou seu *Livro dos mortos*.

Pompeu balança a cabeça afirmando. Ainda não está terminado.

Quem te deu? Dessa vez é a mulher quem pergunta.

Eu não sei, senhora. Realmente não faço a mínima ideia.

Leste o livro? Pergunta o homem.

Li, sim, senhor.

O que tem a nos dizer sobre o mesmo? A mulher questiona.

É um livro interessante. Um tanto maçante, ouso dizer.

Quero mais do que isso. Insiste a mulher.

Bem, eu diria que o livro tem realmente a estrutura, não só isso, o livro é de fato uma experiência onírica.

Onírica? Intrigada.

96
"A vitória sobre si mesmo", *Assim falava Zaratustra*, Friedrich W. Nietzsche, tradução: Eduardo Nunes Fonseca.

Sim. Eu diria. De alguma forma entramos no sonho de Polifilo, sem dúvida.

Polifilo? O homem questiona indignado.

Sim. Ouso dizer. Pompeu tentando parecer solene.

O homem retira uma ficha do bolso direito de seu paletó. Confere.

Temos um problema, senhor Pompeu. Um sério problema, ouso dizer. Ironizando.

Pompeu não diz nada. Aguarda.

Aqui diz que vosso livro seria *A semântica de deixar*, de Augusto Soares da Silva. Lendo a ficha.

Provavelmente, senhor, esse foi o meu primeiro título.

Como assim, primeiro título? A mulher, incomodada.

Eu tive o descuido de perder o papel com o título do primeiro livro que me foi dado. Antes que o interrompam, prossegue. No entanto, recorri e me passaram *Batalha de amor em sonho de Polifilo*, de autoria incerta.

O casal se entreolha.

Lamento dizer, senhor Pompeu, mas o senhor leu o livro errado. Insiste a mulher.

Pompeu não diz nada. Sente que o melhor a fazer é calar.

Que seja. Diz a mulher impaciente. Quem te deu?

Eu não sei.

Aproxime-se. Diz o homem.

Com licença. Pompeu se aproxima.

O homem retira do bolso esquerdo do paletó um envelope com um sinete vermelho e entrega a Pompeu. Pompeu observa admirado a intrincada imagem em relevo.

Ao entrar na grande sala, deixe o envelope, inviolado, sobre a mesa. Acrescenta. Faremos a última pergunta e o senhor poderá passar à grande sala.

Pompeu agradece baixando a cabeça.

O casal cruza o olhar. Toma um tempo e diz simultaneamente, de forma precisa. Quem te deu?

Mais uma vez reafirmo: eu não sei.

Pode passar à grande sala. O homem aponta para a grande porta dupla em madeira talhada.

Muito obrigado por tudo.

Quando se aproxima da porta, já de costas para o casal, a mulher o questiona.

Gostaria de saber quem te deu?

Pompeu cobre a boca com a mão. Permanece de costas para eles. Pensa, sem saber o que dizer. Pode ser uma cilada. A segurança de Pompeu desaparece. Não consegue se virar e encarar o casal. Não sabe o que responder. Ao mesmo tempo sabe que precisa dizer algo.

Ralph Abernathy.

Talvez para minimizar o peso, talvez por piedade, a mulher diz antes que Pompeu responda. Pompeu sente o corpo dormente. E, então, se volta ao casal.

Desculpa, senhora. O que a senhora disse?

Ralph Abernathy.

Ralph Abernathy?

Sim. Foi quem te deu. Creio que mereça saber.

Ralph Abernathy? Não conheço ninguém com esse nome. Seu barbeiro.

Meu barbeiro? Há anos eu mesmo raspo a minha cabeça com lâmina. Eu mesmo.

O casal olha fixamente para ele.

Antigamente cortava meu cabelo com a Sueli, mas ela se aposentou e passei a raspar minha própria cabeça.

Os dois permanecem imóveis feito bonecos de cera. Pompeu aponta para a porta. Como se dissesse que estava indo. Dá um passo e volta ao casal.

É possível que tenham se enganado?

Impossível. Afirma o homem.

Antes da Sueli eu cortava os cabelos com o Sílvio. E antes disso com o seu pai, Pierino.

Eles seguem calados olhando fixamente para Pompeu.

Será que esse barbeiro não acusou outra pessoa?

Ele informou todos os detalhes, senhor Pompeu. A acusação foi feita a você. Sem a menor sombra de dúvida.

Certo. Agradeço imensamente a informação. Posso ir?

O homem faz movimentos ondulantes com a mão como se dissesse: Vá. Pompeu puxa as maçanetas da porta dupla. Avista a grande sala. Fecha a porta deixando o casal para trás.

6
O espelho d'água

I

No dia 4 de novembro de 2015, Pompeu anotou em sua agenda um sonho que teve em Sondra Porfírio, na época Porto Alegre. No sonho ele dormia na casa de sua avó. No quarto da tia Rina, irmã dela. Apenas como curiosidade: elas moravam juntas. Sua tia Rina era também sua madrinha. Ela foi a primeira pessoa a esquecê-lo. Da noite para o dia algo aconteceu com ela. Na época não se faziam tantos exames. Não se recorria tanto aos médicos ou hospitais. A família simplesmente aceitou que algo havia acontecido. Trataram como sendo natural. Demência, velhice. Afinal, ela era velha. O que mais feriu Júnior, o jovem Pompeu, foi o fato dela lembrar de pessoas menos importantes em sua vida ao mesmo tempo que não reconhecia o afilhado que tanto a amava. Naquela noite, fosse o que fosse, Rina deu uma bela talagada no Letes e nunca mais reconheceu seu sobrinho-neto. Muitos anos depois quem apagou Pompeu da memória foi justamente sua avó. Nessa noite na antiga Porto Alegre, enquanto estava na transição entre o sono e a vigília, se deu conta de que dormia na cama em que a sua avó morrera. Isso não era verdade na vida real, mas era real no sonho. Na vida desperta sua avó morreu num asilo. No sonho o quarto era invertido. A posição dos móveis se dava de forma espelhada à do quarto do mundo desperto. Ao se dar conta de que dormia no leito de morte de sua avó, Pompeu desejou que ela se manifestasse. Ela que sempre alegava contatar os mortos e ser visitada por eles. Nesse instante a lâmpada do teto começou a brilhar. Pompeu sofre de enxaqueca desde o começo de sua adolescência. Sua mãe e sua irmã também sofriam desse mal.

Por essa razão, por sofrer de enxaqueca clássica com aura,[97] escotomas e toda forma de alucinação luminosa, Pompeu conhece muito bem os reflexos e halos de luz. A cor verde, quando pontuada, e os reflexos do sol, principalmente em superfícies metálicas, são coisas que costumam ativar o episódio. Esse tipo específico de reflexo muitas vezes acionou suas enxaquecas. Por esse motivo ele percebe que a lâmpada não está acesa. Algo lá fora está refletindo a luz nela e fazendo com que ela pareça estar acesa. Pompeu se levanta e vai até a janela procurar o que faz com que o brilho rebata na lâmpada. Percebe um homem pequeno vestido de terno branco, do outro lado da rua, com um pequeno espelho na mão. É ele quem rebate a luz do sol na lâmpada do quarto através do pequeno espelho. Nisso Pompeu sente uma presença do lado de fora do quarto. A porta está

97

"Observamos a ocorrência de muitos *estados transitórios* entre todos esses: a ocorrência de 'migralepsias', estados de insônia e hipomania que precedem enxaquecas e epilepsias, auras que lembram sonhos e pesadelos, depressão apática durante o estágio inibitório, ocorrência de enxaquecas sonolentas e estuporosas, o início de enxaquecas durante o sono, o abortamento delas por um sono breve e, finalmente, o sono longo e profundo que caracteristicamente sucede enxaquecas e epilepsias severas [...]. Gowers (William Richard Gowers) situou as enxaquecas, desmaios, distúrbios do sono etc. na 'fronteira' da epilepsia; podemos, justificadamente, reverter suas palavras e situar a enxaqueca e as reações semelhantes a ela na *fronteira do sono*" Oliver Sacks, *Enxaqueca*, tradução: Laura Teixeira Motta.

fechada e mesmo assim ele sente essa presença. Essa presença se aproxima. Ele ouve o piso ranger. A casa está vazia. Não devia ter ninguém lá. Sua tia e sua avó já haviam morrido e a casa estava abandonada. Sua mãe tentava vender a propriedade. Ele não consegue ver a escada. O quarto fica no piso de cima do sobrado. A porta está fechada. Mesmo assim sente a presença. Nisso, petrificado, vê a maçaneta mexer. Quando a porta se abre, é seu pai. Seu pai também havia morrido no mundo real. Pompeu se surpreende com a sua aparência. Ele está muito bem. Bonito e calmo. Pompeu fica muito feliz em revê-lo e principalmente em vê-lo assim tão bem. Pompeu se aproxima e pede desculpas por estar sem os dentes. Os dois não conseguem se abraçar. Era como se houvesse uma barreira invisível entre eles.[98] Seus movimentos são espelhados. Feito um jogo teatral.

Você já reparou que podemos contar tudo? Agora mesmo contei quantos degraus tem essa escada que acabo de subir. Diz o pai.

É verdade, pai. Tudo pode ser pensado em números.

O que você entende por individual e invisível?

Acho que poderia dizer que individualidade é uma ilusão.

98
"Miguel dirige a mão para a cabeça do pai. Tenta fazer um carinho. Não consegue. Miguel continua direcionando sua mão. Esforça-se, procura tocá-lo, mas há uma barreira que ele não consegue vencer. Quer beijar o pai. Quer dizer tantas coisas. Miguel luta contra os seus sentimentos. Como uma mosca contra um para-brisa." *Miguel e os demônios.*

E invisível é o que não posso ver porque meus olhos estão cobertos pelo véu.

"Eu serei o único contato que terás com a Ordem. Isso é individual. E invisível é aquilo que não possui estrutura física. A verdadeira Ordem não está fora, mas dentro."

Você se lembra que a tia Rina se esqueceu de mim, pai? Ela fez nhoque porque era meu prato predileto e foi se deitar. Quando acordou, não podia mais reconhecer algumas pessoas. Ela lembrava de alguns vizinhos, mas não lembrava de mim. Você lembra disso?

Quando eu fazia nhoque, não pensava que devia contar. Devia ter computado cada um deles.

O seu nhoque, pai, era o melhor nhoque que já comi.

Eu devia ter contado tudo.

Era como se a tia Rina nem me visse. Eu já contei tantas vezes essa história. Foi que isso me doeu tanto. Eu era muito novo. Não conseguia entender. Depois aconteceu o mesmo com a vovó. Ela lembrava de pessoas que nem eram importantes e não lembrava de mim.

Você devia ter contado quantas vezes contou essa história, filho.

Devia, é. Podia ter feito isso.

Outro dia eu pensei que o Ricardo era eu.

Quem é Ricardo?

Eu não sei. Mas é isso. Outro dia eu pensei que o Ricardo era eu, mas o Ricardo não era eu, não. Porque o Ricardo era o Ricardo e eu era eu.

É, isso faz algum sentido.

Vamos te cobrir de segredos. O pai sussurra.

Eu fui possuído por sete súcubos. Cada possessão durou em média doze anos.

Essa conta não fecha. Você seria muito mais velho pra essa conta bater.

É verdade, pai. Não pode ter durado tanto cada ciclo.

Propedêutica, o conhecimento básico de uma disciplina. O pai fala com sobriedade.

A gente está lembrando isso ou está acontecendo agora? Pompeu questiona.

Outro dia eu pensei que o Diabo era eu. Mas o Diabo não era eu, não. Porque o Diabo era o Diabo e eu era eu. Conclui o pai.[99]

II

Mauro fuma seu enorme charuto na imensa poltrona, todo torto. O copo de uísque na mesinha ao lado da caixa laqueada. Uma vermelhidão vai do lábio inferior ao queixo. Seu olhar está abatido. Mesmo assim ele procura manter a energia.

O que o senhor vai me dar hoje, seu Pompeu? Ri alto. Esfrega as mãos. Pompeu se acomoda na outra poltrona de frente pra ele. Há um envelope sobre a mesa de ébano.

O que você quer? A gótica?

Opa! Seria lindo. Gargalhada.

Acho que eu passei.

Passou? Passou o quê?

No tribunal.

Não brinca.

99
Assim foi o sonho devidamente anotado em 4 de novembro de 2015.

Sério. Acho que fui absolvido.

Como, acha? Foi ou não foi?

Me parece que fui absolvido.

Você não sabe? Imagino que, se tivesse sido absolvido, saberia.

Eu acho que fui absolvido. É quase certo.

Então pega logo um copo aí, isso precisa ser comemorado.

É verdade. Isso precisa ser comemorado.

Mauro aciona o interfone e pede gelo.

Mas me diz, como foi?

Foi tranquilo. De alguma forma eu senti que ia me sair bem.

Que notícia boa, Pompeu. E ir sem medo sempre ajuda. Mas não leram a sentença? Não lhe disseram categoricamente que estava livre?

Não de forma direta. Eles disseram até quem me deu.

Jura?

Só que não faz sentido.

Quem foi?

Eles disseram que foi um barbeiro de nome... só um segundo. Pompeu procura nos bolsos o papel onde anotou. Ralph Abernathy.

E por que ele fez isso?

Não sei. Dei um Google e o único Ralph Abernathy que encontrei foi um ativista que foi mentor de Martin Luther King. E ele morreu em 1990. Além disso ele era norte-americano. Não faz o menor sentido. E nem ao menos era barbeiro. Nunca foi.

Naturalmente é alguém que leva o nome em homenagem a ele.

Mesmo assim não conheço e nunca conheci ninguém com esse nome. Meu barbeiro antigo era um italiano e se chamava Pierino.

E disseram por que ele te deu?

Acredita que nem pensei em perguntar?

Não é possível.

Juro. Nem passou pela minha cabeça. Quando cheguei, eu estava realmente calmo. De verdade, mas no fim fui ficando tenso e, quando me permitiram passar para a grande sala, fui o mais rápido que pude. Eu só queria sair de lá.

Então você passou mesmo por todas as etapas?

Passei.

E como é lá? Como é a grande sala?

A grande sala faz jus ao nome. É uma sala imensa sem mobília. Só há uma escrivaninha de madeira no centro e cortinas vermelhas nas inúmeras janelas.

E o que acontece lá?

Nada. Eu entrei e fiquei esperando quase uma hora. Não entrou ninguém. Tinham me orientado a deixar um envelope sobre a mesa. Imagino que nesse envelope estivesse o veredito.

Você não viu o que tinha no envelope?

Não. Fui orientado a deixar sobre a mesa. Ele é lacrado com um sinete. Depois de esperar todo esse tempo, deixei o envelope e saí por uma porta nos fundos. Ao sair, fui abordado por uma moça muito bonita. Acho que era uma secretária. Ela me entregou uns impressos. Disse que haverá uma cerimônia.

Então, está mesmo livre?

Estou. Acredito.

Haverá uma solenidade? Deve ser a cerimônia de encerramento. Mauro observa animado.

Ela disse que só posso convidar uma pessoa.

É isso, é a cerimônia de encerramento mesmo. Louvação, é como chamam.

Naturalmente, gostaria de te convidar.

Eu? Mauro, estupefato.

É claro.

No rosto de Mauro transparecem surpresa e louvor. Sem conseguir disfarçar, ele se comove. Baixa a cabeça tentando disfarçar. Puxa fumaça no charuto.

Pompeu enche seus copos.

Você está mesmo me convidando?

Estou. E ficaria muito feliz se aceitasse.

Mauro tenta disfarçar a lágrima que escapa.

Você aceita me acompanhar?

Mauro não consegue falar. Põe a mão na garganta tentando dizer que há um nó. O pequeno garçom bate à porta. Mauro faz sinal para que Pompeu lhe permita entrar. O homenzinho deixa o balde de gelo sobre a mesa ao lado do envelope, pede licença e sai. Pompeu joga três pedras em seu copo.

Depois de um comprido gole Mauro se recompõe. Por que eu?

Porque preciso escolher alguém.

Deve estar sem opções mesmo.

Pompeu levanta o copo. Mauro se ergue da cadeira e bate o copo no copo de Pompeu.

Você aceita me acompanhar?

É claro. Me sinto realmente honrado.

Vai ser dia 19, domingo, às dezenove horas, no pátio da igreja de São Domingos. Fica na rua Sondra Porfírio, não lembro o número. Depois te passo o endereço direitinho.

Você sabe que precisará fazer um discurso, não sabe?

Sim, a secretária me informou.

Poxa vida, Pompeu, que notícia maravilhosa. E você me convidar me derrubou. Não esperava por isso. Já li sobre essa cerimônia. Sei que só se pode escolher uma pessoa para presenciar. E sei também que deve haver um discurso e que esse discurso deve ser feito à maneira de Demóstenes.[100]

Sério? Demóstenes era o gago? Aquele que usava pedras na boca?

Sim. O discurso deve ser feito dessa forma. Isso não constava na brochura que recebeu?

Na verdade, ainda não li.

Confere lá. Pelo que sei, é assim que se deve fazer o discurso.

Vou conferir.

E, enfim, o que achou do *Sonho de Polifilo*?

Também não li.

Mentira. Foi se defender sem ler o livro que foi escolhido para você?

Sim. Não consegui ler. Era chato demais. Abandonei tendo lido pouco mais de um terço.

Mas como fez para passar? Não foi sabatinado?

Não. Não sobre o livro. Quer dizer, me fizeram uma ou outra pergunta muito genérica.

Caramba, Pompeu. Você se arriscou demais.

Eu não sei explicar, mas senti que iria ser absolvido.

E você não vai terminar a leitura de *Polifilo*?

De jeito nenhum. Ainda mais agora, que não preciso. Prometo trazer da próxima vez. Hoje não lembrei.

100

Contemporâneo de Platão e Aristóteles, Demóstenes era gago (segundo Plutarco). Dizem que Demóstenes superou sua gagueira falando com pequenas pedras na boca. É dito também que praticava o discurso diante do espelho.

Não tenha pressa. Você não acha que pode haver algo importante nesse livro? Algo importante para você?

Você diz isso por eles terem escolhido esse livro pra mim? Naturalmente.

Eu li duzentas páginas e não tinha nada de meu interesse ali.

Bom, é você quem sabe. De qualquer forma, se quiser ficar mais tempo com ele, não tenha pressa em devolver.

Você já leu o livro, acha que tem algo lá que possa me valer?[101]

Não tenho como dizer. Só você pode saber. Procure.

Realmente não sei se consigo. O livro me entedia. Me dá sono. Eu acabava dormindo a cada duas páginas que lia.

Então, nunca saberá. O que posso dizer é que esse livro ecoa em outros livros. Esse livro não termina em si. Mesmo que outros autores não se deem conta, ele segue através deles.

101

O que Pompeu deixou de ler em *Batalha de amor em sonho de Polifilo* que talvez pudesse lhe valer:

Teria compreendido em seu julgamento a passagem do capítulo xix o que leu nos hieróglifos de um obelisco: "A Justiça reta, nua e despojada de ódio e de amizade, e uma ponderada liberalidade conservam firmemente o poder".

No capítulo xx, quando navega na barquinha de Cupido, remada por seis jovens ninfas e pelo sopro de Zéfiro, em direção ao reino de sua mãe, Vênus; a caminho da ilha, Polifilo chega a desejar que Cupido apague seu amor antes de ser consumado por medo do fim. Por medo de precisar viver o dia em que esse amor acabe.

Entenderia que não amar para não sofrer a perda é o mesmo que não viver.

Como assim?

Ao acabar de ler *Batalha de amor em sonho de Polifilo*, você deveria seguir com *Berlim Alexanderplatz*, de Alfred Döblin, e então *O jogo da amarelinha*, de Julio Cortázar, para terminar enfim com *A vida modo de usar*, de Georges Perec.

Você está brincando, né?

Eu vejo um paralelo entre essas obras. São quase uma espécie de longos catálogos. Vejo uma conexão profunda entre eles. Pode ser coisa minha, mas vejo. Como se todos os autores tivessem escrito ouvindo, mesmo que de forma inconsciente, um mesmo sussurro.

Já tentei ler *O jogo da amarelinha* e também não consegui. Acho um livro pedante demais. Pretensioso. Pra mim, Cortázar tentou ser Borges. A diferença é que Borges era Borges. Além disso Borges era generoso.

Tá, que seja. E o que vai me dar? O que trazes para mim, Chapeuzinho?

Eu te contei do Amélio?

Amélio?

Era um amigo do meu pai.

O que tem ele?

Ele sempre dizia que queria morrer como um passarinho.

Ah, não! Essa piada além de velha é muito fraca. Manda uma do bom e velho Moacyr.

Ah, o Joaquim veio de Portugal e conseguiu subir na vida.

"No começo era eu, minha mulher e meu filho." Mauro fala rindo.

Não, não, essa é outra. Esse Joaquim conseguiu um emprego decente.

Hahahah, então manda.

Aí, quando ele estava bem estabelecido, resolveu chamar o amigo Manuel que continuava em Beja, no Alentejo. E Manuel veio para ser o seu secretário. Um dia o Joaquim foi ao banheiro e, quando voltou, perguntou ao Manuel se alguém tinha ligado.

"Ligaram, ligaram, sim." Respondeu Manuel.

"E o que foi que você disse?"

"Disse que você estava cagando."

"Não, Manuel, você não pode dizer uma coisa dessas. Quando for assim, deve dizer: ele está numa reunião, quer deixar recado? Não pode dizer uma coisa dessas."

No dia seguinte, na mesma hora, a mesma coisa. Toca o telefone.

"Oi, eu queria falar com o Joaquim."

"Ele está numa reunião."

"Sabe se vai demorar muito?"

"Acho que não porque ele já saiu daqui peidando."

III

Posso falar?

Fique à vontade.

É que me lembrei de uma coisa que para mim foi muito significativa. É interessante isso. Agora, em minhas insônias, fico tentando lembrar passagens da minha vida para trazer a você para que possa inscrever em meu livro.

Isso é muito bom. O inscritor não parece convincente.

Bom, só mais um parêntese, eu tenho lembrado histórias um tanto singelas. E acho que é isso. Acho que as coisas mais importantes que aprendi na vida foram simples e delicadas.

O inscritor o encara com expressão apática. Não demonstra reação alguma.

Minha irmã e minha prima Tuca, que era filha do meu tio Paulo… aquele que me ensinou a nadar, lembra?

Espere. O inscritor se detém por um instante. Olha para

cima e diz: Você disse que esse seu tio que te ensinou a nadar se chamava Mauro.

Eu disse isso?

Disse. Tenho certeza. Eu inscrevi essa história, não lembra?

Lembro, lembro de você inscrever. Puxa, é como digo tantas vezes, tenho muita dificuldade com os nomes. Devo ter trocado.

Então seu nome é Paulo?

Sim. Seu nome era Paulo. Ele já faleceu há muitos anos.

Está bem. Vou fazer uma nota aqui para não esquecer de corrigir isso depois.

Não precisa corrigir.

Como não? O inscritor, indignado.

É só um nome. Pompeu, minimizando.

Pelo visto você não faz ideia da relação entre o ser e o nome. O inscritor olha incrédulo para Pompeu enquanto segura a pena. Meu amigo, você precisa ler Aristóteles.[102]

102

O inscritor se refere em especial a este pensamento exposto por Aristóteles em seu *Órganon*: "Os sons emitidos pela fala são símbolos das *paixões* da alma (ao passo que) os caracteres escritos (formando palavras) são os símbolos dos sons emitidos pela fala. Como a escrita, também a fala não é a mesma em toda parte (para todas as raças humanas). Entretanto, as paixões da alma, elas mesmas, das quais esses sons falados e caracteres escritos (palavras) são originalmente signos, são as mesmas em toda parte (para toda a humanidade), como o são também os objetos dos quais essas paixões são representações ou imagens. Destes temas, contudo, me ocupei em meu tratado a respeito da alma" (*Órganon, Da interpretação I*). E realmente o fez. Porém, é muito fácil corromper o pensamento de Aristóteles simplesmente pinçando fragmentos e os descontextualizando. Por exemplo: "todas as aparências são verdadeiras", *Da alma*, Livro III, 3. E, no mesmo capítulo, item 5, há tal correspondência supracitada: "E, de fato, há, de um lado, o pensamento que é capaz de converter-se em todas as coisas, ao passo que, de outro o pensamento de produzir todas as coisas, o qual assemelha-se a uma espécie de estado positivo como a luz, de uma certa maneira, também a luz transforma as *cores em potência* em *cores em ato*. Nesse aspecto, o pensamento é dissociado, sem mistura e impassível. Sendo ato por essência".

Apesar da magistral e generosíssima tradução e das notas de Edson Bini, para ler Aristóteles, principalmente *Órganon*, penso que o conhecimento do grego seja fundamental, somado à matemática, para que possamos entender, como "todo homem é justo/ algum homem não é justo/ todo homem é não justo/ algum homem não é não justo", ou ainda: "todo homem tem saúde/ todo homem não tem saúde/ todo não homem tem saúde/ *todo não homem não tem saúde*" (grifos meus). Como desconheço a língua grega e as matemáticas em geral, acabo me divertindo imensamente, como no trecho a seguir, que uso para ilustrar; convido-os a que me acompanhem: "Que os consequentes de A sejam designados por B, os antecedentes de A por C e os atributos que não podem se aplicar a A por D; analogamente, que os atributos de E sejam designados por F, os antecedentes de E por G, e os atributos que não podem se aplicar a E por H. Então (,em primeiro lugar,) se qualquer um dos Cs for idêntico a qualquer um dos Fs, A se aplicará necessariamente a todo E, pois F se aplica a todo E e C se aplica a todo A, de sorte que A se aplica a todo E; (em segundo lugar,) se C e G forem idênticos, A se aplicará necessariamente a algum E, pois A é um consequente de todo C e E de todo G; (em terceiro lugar,) se F e D forem idênticos, por um prossilogismo A não se aplicará a nenhum E,

Já me disseram isso. Pompeu, muito constrangido.

Prossiga, eu já fiz a nota, depois farei a correção.

Bom, como dizia, minha irmã e minha prima Tuca ouviam um compacto simples. Minha irmã tinha uma vitrolinha portátil. Era vermelha. Imagino que a relação entre o ser e as cores deve ser bem importante também. Pompeu, com ironia dissimulada.

O inscritor não percebe o sarcasmo. Espera Pompeu prosseguir.

De qualquer forma, a música me comovia. Eu era muito, muito novo. Mesmo assim procurava esconder minha emoção. Porque meu pai já havia me ensinado a ser homem. Você sabe do que estou falando. Somos da mesma geração. Você já assistiu *O jovem Frankenstein* do Mel Brooks?

Pompeu, já lhe disse tantas vezes que você só precisa relatar suas experiências enquanto eu, a mim me cabe anotar. É isso. É um procedimento simples. Basta seguir assim.

---

pois visto que a proposição negativa é convertível, e F é idêntico a D, A não se aplicará a nenhum F, ainda que F se aplique a todo E; (em quarto lugar,) se B e H forem idênticos, A não se aplicará a nenhum E, uma vez que B se aplicará a todo A, mas não se aplicará a nenhum E, visto que B é, *ex hypothesi*, idêntico a H e supomos que H não se aplica a nenhum E; (em quinto lugar,) se D e G forem idênticos, A não se aplicará a algum E, uma vez que não se aplicará a G, porquanto ele não se aplica a D. Mas G está subordinado a E e, assim, A não se aplicará a algum E. (Em sexto lugar,) se B for idêntico a G haverá um silogismo por conversão, pois E se aplicará a todo A, uma vez que B se aplica a A e E se aplica a B (visto que B é, *ex hypothesi*, idêntico a G)".

Ok... então, apesar de *O jovem Frankenstein* ser uma comédia, tem uma cena em que o incrível Peter Boyle, que interpreta o monstro Frankenstein, ouve a música. Se tivesse assistido, com certeza lembraria dessa cena, é uma das cenas mais bonitas que já assisti. O monstro renascido, naquela mistura de corpos costurados, ouve música pela primeira vez em sua reencarnação. Ele tenta capturar a música com as mãos. Como se fossem... não sei dizer, moscas? Borboletas? Pois era isso que sentia enquanto elas ouviam aquele maldito compacto na vitrolinha vermelha. E então, para o meu profundo desencanto, elas começaram a procurar as palavras no velho dicionário de inglês. Ele tinha a capa verde. Um verde muito bonito. Escuro.

O inscritor não dá bola. Segue inscrevendo sem levantar a cabeça.

Elas traduziam palavra por palavra. Pompeu prossegue. E aí soube que *bridge* era "ponte". Para mim, aquelas palavras sem sentido diziam muito mais, me tocavam muito mais do que o seu sentido real. Diziam, de alguma forma, o indizível. Expressavam, quando sem sentido, enquanto nonsense, exatamente o que eu sentia e precisava engolir. Precisava engolir, entenda bem, porque precisava disfarçar minha emoção. É nesse sentido que falo. E eu, volto a dizer, era tão pequeno e desconhecia o inglês ou qualquer idioma que não fosse o meu. Já escrevi sobre isso. Quando chorei com a morte do índio num episódio dublado de Tarzan. O bom e velho Johnny Weissmuller. Assim como chorei a primeira vez que vi a pintura *O último tamoio* de Rodolfo Amoedo. Chorei sem parar. Chorei sem conseguir deixar de olhar a imagem impressa naquele velho livro cuja capa era verde também. Na mesma estante em que havia os livros de medicina legal. Já escrevi sobre isso também. Quando batia punheta vendo a moça nua com o rosto incinerado. Talvez fosse mais preciso dizer: a moça sem rosto. Seu corpo podia tomar a cabeça de quem eu quisesse. É horrível isso. Eu era tão jovem. Criança mesmo. Também já escrevi sobre isso. Já escrevi todas as miseráveis histórias que posso contar. As que não posso, as que ainda não consigo, você inscreve por mim agora.

Mas é isso. Voltando à desilusão de perceber que aquilo que era cantado queria dizer algo diferente daquilo que eu entendia. Como se cada palavra fosse um grunhido. Uivo. Gemido. Não devíamos nomear os sentimentos. Isso os esvazia. Ainda mais quando comprimimos o sentimento numa única palavra. Houve uma mulher que amei e a primeira vez que a tive, a primeira vez que a toquei, eu disse... na verdade eu não disse, ou melhor, não quis dizer, mas escapou. Escapou porque aquela mulher me fazia falar sem que pudesse me dar conta. Ela transbordava meus sentimentos e eu emitia sons.

Sabe o que eu disse? Sabe o que eu disse a primeira vez que a toquei? O contrário da dor. Foi o que disse. Disse assim que toquei seu corpo pela primeira vez. Não dá para comprimir isso numa única palavra. E isso foi o mais perto que cheguei de descrever o que sentia, quando tentei descrever. Não sei se está dando para entender o que quero dizer.

O inscritor finge não ouvir. Segue escrevendo.

Como posso explicar?

Eu achava que o que estava sendo cantado em inglês não era uma língua, um idioma, era o que era. Eram sons. Grunhidos. Gemidos. Lamentos.[103]

103

"E fato ainda mais notável é que o cão, desde que tem sido domesticado, aprendeu a latir (*The Variation of Animals and*

IV

O que está fazendo?
Não conseguia dormir. Vim fumar um cigarro.
Você tem dormido tão pouco.
É. Acho que por isso tenho tido tanta enxaqueca.
Te incomodo se ficar com você? Prefere ficar sozinho?
Você precisa dormir. Sabe disso.
Só vou fumar um cigarro com você. Pode ser?
Claro.

―

Plants under Domestication, v. I) em quatro ou cinco tons distintos. Embora o latir seja uma nova forma de expressão, sem dúvida os antepassados selváticos do cão exprimiam os seus sentimentos de vários gêneros [...] O uso habitual da linguagem articulada é contudo peculiar ao homem; mas, em comum com os animais inferiores, ele usa gritos inarticulados para exprimir o seu sentimento ajudado por gestos e movimentos dos músculos da face. Isto vale em particular para os sentimentos mais simples e vívidos que têm escassa conexão com a nossa inteligência superior. Os nossos gritos de dor, de medo, de surpresa, de raiva, juntamente com as suas ações apropriadas, ou o acalanto de uma mãe ao seu filhinho amado, são mais expressivos do que toda palavra." Charles Darwin, *A origem do homem e a seleção sexual*, "Confronto entre as faculdades mentais do homem e dos animais inferiores" — "Linguagem", tradução: Attilio Cancian e Eduardo Nunes Fonseca.

"Espero que os cães não ladrem esta noite. Acho sempre que é o meu." Albert Camus, *O estrangeiro*, tradução: Valerie Rumjanek.

Eu achei que ia dormir melhor depois que tudo isso passasse.

Deve ter algo mais te incomodando. Se não fosse tão tarde, ia pedir pra você pôr uma música.

É...

Você deve estar preocupado por ter perdido seu cliente das sextas-feiras. Logo você consegue outro.

Ele me disse uma coisa que ficou na minha cabeça.

O que ele falou?

Ele disse que não era ele quem estava apaixonado.

Eu o entendo.

Disse que era eu quem estava.

E estava?

Talvez.

Talvez?

Estava. Estou. Sinto falta de olhar para ela.

E por que não a procura?

Isso é um jogo, não é? É um de seus jogos, não?

Ela sorri.

V

8.

82.

Desculpa ligar em cima da hora.

Entra.

Desculpa vir a essa hora numa terça-feira. É que aconteceu algo realmente importante.

Vamos para a sala.

Pompeu se instala no sofá, que parece ainda mais pegajoso.

Como você está?

Bem. E você?

Mauro não o convence.

Bem, eu diria. Fui absolvido no tribunal da inquisição.

Sério? Que boa notícia.

Realmente. Foi um alívio enorme. Estava muito aflito e com muito medo disso tudo.

Muito bom. Mas me diz o que o traz aqui.

Ontem tive que resolver uns assuntos no centro e aproveitei para passar na loja de um amigo. Não sei se conhece o Robson, da Mechanix.

Não, não conheço.

Eu estava querendo um CD e resolvi dar uma passada lá. Fica na Galeria do Rock e adoro dar uma volta por lá. Saí às dezoito horas e, pra fugir do rush, parei pra tomar uma cachaça no Terraço do Barão. Esse é o bar onde a vi conversando com aquele homem. Lembra?

Lembro, claro.

Na rua Sondra Porfírio.

Eu me lembro.

E foi isso. Eu a vi. Ela estava lá com ele.

Mauro fica em silêncio.

Ela estava lá com ele e não me reconheceu.

Você quer um café?

Você vai tomar?

Um café é sempre bom.

Então eu aceito.

Mauro se levanta e vai para a cozinha. No meio do caminho se detém. Ela não te reconheceu ou não te viu?

É uma boa pergunta. Mas acho que realmente não me reconheceu.

Você não está fazendo isso pelo dinheiro, não é mesmo?

Acha que eu estou inventando?

Não sei. Estou te perguntando.

Sério que acha que eu faria isso?

Não sei. Realmente não sei.

Caramba, Mauro. Eu jamais faria isso por dinheiro.

Vou fazer o café.

Alguém tosse. A tosse parece vir de um dos quartos.

Pompeu puxa a manga esquerda da camisa. O corte ainda não fechou. Passa a língua sobre as incontáveis feridas que as pedras fizeram em sua boca.

Mauro volta trazendo as xícaras e a cafeteira numa pequena bandeja.

Açúcar?

Não, obrigado.

Mauro bebe em silêncio.

O que você tem feito?

Estou arrumando um dos quartos.

Reformando?

Vou pintar. Estava limpando. Minha gata morreu.[104]

Sério? Agora ficou só uma?

Eu só tinha uma. Ela ficou muito doente. Tive que matá-la.

Sinto muito.

Ela cagava na casa toda. Ela cagava o tempo todo. Mole.

É sempre triste o fim.

Eu esmaguei um calmante e misturei na ração. Aí enrolei um pano em seu pescoço e fui torcendo. Ela morreu olhando pra mim.

104

"Os antigos egípcios pranteavam a perda de um gato e raspavam as sobrancelhas." William Burroughs, *O gato por dentro*, tradução: Edmundo Barreiros.

Puxa vida. Sinto muito.

Ela parecia estar me julgando, sabe?

Deve ter sido muito difícil.

Meu pai morreu me olhando da mesma forma.

Meus sentimentos.

Eu também ajudei a matar o meu pai.

Eu te falei que estou inscrevendo o meu *Livro dos mortos*? Pompeu procura trazer Mauro de volta. Seu olhar se tornou mais turvo e distante.

Não, não sabia. Leva um tempo até que responda.

É. Estou. Essa semana, quando estive lá, quando fui acertar, pago uma vez por mês, ele me disse que minha mãe já havia feito isso. Acredita? Minha mãe esteve lá e pagou por todo o projeto. Um valor absurdo. Porque eu pagava aos poucos. Por sessão. Ela esteve lá sem que eu soubesse e quitou tudo.

Ela deve achar que é um projeto importante para você. É um presente bonito. Um gesto muito bonito.

Ela foi tão generosa. Me emocionei quando fui agradecer. Ela também se emocionou.

Que bom. Então vocês estão bem.

Estamos. Estamos muito bem. No fundo acho que era eu quem não sabia o que era um pomo. Ela me falou isso. Eu era muito novo. Devo ter entendido "pombo".

Pode ser. A gente lembra das coisas do jeito que a gente lembra.

É verdade.

E a sua garota?

Que garota?

Sua namorada.

Nós terminamos faz tanto tempo.

Nunca mais voltou lá?

Não. Quer dizer…

Voltou ou não voltou?

Tenho evitado, você sabe. Mas por que está perguntando sobre ela?

Pra saber. Você nunca mais falou dela.

Mauro, você ficou chateado comigo?

Fiquei.

Comigo?

Fiquei. Fiquei, sim.

Mas por quê? Não foi minha culpa.

Mauro acende o cigarro.

E, eu juro pra você, ontem ela não me reconheceu.

Ela estava com aquele mesmo homem da outra vez?

Sim. Estava com ele.

Você descobriu quem ele é?

Não.

Eles estavam bebendo?

Sim. Cachaça.

Ela bebeu muito?

Muito.

Quer mais café?

Quero.

Mauro divide o que resta na cafeteira.

Ela estava tão bonita.

A beleza é tão passageira. Mauro, amargo.

Pompeu ri.

Por que está rindo?

Às vezes, nessas horas, nos momentos difíceis, acabo lembrando de uma piada. Eu tinha um tio que conhecia todas as piadas.

Acho que isso é natural. Nos velórios sempre se contam piadas.

É verdade.

Eu preciso começar a fazer o almoço.

Desculpa, não queria te incomodar. Só queria trazer notícias.

Eu agradeço.

Mauro se levanta e se dirige à arca.

Não faça isso, por favor. Você não me deve nada.

Mauro fica sem ação.

Não vai me contar a piada?

Ah! Você lembra da CMTC?

Sim, a empresa de ônibus.

É, foi extinta nos anos 1990.

Me lembro, claro.

Então, a piada era essa, qual é o lema da CMTC?

"Tudo na vida é passageiro, exceto o motorista e o cobrador."

VI

Pompeu seca as lágrimas no guardanapo.

É chegada a hora, senhor. O pequenino garçom diz enquanto aproxima a bandeja.

Chegou a sua hora, meu amigo. Mauro, em emoção bêbada.

Pompeu tenta engolir as lágrimas.

Vai lá, meu amigo, e arrebenta no discurso. Mauro o encoraja.

Pompeu seleciona as menores pedras. E uma a uma as coloca na boca. Puxa as calças pra cima. Empurra a camisa amarrotada pra dentro. Ajeita o blazer.

Já não sei mais o que é verdade e o que não é. Pompeu diz a Mauro, mas ele não o entende devido às pedras. As pedras machucam demais. Ferem as gengivas. Cortam sua língua. Pompeu caminha pela passarela no pátio da igreja de São

Domingos. A passarela é uma bobina de plástico vermelho desenrolada no chão. Sobe no pequeno palanque. O mesmo que era usado nos sorteios dominicais de bingo. Há sessenta e quatro pessoas espalhadas pelas mesas de ferro pintadas de amarelo. Todas conversam entre si. Comem e bebem. Ninguém lhe dá atenção.

Pompeu retira do paletó o papel em que havia rascunhado o discurso. Desiste. Volta a guardá-lo e fala de improviso.

O que os presentes ouviram, começou dessa forma:

Hunns amnirros ai rer fefosssssontes

E seguiu assim por eternos três minutos.
O que de fato Pompeu professou, foi:

Meus amigos e pessoas presentes. Não tenho muito a dizer. Preciso declarar, com grande pesar, que minha mãe está certa. Fui mesmo tocado pelo mal quando era criança. Sim, fui tocado pela Besta e nada mais oportuno do que dizer isso aqui. Eu assumo. Confesso também que, mais uma vez, minha pobre mãe, esta que agora é nome de todas as ruas, cidades e estados, minha querida e amada Sondra Porfírio, está certa ao dizer que sou rancoroso. E que me vitimizo escondendo minhas falhas e as faltas mais graves por mim cometidas. Assumo tudo isso aqui e agora, no pátio da igreja de São Domingos.[105] *Desconheço os sonhos sonhados por*

105

Vamos lá, de trás para a frente como convém. Enquanto são Domingos, após a morte do bispo de Osma, que o havia nomeado cônego regular, e que também pregava contra os hereges, são Domingos, mesmo, só continuou a pregar *aos adversários da verdade* que "escarneciam dele, cuspiam nele, jogavam-lhe lama e outras imundices e por zombaria amarravam feixes de palha nele. Quando eles o ameaçavam de morte, respondia: 'Não sou digno da glória do martírio, ainda não mereço esta morte' [...] Admirados os inimigos da verdade diziam: 'Você não teme a morte? O que faria se o prendêssemos?'. Ele: 'Eu imploraria a vocês que não me ferissem logo mortalmente, mas que pouco a pouco cortassem um após outro cada um de meus membros e que os colocassem diante de meus olhos antes de furá-los, e que por fim abandonassem meu corpo semimorto e despedaçado envolto em sangue, ou que me matassem como desejassem'. [...] Domingos, célebre condutor e pai da Ordem dos Pregadores, nasceu em uma cidade da Espanha chamada Caleruega, diocese de Osma, tendo tido segundo a carne Félix como pai e Joana como mãe. Antes de seu nascimento, sua mãe viu em sonhos que carregava no útero um cãozinho (*Dominus canis*) que trazia uma pequena tocha ardente na boca e que, ao sair do útero, incendiava o universo com ela". Jacopo de Varazze, *Legenda áurea*, tradução: Hilário Franco Júnior. Embora isso, de forma um tanto forçosa, me faça lembrar um fragmento de *Los tres gauchos orientales*, de d. Antonio Lussich, em *Discussões*, Borges cita Lugones, citando Lussich, justamente em *El payador*: "*Pero me llaman matreiro/ pues le juyo la catana,/ porque esse toque de diana/ en mi oreja suena fiero;/ libre soy como el pampeiro/ y siempre libre viví,/ libre fui quando salí,/ dende el vientre de mi madre/ si más perro que me ladre/ que el destino que corrí...*". Assim me volta à mente esse fragmento, com o perdão do trocadilho, no qual amarra o cão e o ventre. "Mas me chamam marginal/ porque eu fujo da espada,/ pois o toque da alvorada [diana = amanhecer]/ na orelha me soa mal;/ sou livre como pampeiro/ e sempre livre eu vivi,/ fui livre quando do ventre/ de minha mãe eu saí/ sem outro cão que me espante/ o destino que segui..." Tradução: Josely Vianna Baptista.

minha mãe. Sei que tentou, inutilmente, me abortar. Às vezes ela diz que tentou abortar meu irmão. Outras vezes diz que tentou abortar a mim. Ela é uma mulher admirável, porém com uma péssima memória. O que ela não sabe é que o tal pomo, o fruto proibido, não tem nada a ver com sexo, e sim com o conhecimento. Por isso ela não poderia me condenar. O pomo era fruto dessa árvore. Não quero me delongar, mas gostaria de dizer que Domingos, que nasceu em Espanha, filho de Félix e Joana, assim como eu, todas as noites se açoitava três vezes com uma pesada corrente de ferro. A primeira faço por mim, a segunda por meus atos e a terceira por meus amores.

Eu realmente não presto. Carrego em mim a discórdia. E só consigo ser fiel a meus vícios. A nada mais. E sou incapaz de amar apenas um amor. Por tudo isso e muito mais, eu, Pompeu Porfírio Júnior, me declaro, me autodeclaro: culpado!

Muito obrigado e desculpem por tomar seu tempo.

No final, Mauro se levanta e aplaude freneticamente.

Pompeu desce do palanque e num cantinho do pequeno jardim no pátio da igreja cospe as pedras banhadas de saliva e sangue.

VII

Pompeu. Pompeu, acorda.
Oi?
Tem dois homens aí querendo falar com você.
Quê?
Querem falar com você.
Quem?
Dois homens.
Que homens?

Não sei. Eles estão na sala.

Quem são?

Eu não sei.

E você os deixou subir? Pompeu se levanta apressado, veste as calças e corre para a sala. O magrelo está espalhado no sofá. O atarracado segura um porta-retratos.

Quem é esse aqui? Seu namorado? O atarracado ironiza.

Meu pai. Pompeu responde retirando o porta-retratos de suas mãos e o devolvendo ao lugar. O que vocês querem? O que fazem aqui?

Calma, garoto, é uma pergunta por vez. O atarracado diz rindo para o magrelo.

Meu deus do céu! O Mauro deve estar certo mesmo. Estou dentro de um livro. Isso aqui é *O processo* do Kafka.[106] Diz com as duas mãos na cabeça. Que diabos vocês querem aqui?

106

No posfácio intitulado "Um dos maiores romances do século", nosso tão querido e respeitado Modesto Carone, principal tradutor da obra de Franz Kafka, nos traz uma curiosa passagem quanto à relação de Kafka com esse livro em questão, *O processo*: "Um dos tópicos recorrentes da pesquisa em torno de *O processo* é o que diz respeito às suas fontes literárias imediatas. Nesse contexto, há quem considere matrizes temáticas da obra tanto peças do Teatro Ídiche (a que o escritor assistiu no inverno de 1911-12), como alguns romances de Dostoiévski. Segundo um especialista, a cena seminal de *O processo* — a detenção do herói Josef K. — corresponde a uma sequência breve, mas significativa, do *Vice-rei* de Faynman: a prisão de don Sebastián. Embora na peça o episódio seja muito sério, ele aparece entrelaçado com elementos cômicos, manifestos nos insultos que Pedrillo, criado de don Sebastián, profere contra

É, Pompeuzinho, parece que você gostou mesmo da gente.

Acabou. Já fui absolvido.

Então por que não enviou o veredito?

Como assim?

Você tinha três dias para apresentar o veredito.

Ué! Eu o entreguei.

Entregou pra quem?

Não é o envelope? Deixei na escrivaninha. Na grande sala.

O atarracado olha incrédulo para o magrela.

Você é idiota ou o quê? O magrela pergunta.

Olha, eu não quero vocês aqui. Aquele senhor, aquele do casal, da antessala, aquele que fala fininho...

Que que é isso, meu amigo? Tá chamando o cara de veado? Isso é homofobia, meu rapaz. Provoca o atarracado.

Eu não estou sendo homofóbico nem nada. Só estou dizendo que ele tem uma voz fina. Foi isso que disse. Disse para que saibam a quem me refiro, já que não sei o nome dessa criatura e essa é uma característica marcante, eu diria, peculiar, que pode ajudar a que saibam a quem me refiro. Então, ele me disse para deixar o envelope sobre a mesa da grande sala e foi exatamente o que fiz. Se não fiz certo, é porque não souberam explicar.

---

os agentes da detenção — dois servos mascarados, a serviço da Inquisição, que vêm prender o personagem por suspeita de que ele seja judeu. A comicidade do Capítulo Primeiro de *O processo*, em que se narra a detenção de K., é menos evidente, mas sabe-se que Kafka riu até chorar quando leu para os amigos, precisando interromper a leitura para enxugar as lágrimas: para ele o cômico radicava no acúmulo de minúcias".

Vamos lá, vamos falar mais uma vez. Podíamos falar todos juntos, que tal? Pompeu, a quem é dado alegar o desconhecimento da lei?

Ninguém.

Calma, eu dou o sinal e falamos todos juntos.

Pode parar de brincadeira?

Não estou brincando. "Nunca falei tão sério em toda a minha vida." Vamos lá, um, dois, três, a quem é dado alegar o desconhecimento da lei?

Ninguém. Os três respondem em uníssono.

O magrelo sorri e bate palmas baixinho.

Vai, Pompeu, veste uma roupa decente que nós vamos passear.

Eu não vou a lugar algum.

Vai ser pelo jeito difícil então? O magrela pergunta enquanto se levanta do sofá.

Posso fumar aqui? O atarracado procurando algo nos bolsos.

Pode fumar. Aonde vão me levar?

Pode me arrumar um cigarrinho? Esqueci o meu no carro.

Pompeu vai até a cozinha, apanha o maço e oferece ao atarracado.

Será que não tem um cafezinho? Não precisa ser fresco, não. O magrelo pergunta enquanto o atarracado lhe oferece o maço.

Vou fazer. Mas vocês precisam dizer aonde vão me levar.

Falando sério, Pompeu, nós vamos dar uma volta. Conversar um pouco. Mas depois do café. Nem vou acender meu cigarro ainda. Vou guardar para fumar com o gostinho do seu café.

Pompeu entra na cozinha seguido pelos dois. O magrelo

se acomoda num banquinho enquanto o atarracado inspeciona a louça no escorredor.

Dava pra lavar melhor isso aqui, hein? Aponta uma crosta ressecada na borda do prato.

A luz aqui queimou e estou usando só essa luminária. Às vezes passa batida alguma sujeirinha.

Os dois riem.

Pompeu lava a cafeteira com esmero.

Eu nem sei seus nomes.

Engraçado, lemos nos autos que você tem dificuldade para guardar nomes. Por que quer saber? Pra esquecer?

Uma vez o Pereio me disse...

Palhaço! O atarracado interrompe bruscamente. Aquele é outro palhaço.

Carlton & Kleiton. Diz o magrelo.

E quem é quem?

Os dois riem alto.

Ele está brincando. Diz o magrelo.

Carlton e Kleiton são personagens de uma história em quadrinhos. Explica o atarracado.

Tudo bem, então para mim você continuará a ser o magrelo e você o atarracado.

Magrelo é o seu cu, palhaço. O atarracado, realmente irritado.

Não, você é o atarracado. Esclarece Pompeu.

Ah, bom! O atarracado, mais conformado.

Olha, Pompeu, a gente não quer dar spoiler nem nada, mas já vimos esse filme antes e conhecemos bem o final. Então nós viemos te fazer uma proposta.

Que proposta?

Calma, garoto. Alerta o magrela.

Vocês tomam com açúcar?

Claro.

Pompeu serve o café.

Nós vamos dar uma volta e aí te fazemos a proposta.

Olha, eu ando tão quebrado. Antecipa Pompeu.

Que isso, meu irmão? Tá insinuando que estamos te pedindo propina? O atarracado fingindo indignação.

Não foi isso que quis dizer.

Cuidado, Pompeu. Suborno é coisa séria. O magrela.

Desculpa. Pompeu se junta à mesa.

Os três acendem os cigarros.

"Coitada da velha corcunda." Cantarola o Magrela.

VIII

Mauro limpa a baba espumosa nos cantos da boca.

Por que está com essa cara feia? Pega um copo aí e vamos resolver logo isso. Mosca.

Eu não vou beber.

Lá vai você fingir que não é alcoólatra.

Vai começar tudo de novo.

É você que sempre vem com a mesma ladainha e sempre acaba bebendo.

Não é disso que estou falando. Eles vieram me procurar. Não terminou.

Eles quem?

Bernardo e Bianca.

Quem?

Os dois da inquisição.

Os que te deram uns tapas?

Esses mesmos.

Bianca? Não eram dois homens? Veja, não estou sendo sexista. Sei muito bem que se pode apanhar feio de mulher.

Gargalhada com chuva de perdigotos e sangue. E apanhar gostoso também. Chuva e engasgo.

Também achei estranho um homem com esse nome, mas esse é seu nome. Pompeu, pensando alto.

Bernardo e Bianca não é um desenho animado?

Também achei curioso. Mas a vida é assim mesmo. Irônica.

Que seja. O que eles querem? Por que está dizendo que não acabou?

Porque não acabou. Eu errei na minha defesa. O julgamento será anulado. Vai começar tudo de novo.

Não é possível, Pompeu. Eu estive na cerimônia. Você discursou. Está encerrado. Não é possível.

Eu errei e você sabe... de nada vale desconhecer a lei.

Não acredito, Pompeu.

Pode acreditar.

Pega logo um copo aí. Vou pedir gelo.

Tá bom. É melhor encher a cara mesmo.

Assim que se fala, garoto! O que você quer almoçar? Milanesa de novo?

Imagina, Mauro, não vou dar trabalho.

Eu vou continuar aqui sentadinho. Pra mim não é trabalho nenhum. E podemos fazer aquele esquema. Tarde musical e um filminho à noite. Que tal?

Eu não sei. Detesto ser inconveniente. Pompeu diz enquanto apanha o copo no oratório.

Deixa de ser bobo.

Pompeu completa o copo de Mauro antes de se servir.

Traga gelo e avise a Diva que hoje vai ser bife à milanesa e salada de batata. Peça para que ela prepare o quarto de hóspedes. Mauro, no interfone.

Sério, não queria dar trabalho.

Senta. Me dá aflição você aí de pé, zanzando.

Pompeu senta. Seu olhar é distante. Sua aparência, abatida.

Mas o que eles disseram?

Eles querem que eu dê alguém.

Sério?

Pompeu faz sim com a cabeça. A boca cheia de uísque. Não conseguiu esperar pelo gelo. Deixa o uísque agir sobre as feridas que as pedras fizeram.

Engole.

E o que você vai fazer? Vai dar alguém?

Não. Acho que não. É que eles disseram que poderiam facilitar se eu entregasse alguém.

Eles estão jogando com você. Só pode ser.

É possível. Eu acho que não consigo passar por tudo isso de novo.

Pompeu, estou achando que eles estão te sacaneando pra conseguir alguém. Só pode ser isso. Você foi absolvido. Eu estava lá.

Eu pensei em dar minha mãe.

Espero que esteja brincando. Não posso acreditar que você daria alguém. Quanto mais sua mãe.

Não estou brincando, Mauro. Não estou brincando.

Jamais imaginei que pudesse ser um alcagueta. Não quero nem pensar numa coisa dessas.

Foi inevitável.

O que foi inevitável?

Pensar em alguém. Juro que não vou aguentar passar por tudo de novo. E eles disseram que isso facilitaria o meu lado.

Mauro se levanta. O homenzinho bate. Mauro vai até a porta e abre. Apanha o balde de gelo e faz sinal para que ele vá embora. Coloca o balde sobre a mesa de ébano. Dá as costas a Pompeu e caminha até a janela.

Você seria mesmo capaz de fazer isso? Antes que responda,

preciso dizer que não poderia trabalhar com alguém que fizesse tal coisa. E não me refiro apenas a sua mãe. Não conseguiria conviver com um entreguista. Mauro fala profundamente desapontado.

Eu namorei uma mulher que morava num pequeno prédio. Eu tinha as chaves de seu apartamento, acredita? No apartamento havia uma varanda. Quando eu chegava, ela fazia café e nos sentávamos nessa varanda. Enquanto eu tomava meu café e olhava a paisagem. A varanda dava para um lugar que não tinha nada a ver com o meu mundo. Quando estava lá, bebendo meu café e fumando em silêncio a seu lado, eu esquecia de tudo. Aquele lugar era o Letes pra mim.

Mauro volta a sentar com a cara fechada.

É muito engraçado tudo isso, Mauro. Você que se diz e se faz tão amoral, libertário e libertino, vir me julgar. Pompeu completa os copos. Olha isso aqui. Baixa o lábio inferior mostrando a ferida similar. Eu assisti a uma peça certa vez... *A hora errada*, uma ficção semifuturista num futuro distópico. A velha história. O protagonista, um personagem sem escolha, acaba aceitando um trabalho. Com o tempo ele percebe que o tal trabalho é na verdade arrebanhar pessoas para serem executadas. Como disse, ele não tinha escolha. Ou as botava na fila ou entrava nela. De qualquer forma, muito perturbado ao se dar conta de seu ofício, um dia encontra um mendigo, que na verdade, apesar do clichê, é a espécie de um mentor, um sábio, e então lhe diz que tinha esperança de que a natureza cuidasse de tudo. Já falei tantas vezes disso. Tantas vezes. Essa peça foi para mim a tentativa de entender meu pai. Acho que já lhe disse que meu pai foi um torturador. Não importa. O que importa é que, quando o personagem encontra o mendigo, esse mentor, desabafa ao entender seu real ofício. Diz que imaginava que a natureza cuidaria de tudo. Que entendia que o mundo estava desequilibrado. Que não havia jeito de seguirmos assim, mas que imaginava que a natureza cuidaria de tudo. Através de um tsunâmi, de alguma gripe, terremoto ou fosse o que fosse. Então, o tal mendigo lhe diz: "Esse é o seu erro. Se separar da natureza. Você é a natureza e a natureza está cuidando de tudo".[107] Pompeu vira o copo pra dentro e repõe as doses.

Entendi.

É isso. É só isso. A natureza, ao contrário do que muitos pensam, não é serena. A natureza[108] é cruel. Ou você come ou é comido. Não tem meio-termo.

107
"É interessante observar que não há hesitação em interferir no curso da natureza, quando desejamos eliminar ou prevenir a superpopulação de ratos, insetos e outras pestes; mas quando se trata da eliminação da peste humana, imensuravelmente mais perigosa, nós aderimos cegamente à doutrina dogmática inconsciente de que o homem tem todo o direito de controlar a natureza, exceto a si mesmo." "Dangerous Human Pests" (Perigosas pestes humanas), artigo de John C. Duvall, citado por Edwin Black, em *A guerra contra os fracos*, tradução: Tuca Magalhães.

108
Benedictus Spinoza, Baruch Espinosa, segundo Atilano Domínguez, em seu *Spinoza: correspondencia* (Alianza Editorial), "a forma autêntica portuguesa seria Espinhosa". Manteremos o tradicional "Espinosa". Nascido numa comunidade judaica portuguesa em Amsterdam, seria depois excomungado por seu povo em virtude de sua filosofia ao publicar seu *Tratado teológico-político*. O que me toca em Espinosa é justamente sua visão de Deus. Vou começar deixando que ele mesmo nos explique, como fez em carta a Henry Oldenburg entre agosto e setembro de 1661 (Oldenburg, doutor em teologia,

é autor da tese *De ministerio ecclesiastico et magistratu politico*, 1639): "Começarei, pois, referindo-me brevemente a Deus. O defino como um ser, que consta de infinitos atributos, cada um dos quais é infinito ou sumamente perfeito em seu gênero. Há que assinalar que eu entendo por atributo tudo aquilo que se concebe por si e em si, de sorte que seu conceito não implica o conceito de outra coisa. Assim, por exemplo, a extensão se concebe em si e por si; o movimento, contudo, não, posto que se concebe em outro e seu conceito inclui a extensão. Que esta seja a verdadeira definição de Deus, isso consiste no fato de que entendemos por Deus um ser sumamente perfeito e absolutamente infinito. Que tal ser exista, se demonstra a partir dessa definição" (em livre tradução). Ou ainda: *Deus, sive Natura*, "Deus, a identidade absoluta entre a Substância e este mundo, ou seja, entre Deus e a Natureza". Nas palavras de Denis Huisman. Todas as aspas que usarei a seguir são de sua autoria em *Dicionário dos filósofos*, tradução: Cláudia Berliner, Eduardo Brandão, Ivone Castilho Benedetti e Maria Ermantina Galvão. "Por isso Espinosa pode afirmar que a perfeição nada mais é senão a própria realidade, e não um ideal transcendente e, por conseguinte, inacessível. Contudo, uma ética supõe a possibilidade de escolher entre diversas vias de ação: este fato não é eludido pelo espinosismo. É aqui que se opõem e se compreendem os conceitos de 'servidão' e de 'liberdade'. Pois a realização do Desejo que conduz realmente a si mesmo, ou seja, à alegria ativa e à beatitude, não é o resultado imediato da espontaneidade e do 'determinismo' do *conatus*; este, ao contrário, é espontaneamente conduzido por vias conflituosas e passionais que, como 'afetos passivos', constituem não a alegria livre mas a servidão passional [...] É ela que, em última instância, desvia o desejo para vias não perversas ou imorais (estes conceitos não têm sentido no espinosismo) mas contraditórias porque alienantes e escravizantes." Vou parar por aqui dada a extensão, mas aprofundarei o conceito em outra nota quando cruzarei Burroughs e Jung.

Tá bom. Agora conta a história do palhacinho, conta?
Sério?
Nunca falei tão sério em toda a minha vida.
De novo essa história?
É tão incrível essa história.
Que seja. Pompeu joga as mãos para o alto. Mas antes vou te mandar uma da gótica.
Opa! Mauro esfrega as mãozinhas.
Em abril de 1986, quando ela terminou comigo por telefone, eu estava dormindo na casa de um amigo e ela ligou lá. E eu a escutei. Me entende? O maior amor da minha vida terminando comigo, me destruindo, e eu ali... ouvindo. No telefone. Na casa de um amigo. Seja como for, foi isso. Eu a ouvi. Ela fez uma lista dos dez motivos pelos quais estava terminando comigo. E eu ouvi, item por item. Atentamente. Posso te servir, digo, nos servir, mais uma dose?
Por favor.
Pompeu completa os copos até a bebida quase transbordá-los. É isso, eu a ouvi com toda a minha atenção. Com toda a porra da minha atenção. E, por sentir todo o amor que sentia, fiz o gesto mais nobre de toda a minha vida. Sabe qual foi?
Me diz?
Aceitei.

Pompeu bebe como se fosse o Letes. Está me ouvindo?
Naturalmente.
É isso, é isso. Desculpa, bebi muito rápido. Não vou negar que estou um pouco bêbado.
A ideia é essa, não é?
É! É, caralho! É! É pra isso que bebemos. Caralho!
E então você aceitou.
Eu aceitei. Aceitei que a mulher que mais amei em minha

vida já não me amasse. Eu aceitei. Eu aceitei. E sabe por que eu aceitei isso?

Nos diga.

Porque eu a amava de um jeito que jamais amaria ninguém.

A vida é maravilhosa, não é?

E sabe o que faço desde então?

Nos diga, por favor.

Sabe o que venho fazendo desde abril de 1986?

Fala pra gente, fala.

Venho procurando aceitar isso.

Mauro aplaude. Maravilhosa! Caralho, a vida é maravilhosa!

Pompeu repõe os copos.

E sabe por que eu faço isso? Digo, caralho, sabe por que eu venho fazendo isso, há quantos anos mesmo? Nem sei calcular...

Trinta e cinco anos! Trinta e cinco anos! Mauro, eufórico.

É isso! É isso. Trinta e cinco anos.

Há trinta e cinco anos venho procurando aceitar esse desamor de quem mais amei nessa vida. Na porra dessa vida, ou como diria você, meu amigo, na porra dessa maravilhosa vida!

Essa mulher é o seu membro-fantasma. Mauro aplaude.

Mas onde eu estava mesmo?

No palhacinho. Na maravilhosa história do palhacinho. Aplaudindo.

É isso, é isso. Então vamos ao palhacinho. A porra do palhacinho.

IX

Pompeu para em frente ao prédio.
Olha para a janela do segundo andar.

As luzes estão acesas.

Pompeu bebe uísque numa garrafa de bolso.

Sente uma presença.

Um homenzinho muito pequeno está parado bem próximo a ele.

O senhor me assustou.

O homenzinho não diz nada.

Pompeu está encostado num poste observando o prédio do outro lado da rua.

Por que você sempre volta? Pergunta o homenzinho.

Eu sou assim. Por alguma razão, ou como melhor diriam os de língua hispânica, *sinrazón*, sempre volto. *Sinrazón*, muito mais preciso, não?

Não foi um tal Jacob quem matou o rei Gustavo II num baile de máscaras?[109]

"*Si yo no muero, vingança tomaré de aquellos alevosos.*"[110]

No fundo você sabe por que volta.

É isso. Volto sem nenhuma razão. Acho que gosto de ficar sofrendo. Me machucando. Corroendo.

Você sabe que dia é hoje?

Claro que eu sei. Faz exatamente um ano. Um ano que o

109

Juan Jacobo Anckarstrœm assassinou, em março de 1792, o rei da Suécia.

110

"Se eu não morrer, me vingarei daqueles traidores." Alfonso Francisco de Asís Fernando Pío Juan María de la Concepción Gregorio Pelayo, El Pacificador. Fuero Real (1255), Opúsc. legales.

que era belo se corrompeu.[111] O que era leve se tornou escuro e pesado.

"[2]†Abraão ergueu os olhos e viu três homens de pé em frente dele."[112] Cita o homenzinho.

Eu fico revivendo isso. Posso ver. Assisto minha dor.
Você é um hospedeiro. Sabe disso, não?
"Hospedar da *bicicreta*"... conhece?
O quê?
Essa velha piada. Tio Moacyr me contou.
Não, mas conheço essa, da *Terra devastada*, do Eliot:

... Quem é o terceiro que caminha sempre a teu lado?
Quando conto, há apenas eu e tu, juntos
Mas quando olho adiante na alva via
Há sempre outro caminhando a teu lado
Pairando envolto em manto pardo, encapuzado
Não sei se homem ou mulher
Mas quem é, ali logo ao teu lado?

111

"Vi claramente que todas as coisas que se corrompem são boas: não se poderiam corromper se fossem sumamente boas, nem se poderiam corromper se não fossem boas. Com efeito, se fossem absolutamente boas, seriam incorruptíveis, e se não tivessem nenhum bem, nada haveria nelas que se corrompesse." Santo Agostinho, *Confissões* VII, "12. O problema do mal. A perfeição das criaturas", tradução: J. Oliveira Santos, S.J., e A. Ambrósio de Pina, S.J.

112

Bíblia Sagrada, nova edição papal (Lisboa, 1974). Traduzida pelos Missionários Capuchinhos. Gênesis 18: Três visitas misteriosas.

X

Nos anos 1970 o Teta me deu um casaco de presente. Mauro aplaude. Pompeu aplaude. Sério mesmo? Sério que quer ouvir essa história de novo? Vai logo, Pompeu, não enrola.

O Teta era um dos meninos ricos que moravam nas mansões perto de casa. Ele e sua família eram muito generosos comigo. E vira e mexe ele me dava alguma das suas roupas velhas. Que injusto dizer isso. Não posso colocar dessa forma, as roupas não eram velhas. Eram usadas. Eram roupas usadas. Esse casaco era um casaco impermeável do exército argentino. Ele comprou o tal casaco numa de suas viagens.

Mauro escuta com as duas mãos no queixo. O olhar de criança. Um sorriso de orelha a orelha.

O casaco era incrível mesmo. Completamente impermeável. Tinha muitos bolsos, grandes bolsos. Era verde-oliva. Muito bem, eu usei esse casaco a vida toda. Nos anos 1990 comecei a namorar com a minha mulher. Minha ex-mulher, sei lá. Não sei definir. Não existe ex-irmão nem nada parecido. Mas vamos lá. Ela é de origem humilde, você sabe. Morava no extremo da periferia. Na Zona Leste. Para ir estudar e trabalhar, tinha que sair muito cedo de casa. Madrugar mesmo. E houve uma época em que estava fazendo muito frio. Ela saía de casa antes de amanhecer. Tinha a garoa, essas coisas. Por isso dei a ela o casaco. Para que pudesse se proteger das intempéries.[113] É bonita essa palavra, não é? Intempéries. A gente

---

113

"Intempérie: 1 qualquer extremo das condições climáticas (vento

podia olhar no dicionário depois quando formos à biblioteca. Tô com essa mania agora. Fico procurando no dicionário palavras que já conheço. Conheço o significado e sempre me surpreendo com as definições. Me entende? Mesmo sabendo o que é. Dá pra entender?

Encha nossos copos. Mauro, em êxtase.

Pompeu, com o indicador em riste, outro termo que acha curioso, prossegue. Bem lembrado, muito bem lembrado. Não podemos deixar o nível cair. Começa a rir. O nível do nosso copo. Acesso de riso. Pompeu completa os copos e volta à sua poltrona. Onde estávamos mesmo?

Você deu o casaco à Lucimar.

É isso, é isso. Eu lhe dei o casaco. Era um casaco muito, muito bom. E ela não tinha casaco. Não tinha um casaco quente e impermeável para sair de casa tão cedo e enfrentar as intempéries. E o casaco estava em perfeito estado. Se ganhei em, vamos dizer, 1978 e estávamos em 1991, o casaco estava comigo há...

Treze anos.

Isso. Treze anos. Muito bem. A Lucimar fazia faculdade e pegava alguns trabalhos além de dar aulas de educação artística. Pra reforçar a renda, como dizem por aí, ela acabou pegando um trabalho nos fins de semana. Trabalhava com animação de festas infantis. Era uma das apresentadoras e manipulava uns fantoches num grupo que chamava Teatro Sorrisonho, se não me falha a memória.

---

forte temporal, seca, calor tórrido, nevasca etc.) 1.1 mau tempo, tempestade ⟨*não há intempérie que o segure em casa*⟩ 2 acontecimento infeliz; desgraça, catástrofe, infortúnio." *Dicionário Houaiss.*

O palhacinho, o palhacinho! Mauro aplaude.

Pois bem. Eu vivia com os meus pais e ela com a mãe e as irmãs. Eu lutava por fazer minhas histórias em quadrinhos. Vez ou outra conseguia vender alguma história para alguma revista. Ou seja, estava sempre quebrado. Num dado momento o motorista do grupo, pois elas tinham que ir de carro, precisavam carregar a grande estrutura de madeira, que era o teatro em si, além das caixas de som, equipamento técnico, os fantoches, figurino, a parafernália toda. Então o tal motorista acabou arrumando um emprego melhor e o grupo ficou sem motorista. Aí a Lucimar perguntou se eu não queria pegar o emprego. E eu topei.

Mauro aplaude.

O trabalho era relativamente simples. Eu passava na casa da dona do teatro, Lígia, uma pessoa encantadora. Carregava o carro com todo o equipamento. Dirigia até o local, descarregava e montava tudo. Depois voltava para o carro e esperava o show acabar. Então, enquanto as meninas se trocavam, eram três garotas, Lucimar, Ana Claudia, a Gabriela, e mais um rapaz, o Nilton. Eu desmontava tudo e levava para o carro. O mais difícil do meu trabalho era conseguir uma boa vaga perto da festa que iríamos fazer. Isso facilitava muito toda a operação. Ganhava cinquenta reais por festinha. Algumas vezes fazíamos duas seguidas. O músico Carlos Careqa trabalhou nesse grupo também. Ele manipulava alguns fantoches. E foi isso. Depois de um tempo o Nilton acabou pegando alguma peça de teatro e deixou o grupo. Então precisavam de alguém para manipular o Papai Dálmata e mais alguns personagens e a Lígia me convidou. Eu era extremamente tímido, quase antissocial, eu diria. Mas ganharia em dobro. A Lígia fez uns testes comigo e eu acabei passando. Para isso eu precisava, além de fazer a parte que já fazia, dar vida a alguns dos bonecos. Não lembro se, quando era apenas motorista, precisava usar o figurino. Acredito que sim. Juro que não lembro. Isso foi em 1991 ou 1992.

Fala do figurino, fala do figurino.

Camisa branca de manga curta, calça preta com suspensório verde, sapato preto, gravata-borboleta e chapéu-coco.

Mauro aplaude, gargalha e cospe feito um animal.

Naturalmente ficou muito mais puxado e corrido dar conta de todos os meus afazeres. Por isso eu já ia vestido. Numa das festas no meio do corredor por onde eu tinha que passar várias vezes descarregando o equipamento todo, tinha uns três senhores, um devia ser o avô, enchendo o cu de uísque. E, cada vez que passava por eles sobrecarregado, eles diziam: "Olha o palhacinho". Eu quase perdi o controle. Juro, de verdade. Quase fiz uma grande cagada.

Mauro aplaude. Agora a cereja do bolo, vai. Conta!

Muito bem. Numa das festas, um dia frio e chuvoso, enquanto descarregava o carro, avisto meu velho amigo Teta. Acredite ou não, sua mulher havia contratado o teatrinho. Não o via há quase uma década. Desde que comecei a namorar a gótica acabei me afastando. E, como disse, éramos de classes sociais bem distintas. Isso na juventude não fazia muita diferença. Mas, quando ele começou a se tornar e a se achar bacana, enquanto eu só arrumava subempregos, fomos nos distanciando. Seja como for, fiquei tão feliz ao vê-lo que larguei as coisas e fui abraçá-lo. Nem me dei conta do figurino nem nada. E ele se armou em pose de defesa e me manteve à distância, como se dissesse: Que que é isso? Ponha-se no seu lugar. Eu fiquei completamente desconcertado.

Mas ele te reconheceu?

Claro. Você sabe que a história não acaba aí.

Conta, conta, conta.

Muito bem, montei tudo, me mantive em meu devido lugar, fizemos o show e, ao terminarmos, comecei com a correria de desarmar e levar tudo para o carro. Estava chovendo. O Teta deve ter bebido demais e é daquele tipo bêbado afetuoso. Constrangido e arrependido, ele se aproximou de mim. Me deu uns tapas nos ombros e perguntou como eu estava. Nisso a Lucimar se aproximou. Ela vestia o casaco. E, para tentar reparar as coisas, ele começou a encher os bolsos do casaco com brigadeiros, beijinhos e bichos de pé. O casaco que ele havia me dado há tantos anos e que a minha garota vestia.

Mauro chora e aplaude. Maravilhosa, caralho! Maravilhosa, porra!

Eu me senti tão profundamente humilhado que, quando devolvi o carro e guardei as coisas em seu devido lugar, a Lígia percebeu meu constrangimento e me perguntou se estava tudo bem. Eu disse que sim. Disse apenas que havia encontrado um querido amigo que não via há muito. Que a festa era de seu filho ou enteado. Passados uns dias a Lígia me ligou pedindo o telefone do meu amigo. Eu disse que não tinha. Que não o via há mais de uma década. E ela insistiu. Perguntou se não tinha como eu conseguir o telefone. Eu disse que não. Ela disse que o seu cheque tinha voltado.

XI

Eu não costumo lembrar dos meus sonhos. Tomei remédios ansiolíticos e antidepressivos por vinte e oito anos e isso inibia a lembrança. Mesmo quando troquei os remédios pelo álcool, não recuperei a memória do que sonhava. Eventualmente quando recordo, trata-se de situações muito corriqueiras. Cotidianas. De modo que, quando acordo, fico em dúvida se sonhei ou se vivi aquilo. Para ilustrar, certa noite sonhei que estava cuidando do meu isqueiro Zippo e a pedra caía no chão. Passei muito tempo procurando a pedra. Andando de gatinhas. Mas em 2013 sonhei algo muito marcante. Isso aconteceu algumas vezes em minha vida. Uma espécie de revelação. Um oráculo. No sonho, alguém que não me era dado ver, podia apenas ouvir uma voz masculina, me explicava que o ser não se divide em corpo e alma. E sim em quatro partes. Que seriam: corpo, alma, mente e nebulosa. A mente seria a ligação entre o corpo e a alma. A conexão entre essas duas partes. E a nebulosa[114] seria a mente escura. Composta da alma negra, das sombras desse ser, e do Antigo. Ao ouvir isso, eu me levantava e me dirigia a uma lousa. Vestia apenas camiseta e cueca. No quadro-negro escrevia uma série de números aparentemente sem sentido: 1202221620. Anotei esses números assim que acordei. Também me chamou a atenção lembrar que minha cueca era estampada com inúmeros hieróglifos. Em meados dos anos 1990 comecei um projeto justamente por sentir falta de imagens oníricas. Esse projeto era escrever um sonho por dia. Dei o nome de Sonhos Inventados, nada mais óbvio. Eu os anotava em meus cadernos. O projeto não durou muito. Logo o abandonei. De qualquer forma, esse exercício aparentemente simples resultou num

---

114

"E ele não estava errado quando dividia a alma de Ka, Khu e Bha. Khu e Bha = a fama, boa ou má, do homem. Mas Ka é a sombra da alma, seu sósia, enviado para junto daquelas pessoas, com que sonha o senhor roncador. Para ele não há barreiras no tempo; Ka vai de sonho em sonho, atravessa o tempo e alcança os bronzes (os bronzes do tempo)." Velimir Khlébnikov, *Ka*, tradução: Aurora Fornoni Bernardini. Depois desse sonho, ganhei esse livro de minha amiga Elisa Band.

sonho inventado de que gosto muito. Gosto tanto que o descrevo em três ou quatro histórias que escrevi. Ou seja, fiz três ou quatro personagens sonharem tal sonho. E aqui o repito pela quarta ou quinta vez. O mais interessante para mim é que não lembro em quais livros narrei esse pseudossonho. Não lembro quais personagens fiz sonhá-lo. Só lembro a primeira vez que usei numa história em quadrinhos intitulada *Resignação*. Esse sonho foi escrito muitos anos antes desse sonho realmente sonhado em que estou com a cueca cheia de hieróglifos. Sempre digo que o maior objetivo em meu trabalho, além do fato de ser o meu tratamento, é me tornar instrumento. Eu me esforço para ser apenas um instrumento do meu trabalho. Um canal onde algo ancestral se misture com esse meu ser quadripartido e se faça linguagem. Alegoria.

Outro sonho que sonhei quando jovem me marcou bastante. Eu morria numa floresta. Uma floresta sombria. Ainda que o vale seja outro, a sombra é a mesma. Chovia. Minhas roupas estavam molhadas. O chão era lama pura. Eu estava cansado. Exausto. Então me deitava no chão e começava a afundar. Afundava na lama e sabia que estava morrendo. Quase tive uma polução. Era tão gostoso morrer. Tão gostoso.

Sonhei também que estava no interior de uma pirâmide e descobria que meu pai era o imperador. Sonhei que voava. Sonhei que escrevia a palavra "mancha". Tive mais dois sonhos muito simbólicos e, de certa forma, espelhados, que pude lembrar. São difíceis de descrever. Difíceis de descrever de qualquer maneira. Até mesmo através de desenhos. Um deles cheguei a esboçar, mas não me pareceu ajudar muito. O primeiro sonhei ainda menino. Nós fugíamos. Meu pai, minha irmã e eu. Tinha algo acontecendo. A impressão que me dava era a de algo semelhante a um golpe militar. O trânsito estava terrível. Naquela época o trânsito não era nem de longe o que é hoje. Por isso, por esse engarrafamento, ficávamos presos no cruzamento da Vergueiro com a Carlos Petit. Muito próximo à caixa-d'água da Vila Mariana. A mesma caixa-d'água que descrevo em *O Grifo de Abdera*. Hoje, no cruzamento da Sondra Porfírio com Sondra Porfírio. Então, presos ali, meu pai nos chama a atenção para olharmos para o céu. Estava encoberto, mas, quando as nuvens se abriam, podíamos ver o céu. E o céu era como se fosse um teto. Distante, mas um teto. E nele se faziam e se transformavam formas caleidoscópicas. Hoje imagino que isso tinha a ver com as auras de enxaqueca que desenvolveria muitos anos depois. Quando olhei mais atentamente, pude perceber que esses padrões eram formados por carruagens puxadas por vários cavalos. Como as carroças com as quais brincava no meu Forte Apache. Não sei se consigo me fazer entender. Principalmente porque era um espetáculo de raríssima beleza. No outro sonho que digo que de algum modo se espelha nesse, eu também desvendava outro mundo, só que debaixo da terra. Eu estava na praia brincando na areia branca. Cavava, quando de repente bati em algo muito resistente. Comecei a puxar a areia com as mãos e percebi que era um grosso vidro. Conforme retirava a areia, podia ver outro mundo lá embaixo. Na mesma distância, ou numa distância aproximada, em que via as carroças no teto do céu. Surpreendido por essa descoberta, passei um tempo observando as pessoas lá embaixo. Elas simplesmente caminhavam. Não formavam figuras ou desenhos. Andavam alheias a mim e a meu mundo. Da forma como vemos as pessoas andarem no mundo real.

Durante seis meses, todas as noites, sonhei que ela voltava para mim. Ela, a gótica. E sempre que eu ia beijá-la, nesse exato momento, eu acordava.[115]

115
Este subcapítulo fui eu que narrei.

XII

"Fique com a gente."
Eu preciso dormir.
"Você não pode dormir, fique com a gente."
Só um pouco, só preciso dormir um pouco.

XIII

Eu estava em meio a uma pequena multidão assistindo a uma procissão. Era uma pequena comitiva que desfilava desanimada. "É a minha vida. É o desfile da minha vida." Quando me dei conta do que era aquilo, falei para um homem que assistia à parada a meu lado. Ele tentou ser engraçado e disse: "Sua vida é uma parada".

Liderava o cortejo um homem que aparentava sessenta e poucos anos, vestindo um terno desalinhado. Ele conversava com um jovem que vinha logo atrás dele. O jovem devia ter cerca de trinta anos. Ele mancava e usava um cachecol. Atrás do jovem uma mulher que mais parecia um homem travestido cantarolava uma canção. Ela aparentava pouco mais de cinquenta anos. Tentei prestar atenção na letra do que ela cantarolava e pude entender que alguém, um homem de nome Francisco, ao perceber o incêndio no quartel, alertou os soldados. Ela usava um pedaço de carne sobre a cabeça como se fosse um chapéu. Uma mulher alta com um corpo muito sensual, trajando um collant prateado cavado e botas brancas que iam quase até os joelhos, a seguia. Parecia ser uma mulher jovem. Não dava para ter certeza, pois seu rosto estava coberto por um pano que terminava com uma ponta em cima. Muito semelhante aos usados pelos membros da Ku Klux Klan. Ela era seguida por um homem encorpado e fora de forma. Ele estava sem camisa. Vestia uma capa sobre os ombros e puxava um andor sobre rodas. Como se fosse um pequeno carro alegórico. O carro trazia um enorme peixe que, ao ser puxado, movia a cauda e abria e fechava a boca. Aquele que o puxava também movia a boca enquanto o arrastava. Como se falasse sozinho. Dois cachorros que metiam ficaram engatados e não conseguiam se soltar. Um deles me olhou com uma expressão entre o tédio e o embaraço. Achei que a procissão tivesse terminado, mas então me dei conta de que vinham mais pessoas que pareciam ter perdido o compasso do desfile e se atrasaram. O que tentava alcançar o grupo apressado vestia uma máscara malfeita que tentava representar o meu rosto. O seguia um homem coroado, vestindo o que parecia ser um pijama muito antigo e carregando um livro nas mãos. Me esforcei para ler o título do livro, mas só consegui decifrar a palavra "ponte". Vinha mais alguém atrás. Mais atrasado ainda. Não sei se atrás desse ainda vinham outros. Não lembro se tinha algum compromisso ou se me cansei de assistir ao desfile. Isso foi tudo o que vi.

XIV

Quem é?
Sou eu, mãe.
Júnior?
Oi, mãe.
Entra. Não fica aí fora. Aqui anda tão perigoso.
Pompeu entra.
Tá tudo bem com a Lu?
Tudo.
E as crianças?
Eu as vejo às vezes.

Tá precisando de alguma coisa?

Não, muito pelo contrário. Eu vim te agradecer.

Agradecer o quê?

Por você ter pagado a minha dívida no tribunal. E por ter pagado o meu *Livro dos mortos*.

Ah, imagina. É tão estranho você vir sem ser uma ocasião especial. Geralmente você só vem no Natal ou no Dia das Mães.

Eu devia ter avisado.

Veio de Uber?

Não. Vim andando.

Da sua casa?

É.

Tá louco? Andou pra burro. Quanto tempo levou pra vir?

Não muito. Eu precisava andar.

Mas quanto tempo levou?

Cinquenta e sete anos.

Ela ri.

Quer um café?

Quero.

Sondra começa a servir a mesa. Queijo, manteiga, damasco.

Não precisa pôr a mesa, mãe. Eu não como nada de manhã.

Esse cottage está uma delícia. Fresquinho.

Júnior senta à pequena mesa e se lembra de algo que anotou num antigo caderno em janeiro de 2013. A lembrança vem feito um déjà-vu. Ele estava bêbado na cozinha de uma antiga casa onde morou. De tão entorpecido, acabava deitando a cabeça no tampo da mesa. Havia uma pequena toalha de pano com um pato sorridente estampado. Júnior estava descalço. Podia sentir o piso frio. Seus pés estavam inchados de tanto beber. Então, enquanto ele observava o inchaço dos pés, se deu conta de que seu corpo não projetava sombra. Sombra alguma. Por isso anotou em seu caderno:

Quando você volta a um lugar que já não existe, não há sombra em seus pés.

Eu vou operar amanhã.
Eu sei, mãe. Por isso vim. Vou com você amanhã. Pensei em dormir aqui e te acompanhar.
Como você soube? Tua irmã te contou?
Contou. Ela me ligou ontem.
Eles vão me tirar o seio.
Eu sei. Ela me falou.
Sondra passa manteiga numa torrada.
Se você tivesse avisado, eu teria feito os croquetes de carne.
Imagina, mãe, não queria dar trabalho. A gente come o que tiver. Eu queria essa receita do croquete.
Eu te passo.
Sondra serve o café.
Júnior pega um damasco.
Dizem que as amazonas, que eram excelentes arqueiras, amputavam um seio para ter mais precisão com seus arcos.
Que horror.
Você lembra quando nos mudamos pra cá, mãe?
Claro.
Foi em 1986. Afirma Pompeu.
Não. Espera, deixa eu pensar.
Foi tão bom, não foi? Apesar de ser na mesma rua, é uma casa tão melhor. Três quartos. Um pouco mais longe da favela. A Kuka pôde ter finalmente seu próprio quarto.
É, e depois você me tomou o quartinho.
É verdade. Júnior ri. Era muito difícil dividir o quarto com meu irmão.

Você tem bebido muito?

Não, não. Mas eu estava falando de quando nos mudamos para cá. Você lembra do eclipse?

Que eclipse?

Logo que nos mudamos, teve um eclipse lunar. Papai arrumou um telescópio e assistimos da laje. Todos juntos. Estávamos bem. Em paz.

Não lembro disso. Foi aqui?

Foi. Logo que nos mudamos. Em 1986.[116]

Você lembra de cada coisa…

É que eu, como todas as crianças da minha geração, queria ser astronauta.

Júnior, você não é mais uma criança.

Você não me entendeu, mãe. O que eu quero dizer é que eu sempre quis ir para a Lua.

Bom, nisso eu acredito. Agora, astronauta já não sei. Precisa trabalhar muito para ser astronauta e você jamais gostou de trabalhar.

Júnior baixa a cabeça e ri. Todos nós estivemos na Lua aquela noite, mãe. O eclipse era a sombra da Terra projetada na Lua. Era a nossa sombra.

Sondra ri como se Júnior tivesse contado uma piada.

Uma vez, eram cinco horas da manhã, eu estava desenhando na sala. Você lembra quando passei a dormir no chão da sala? Isso antes de me apoderar do quarto de empregada.

116

Se procurar na Wikipédia sobre o eclipse lunar de 24 de abril de 1986, verá que ele teve "magnitude umbral de 1,2022 e penumbral de 2,1620". E que durou sessenta e três minutos.

Não lembro.

Eu punha apenas um lençol no chão e me deitava. Nem travesseiro eu usava. Quando estava muito frio, me cobria. Só quando fazia muito frio. Antigamente fazia mais frio. Sabe por que eu fazia isso, mãe?

Não. Não me lembro disso.

Em penitência. Fiz isso durante um ano. Em penitência.

Ah! Júnior, você tem cada uma. Novamente reage como se o filho contasse uma piada.

Eu tenho muita dificuldade na transição.

Que transição?

Entre a vigília e o sono.

Eu não estou te entendendo. Não está fazendo muito sentido isso que está falando.

É. Eu sempre me perco. Estava falando que uma noite, quando me preparava para deitar e fui fechar a cortina, vi o carro da gótica passar. Eram cinco horas da manhã. Cinco em ponto. O carro era aquele Fiat marrom com o adesivo no vidro traseiro.

Meu Deus, filho! Você precisa se desapegar dessas coisas.

Durante meses, meses, às cinco horas da manhã eu parava ali na janela e ficava esperando o carro dela passar.

Ai, Júnior! Sondra ri muito.

A primeira vez, como eu disse, eu estava desenhando lá na mesa. E então fui fechar a cortina. Mas nunca mais aconteceu. Nunca mais a vi.

O olhar de Sondra se torna distante. A expressão, aflita.

Vai ficar tudo bem, mãe. Não se preocupe.

Vai, vai, sim.

Tenta ficar tranquila.

É que eu fiquei pensando uma coisa, sabe?

O que a senhora pensou?

"Fiquei com uma minhoca na cabeça", como dizia seu pai.

Conta para mim. Faz bem pôr pra fora.

Ah! Essa história das ruas com o meu nome...
Não só as ruas, mãe, as cidades e os estados também.
É... foi isso que me fez pensar.
O quê, mãe?
Eu achava que só dessem às ruas nomes de pessoas mortas.

XV

Pompeu acorda ouvindo uma música melancólica vinda da sala. Desperta de um sono pesado no qual inexistia. O som lembra uma caixinha de música. Toca baixo. A música é executada de forma instrumental, mas alguém com a voz de seu pai canta baixinho a letra. Ele ri ao reconhecê-la. Olha para o lado e percebe que está sozinho. Não lembra como voltou para casa. Sabe que bebeu muito ontem à noite. No bar do Valmir. Pompeu se levanta e vai ver se esqueceu a televisão ligada ou de onde pode vir a música àquela hora. Confere no rádio-relógio no criado-mudo que são três e trinta e quatro. "O baile da rua Aurora."

O baile da rua Aurora começa sempre à zero hora
Piroca dentro, piroca fora
Me dá a buceta que eu vou embora.
O baile é de família
Um come a mãe, o outro a filha...

Pompeu avista aquele que parece seu pai.
O homem do realejo.
Ele veste as roupas do avesso.
Gira a manivela do aparelho fazendo a melodia soar. Está sentado no sofá encardido. Executa e cantarola o concerto de olhos fechados. Há uma camada de pó, gordura e pelo de gato

que reveste tudo naquele cômodo. Absolutamente tudo. Cobre e reveste os incontáveis quadros nas paredes. A enorme pilha de LPs.

A coluna de livros que escapa da estante.
O boneco do palhaço em tamanho natural.
O cavalo branco de um velho carrossel.
O teto.

Piroca dentro, piroca fora
Me dá a buceta que eu vou embora.
Coitada da velha corcunda
Foi se agachar
Tomou na bunda

Pai?
O papagaio larga o damasco que comia na mesinha de centro e corre assustado para a gaveta da engenhoca.
Não sabia que o senhor sabia tocar o realejo.
"Sabia que o sabiá sabia assobiar?" Pergunta o papagaio.
Sabia. Pompeu responde.

Piroca dentro, piroca fora
Me dá a buceta que eu vou embora...

O papagaio faz coro. Então, apanha uma ficha na gaveta e entrega a Pompeu. Pompeu pega o cartão sem se dar conta.
É só girar a manivela, filho. Quer tocar um pouco? Já estou com dor nos braços.
Será que eu consigo?
Basta girar a manivela.
Pompeu senta ao lado do pai. Pega o realejo nas mãos e o firma entre as pernas. Passa a girar a manivela. "O baile da

rua Aurora começa sempre à zero hora." Estou conseguindo, estou conseguindo.

Meus braços e meu ombro já estavam doendo.

Tá melhor agora, pai?

Bem melhor.

O senhor entendeu o que eu fiz, não entendeu?

O que você fez?

A morfina, pai. A morfina.

Eu já te contei o momento mais bonito da minha vida?

Contou, pai. Contou.

Você lembra quando te ensinei como transformar um homem inocente em culpado?

Jamais esquecerei, pai. Jamais esquecerei. Sabe o que é engraçado?

Não, filho, eu não sei. Nunca me ensinaram.[117]

117

Após a morte de meu pai, precisei procurar alguns documentos em suas coisas. Num canto do guarda-roupa, escondidos no vão, encontrei dois envelopes pardos que me surpreenderam demais. No primeiro estavam todas, todas, as revistas em que publiquei alguma de minhas histórias em quadrinhos avulsas. No segundo envelope havia duas notas do *Diário Popular*, caderno Diário Esotérico, ambas assinadas por Andreia Modesto, que reproduzo a seguir. A primeira (sem data), um fragmento de 12 × 4 cm, diz: *"Nunca tive sorte na vida. Consegui realizar minhas conquistas com todo o sacrifício. Lourenço, nascido a 13 de janeiro de 1933, às 17h, em São Paulo — SP. Ascendente em Gêmeos, Sol em Capricórnio, Lua em Leão. É inteligente e teve uma vida dedicada ao trabalho. Cuide da saúde e desenvolva o seu lado espiritual. Desse modo você se equilibra e encontra um sentido para as suas*

Que o pseudojornalista que publicou essa história diz por aí que sou mitômano. Sabia disso? Diz por aí nas minhas costas que eu inventei tudo aquilo. Além dele ter romanceado bastante os fatos e viver recontando essa história sempre que tem uma chance, diz que eu a inventei.

Piroca dentro, piroca fora
Me dá a buceta que eu vou embora.

O que mais me intriga nessa história é que foi casual. Pareceu armada. Ao menos para mim parecia tudo arranjado. Mas foi o acaso que ajudou a construí-la. Não foi?
Eu te disse que andamos de mãos dadas? Te contei isso?
Contou, pai. No antigo Rio de Janeiro. Eu não sei qual era o nome dela. Como ela se chamava, pai?

---

experiências de vida. Capricórnio é um signo de livre-arbítrio e determinação. Lutou muito e conquistou tudo o que desejou por meio do próprio esforço". Transcrevo agora a segunda que mede 6 × 7 cm e está datada: terça-feira 10 de outubro de 2000 (cerca de oito meses antes de sua morte): *"O que ainda poderei conquistar na vida? Como poderia me desenvolver espiritualmente? Mutarelli, nascido em 13 de janeiro, sem hora de nascimento, em São Paulo.* O Sol, o Papa, o Imperador. O desenvolvimento espiritual pode ser sinônimo de autoconhecimento e reflexão. Você tem inteligência, sensibilidade e muita força interior. Este pode ser um momento rico de sua vida, com a conquista de autoestima e a descoberta do sentido de todas as suas experiências. Ter um hobby também poderia ser um momento feliz de entrar em contato consigo mesmo".

Pompeu sênior se aproxima de Pompeu Júnior e com as mãos em concha sussurra em seu ouvido.

Sussurra o som do mar.

Pompeu repete mentalmente o nome.

Antes que as águas do Letes o afoguem. Nunca mais lembrará.

Sabe, pai, quando eu enfim consegui convencer a todos quanto à morfina, eu pensei que no fundo o senhor faria o mesmo por mim. Não faria? Girando a manivela.

Eu precisava ser forte, Júnior, você sabe. Naqueles tempos era o mínimo que se exigia de um homem.

Eu sei, pai. Eu sei. Ainda se exige isso.

Eu te contei a piada do inferno?

Contou, pai. Eu até a usei no *Diomedes*.

Você não vai gostar da quarta-feira. O fantasma de seu pai ri.

Você não vai gostar da quarta-feira. O fantasma de Pompeu repete.

Você tem alguma bebida forte aí?

Serve uísque?

Ajuda.

Vou pegar.

Cadê todo mundo?

Que todo mudo, pai?

A Lucimar, o Chico.

Eles foram embora, pai. Eles foram embora.

Pra onde?

Faz tanto tempo, pai.

Pra onde eles foram?

Seguiram suas vidas.

E você ficou aqui?

Fiquei.

Sozinho?

Eu estou aqui, pai. Eu fiquei. Sempre criei raízes muito profundas.

Que triste ouvir isso.

O senhor fez igual, pai. O senhor fez igual. O senhor deveria ter ido.

Não consegui.

Eu também não consigo, pai. Sigo sendo esse membro-fantasma de todos. E, acredite, o que eu mais queria era deixar tudo para trás. Tudo, tudo, tudo. Não levaria nada.

Você lembra quando eu perdi os dedos?

Claro, pai. Eu estava lá. Claro que lembro.

Ainda sinto a dor.

Eu acredito, pai. Eu acredito.

E as minhas unhas ainda crescem. Dá pra acreditar?

Sim, pai. Posso vê-las brotando dos cotocos.

É tão absurdo tudo. Não é?

É, sim, pai. É tudo muito absurdo.

E você, meu filho, o que tem feito da vida?

Da vida faço dívida.

É quase poesia.

Sempre fomos bons nisso.

É quase poesia.

Deve ser genético.

É quase poesia.

Está com fome, pai? Quer comer alguma coisa?

O baile da rua Sondra Porfírio começa sempre à zero hora
Piroca dentro, piroca fora
Me dá a buceta que eu vou embora.

Eu comeria os croquetes de carne que meu pai fazia.

A mamãe vai me dar a receita. Ela prometeu. Aí faço para o senhor.

Você se lembra do eclipse lunar de abril de 1986?

Claro, pai. Estava falando sobre isso outro dia com a mamãe.

O baile era na garagem, na base da sacanagem, piroca dentro, piroca fora, me dá a buceta que eu vou embora

Você se lembra que num de meus livros eu te perguntei como era aí onde você está?

Claro. Me lembro. Eu respondi.

Isso mesmo. Você já tinha morrido, pai.

É verdade. Você já havia me matado com a injeção de morfina.

Olha isso aqui, pai. Pompeu puxa o lábio inferior e mostra a ferida.

Meu Deus, filho! O que é isso?

Eles me obrigaram a falar com a boca cheia de pedras.

Tá horrível isso, meu filho. Precisa ver isso. Precisa ir a um médico.

Eu estou sem convênio, pai. Paguei a vida inteira e não usei. Agora que preciso, estou sem.

Não pode, filho. Não pode ficar sem convênio médico.

Estou, pai. E o pior é que eles estão me processando.[118] Há duas ações judiciais contra mim. De dois planos de saúde que não consegui pagar.

Não pode, filho. Não pode bobear com essas coisas.

118

Perdi as causas. Agradeço de coração pela generosidade do doutor Fernando Dauer por ter cuidado de uma das causas *pro bono*.

Pois é. Bobeei. Agora é tarde. Sabe uma expressão que o senhor usava e eu adorava?

Qual?

"Não se pode dar sopa pro azar."

Mas é verdade.

Sabe outra que eu adorava?

Diga.

"Passarinho que anda com morcego acaba bebendo sangue."

Também é verdade.

Sabe, pai, quando eu fiz tudo aquilo... todas aquelas coisas...

Não precisa se justificar...

Eu... eu... ficava cego.

Sei como é isso.

É sério, pai. Eu ficava cego. Eu saía de mim. Hoje eu penso que podia ser uma cegueira semelhante à cegueira que vivo em minhas enxaquecas.

Vamos lembrar das coisas boas. Vá buscar o uísque.

Eu queria que vocês acreditassem em mim.

Eu acredito.

Eu não estava em mim quando fazia aquelas coisas. Eu ficava cego de verdade.

Tá tudo bem. Tudo aquilo passou.

Agora posso controlar tudo isso. Acredita em mim?

Claro. Acredito.

Mas antes eu não podia. Talvez tudo aquilo tenha a ver com as minhas terríveis enxaquecas.

Pode ser, filho. Pode ser.

Com toda a irrealidade que aquela aura me trazia. Mas eu aprendi, pai. Eu aprendi a controlar essa coisa horrível que habita em mim.

É você quem habita nela, filho.

Sabe, pai, eu aprendi a controlar essas coisas. Hoje até consigo fingir que gosto das pessoas. Pai, elas chegam até a acreditar. Eu simulo tão bem.

Aprendeu com os melhores.

Júnior deixa de acionar a manivela. Escora o realejo no sofá e vai buscar a garrafa de White Horse.

Santa Josta! Você ainda bebe esse uísque?

É o meu preferido,[119] pai.

Sempre foi.

Como disse, crio raízes.

Você lembra quando machuquei o seu rosto e tive que me justificar com sua mãe?

Você sabia que agora tudo leva o nome dela?

As ruas, não é?

Não. Não só as ruas. Agora também as cidades e os estados se chamam Sondra Porfírio.

Como diria o Jorjão... "tô cansado de dar para o cara errado".

Os dois riem do fragmento da piada. Pompeu enche seus copos. Vou buscar gelo. Corre à cozinha e volta trazendo a fôrma. Coloca duas pedras em cada copo. Despeja o uísque. O uísque tem a cor do sangue.

Brindam.

Você não olhou sua sorte.

—

119

Em meados de 2020, começaram a distribuir lotes dessa marca envelhecidos em barris defumados. Por esse motivo, Pompeu deixou de tomar essa marca. Era o uísque que ele bebia, literalmente, desde criança.

Cis·mar *v.int.* 1. Saber que estão te fodendo e não conseguir provar. 2. Saber sem provas. *T.i.* 3. Pensar na mesma coisa sem interrupção. 4. Sondra Porfírio (algo). 5. *Bras.* Me dá a buceta que eu vou embora. 6. *Bras.* Se foder. *T.d.* 7. Tomar no cu (3). 8. Convencer-se de que vai ter que engolir.

Receberás a metástase no Natal.

Terás sorte na loteria no nº 7 89286.620604. — C

Pai, você se lembra do circo que tinha atrás do Jumbo?
Claro. Eles montavam perto do Natal e ficava lá até o fim das férias.
Isso. Isso mesmo. A mamãe não lembra. Ela diz que eu inventei.
Tinha um chimpanzé que usava fraque.[120]
Puxa, tinha me esquecido disso. É verdade, tinha um chimpanzé.
Você lembra da piada do trem?

120

"Um macaco é sempre um macaco, mesmo quando vestido de púrpura." Ditado grego citado por (Desidério) Erasmo, *Elogio da loucura*, tradução: Paulo Neves. Certa vez, um (outro) advogado que cuidou de uma causa que envolvia o meu irmão, disse uma frase muito semelhante que acabei usando na *Trilogia do acidente*, do detetive *Diomedes*. Como fui intimado a depor, ele me instruiu: "Vista terno e gravata. Porque um homem de terno e gravata é sempre um homem de terno e gravata". Também perdemos a causa.

Júnior ri. Era incrível ouvir você contando.

E a do Orlando?

Júnior quase engasga de tanto rir.

O homem do realejo limpa a saliva nos cantos da boca e seca no avesso da calça.

Cismar, cismar, cismar. O papagaio grita sem parar.

Algo tosse no quarto.

Você teria um cigarro?

Claro, vou buscar.

Me deu vontade de tomar um café e fumar um belo de um cigarrinho.

Vou buscar o cigarro e faço café.

Júnior corre ao quarto. Há várias pessoas lá. Uma mulher de olhar cruel e profundo está sentada em sua cama. Outra, com o rosto coberto por um capuz, está deitada a seu lado. Uma terceira se esconde atrás da cortina. Outra gira a cadeira em que está sentada e aponta para o criado-mudo mostrando onde está o maço de cigarros. Pompeu percebe outros pés debaixo da cama e alguém que espia pela fresta do guarda-roupa. Ele sente todo o corpo gelar. Uma tristeza medonha se espalha.

Deita com a gente. Diz a de olhar maligno.

Meu pai tá aqui. Preciso ir.

Deita um pouquinho.

Pompeu faz não com a cabeça.

Começa a ouvir uma algazarra vinda da sala.

Quando vai apanhar o maço, a mulher segura sua mão.

Deita.

Preciso ir.

A música volta a tocar. Mais alto agora.

Piroca dentro, piroca fora
Me dá a buceta que eu vou embora...

7
O livro dos mortos

Pompeu perde metade do campo visual ao entrar no quarto. Várias mulheres ocupam o aposento.

Deita com a gente. Diz aquela que está sentada na cama e recostada em seu travesseiro apoiado à parede. Ela ocupa o lado em que Pompeu dorme. Seu olhar é profundo e maligno.

Acho que está começando uma enxaqueca. Observa Pompeu.

Vem deitar. Deita aqui. Ela dá dois tapinhas no colchão.

Meu irmão, quando começou a usar crack, apresentava sintomas da coreia de Huntington. E síndrome de Koro também.

Deita. Diz a que ocupa o outro lado da cama. Ela tem o rosto coberto por um capuz.

O meu problema é justamente com a transição. É tão difícil de explicar. Mas eu diria que é isso. Tenho dificuldade em transitar entre a vigília e o sono. Por isso essa minha insônia terrível. E todas essas enxaquecas recorrentes. Finalmente eu li *Enxaqueca* do Oliver Sacks. Agora ao menos sei o nome disso tudo que acontece comigo. É engraçado que há muitos anos eu queria ler esse livro mas não tinha em português. Aí, quando saiu, eu tinha me cansado dele. Do Oliver Sacks, digo. E também passei uns dez anos sem ter os ataques.

Cala a sua boca. Rosna outra mulher que se esconde atrás da cortina. Uma quarta mulher que estava de costas para ele gira a cadeira de escritório em frente à escrivaninha e aponta para o criado-mudo mostrando onde está o maço de cigarros.

É verdade, tinha esquecido o que vim buscar. Eu chamava de rabo de escorpião o que ele chama de espectro de fortificação. Escotoma, eu conhecia a palavra. Teicopsia, não podia nem supor. Outro dia li o livro na casa de um amigo. Não sei se vocês conhecem o Mauro. Pompeu percebe outros pés debaixo da cama. Percebe que alguém o espreita pela fresta do guarda-roupa. Sente todo o corpo gelar. Tem algo muito errado acontecendo aqui, não tem? Sabe que antes minha aura era pontilhista, vocês sabem, né? Aqueles milhões de pontinhos luminosos que se alternam rapidamente. Mas então, quando eu estava no Chile, no Museo Chileno de Arte Precolombino, que ano foi isso, 2008? Já não lembro. Aí tudo mudou. Enquanto contemplava a "estátua com pés de macaco, Veracruz",[121] como era descrita, tive a primeira enxaqueca em padrões pré-colombianos. Foi assim que a batizei.

Uma tristeza medonha se expande de sua aura que agora se espalha em zigue-zague.

Deita com a gente. Diz a que ocupa seu lugar na cama.

Meu pai tá aqui. Preciso ir.

Deita um pouquinho.

Pompeu faz não com a cabeça. Começa a ouvir uma algazarra vinda da sala. Quando vai apanhar o maço, a mulher de olhar maligno segura sua mão.

Deita.

Preciso ir.

A música volta a tocar. Mais alta agora.

By the rivers of Babylon, there we sat down. Ye-eah we wept, when we remembered Zion.[122] *Piroca dentro, piroca fora, me dá a buceta que eu vou embora...*

121
Xipe-Tótec, "nosso Senhor esfolado".

122
"Pelos rios da Babilônia, lá nos sentamos. Sim, nós choramos, quando nos lembramos de Sião." The Melodians, 1969, Jamaica. Assinam a autoria Frank Farian, Brent Dowe, Trevor McNaughton e Hans-Jörg Mayer.

Quando volta à sala, ela está lotada. Cheia de pessoas sorrindo e conversando. Talvez devido à enxaqueca, sente dificuldade em reconhecê-las. Até avistar os dois Mauros conversando. Ele fica feliz ao vê-los. Se apressa em sua direção. Como estão conversando, espera uma deixa.

É só a porra de um experimento mental. Mauro fazendo a mosca, irritado.

Eu não consigo entender. O outro Mauro, embriagado e realmente confuso. Simplesmente, não consigo.

Ele só partiu do Princípio da Incerteza de Heinsenberg.[123] É só isso. Tenta o tranquilizar um homem muito pequeno vestido todo de branco.

É isso, caramba! Schrödinger tá propondo que, até a caixa ser aberta, tudo se divide. Num mundo o gato está vivo e noutro mundo está morto. A mosca.

Mas, se se divide, então o observador também está vivo e morto. Mauro, cada vez mais zonzo.

Heinsenberg diz que a observação interfere nos resultados. O homenzinho de branco. O olhar muda tudo.

Pompeu pede licença. Se surpreende ao perceber que eles fingem não o conhecer.

—

123

"Princípio da incerteza, também chamado de princípio da incerteza de Heisenberg ou princípio da indeterminação, afirmação, articulada (1927) pelo físico alemão Werner Heisenberg, de que a posição e a velocidade de um objeto não podem ser medidas ao mesmo tempo exatamente, nem em teoria. Os próprios conceitos de posição exata e velocidade exata juntos, de fato, não têm significado na natureza." *Enciclopédia britânica*.

Pois não? A mosca.

Mauros... não se lembram de mim?

Prazer, Mauro. Mauro lhe estende a mão.

Pompeu. Pompeu o cumprimenta.

Mauro. A mosca lhe dá a mão. Um pouco da saliva adere à mão de Pompeu.

Tá lembrado de mim? O homenzinho lhe pergunta.

Um calafrio percorre a espinha de Pompeu.

Desculpe. Acho que não o conheço.

Da próxima vez vai lembrar.

Claro, da próxima vez eu já o terei visto.

Nós nos conhecemos? Mauro, a mosca, lhe pergunta.

Prazer, Mauro. O outro estende a mão a Pompeu.

Perturbado, Pompeu recua um passo. Nisso é puxado por uma mulher. Fazia tempo que não ouvia esses pássaros. A mulher observa a Pompeu. Isso faz com que ele procure de onde vem o som. Então vê um pássaro preto bicando a cabeça de sua mãe.

Corre agitando as mãos para afugentá-lo.

Filho?

Mãe, você está bem? Ele te machucou?

O olho direito de Sondra começa a sangrar.

Mãe! Precisamos ir a um pronto-socorro, rápido.

"Proteja a minha coroa." Ela diz. Parece embriagada.

Quê? Vamos, mãe. Pompeu puxa a barra da camisa e coloca sobre o olho da mãe, tentando estancar a hemorragia.

O que você está fazendo? A mãe o empurra irritada. Vai borrar minha maquiagem!

Só então Pompeu percebe que ela não está sangrando. Ela está maquiada de palhaça. Quando olha ao redor, extremamente confuso, se dá conta de que muitos estão maquiados da mesma forma.[124] Nisso ele é novamente puxado.

Eu uso a memória para esquecer. Um ator segura seu braço próximo ao cotovelo e o puxa de canto. É um ator famoso, mas Pompeu não consegue lembrar seu nome. Ele é forte. Segura forte em seu braço.

Você lembra do nome da mulher de Nabucodonosor?

Não me lembro. Responde Pompeu.

Isso eu queria lembrar. Diz o ator.

Amitis. Mauro responde. Então faz a mosca e estende a mão cheia de saliva a Pompeu. Prazer, Mauro.

Pompeu aperta sua mão.

Olha lá, olha lá sua esposa. Mauro aponta.

Um círculo se abre no meio da sala.

Uma mulher bonita de traços fortes e olhar profundo se coloca no centro.

Lucimar. Pompeu sussurra surpreso.

O pequenino homem vestido de branco se aproxima com uma bandeja de prata e estende a ela.

Lucimar enche as mãos de pedras e as enfia na boca.

E, então, declama o poema que escreveu e dedicou ao marido.

Água suja
Tento nadar e não sei
Os olhos ardem

124

"Tanto riso,/ Oh! quanta alegria,/ Mais de mil palhaços no salão/ Arlequim está chorando/ Pelo amor da Colombina/ No meio da multidão!" "Máscara negra", canção de Zé Kéti.

Coração fora do ritmo, descompassado
Uma linha fina e perturbadora atravessa meu pescoço
Pernas pesadas
Ouço um tiro na superfície
Se eu conseguisse boiar
Meus pés tocam a lama
Sofrimento
Eu caí
Escorreguei enquanto pensava em você
Você se foi e eu fiquei, atolada, nervosa, agitada, comprimida
As vozes repetem para boiar
A saída é o céu
Afundo mais
O peito está enterrado
As mãos amarradas pela linha fina que deslizou
Socorro, penso em gritar
Para quem?[125]

Foi você quem se foi. Pompeu a abraça e chora. Eu te falei tantas vezes que estava perdido. Há tanto tempo te falo isso. Diz com a cabeça afundada em seu colo. Tudo mudou. Tudo mudou quando você foi embora. Tudo mudou quando você enlouqueceu pela segunda vez.

Novamente Pompeu é arrastado.
Eu amei o seu discurso na igreja de São Domingos. Uma

125
Sem título. Lucimar Mutarelli.

mulher bonita e sorridente é quem o rouba dessa vez. Venha ver a lua. Você precisa ver a lua. Ela o conduz para fora da sala. Estão na cobertura do prédio. Já não é sua casa. Nunca foi. Ela o conduz sobre o deque. Há uma pequena piscina lá. A lua está cheia. Alaranjada. Gigantesca.

Espera só um segundo, eu já volto. Não sai daqui.

Pompeu contempla bestificado a lua.

Ela volta trazendo um imenso copo de uísque com gelo. O copo é tão grande que ele tem que segurar com as duas mãos.

Você é a anfitriã, não é mesmo?

Ah, deixa de bobagem.

Você é a rainha.

Sou a Regina, rainha, como queira.

Nós nos conhecemos, não é mesmo?

Sim. Pegamos o elevador juntos.

Eu me lembro.

Vou pôr uma música pra você e trazer um cinzeiro. Você deve estar louco para fumar.

Regina o acomoda numa das mesas de ferro pintadas de amarelo que circundam a piscina. Pompeu dá um comprido gole. A rainha volta trazendo o cinzeiro e senta com ele.

Presta atenção, vai começar a música que escolhi para você.

Então começa Chavela Vargas interpretando "La Llorona".

Sabe, eu não estava pronto para ver meu filho convulsionar no chão da cozinha dez dias depois do meu irmãozinho Bortolotto ser baleado.

Ah! E para o que estamos preparados? Não está magnífica essa lua?

Está. Está magnífica. Eu só não consigo suportar tudo isso. Não consigo suportar tudo isso.

A lua se torna prata.

II

Sexta-feira. Mauro acorda. Senta na cama. Apanha um medalhão preso num prego na parede, pouco acima de seu travesseiro, e pendura no pescoço. Não acende o abajur. O quarto permanece na penumbra. Confere o relógio. Seis e vinte e oito. A vista começa a se adaptar à pouca luz. Observa o tremor na mão direita. Veste a bermuda. A camisa. Joga os óculos dependurado numa cordinha sobre a medalha no peito. Calça as botas. Expele um doloroso suspiro. Pigarreia. Confere o celular. A luz branca da tela fere sua vista. Levanta. O branco deixa um rastro em sua visão. Entra no banheiro. Mija sentado. Escova os dentes sem olhar para o espelho. Vai para a cozinha arrastando os pés. Passa pelo palhaço. Passa rente ao cavalo branco. Põe água na panela. Liga o fogo. Observa através da janela na área de serviço enquanto espera aquecer. É possível ouvir as vozes e os ruídos dos pedreiros que começam a retomar a obra de um imenso e grotesco prédio a poucos metros. Volta à cozinha e desliga o fogo antes que a água ferva. Joga um saquinho de chá-mate na xícara e abafa com um pires. Senta no banquinho e acende um cigarro. Bebe o chá e fuma. Deixa a xícara na cuba da pia. A bituca no cinzeiro. Borrifa um pouco de Mr. Músculo no tampo da máquina de lavar e passa uma flanela. Recolhe algumas peças de roupa no varal e dobra sobre o tampo da máquina. Entra no quarto que seria o quarto de empregada e se fez depósito. Senta no vaso do banheiro anexo. Joga uma paciência enquanto caga. Acende outro cigarro. Perde duas partidas seguidas. Corre o Instagram. Se limpa. Guarda o celular no bolso. Lava as mãos. Apanha três sacos de lixo de cem litros numa prateleira acima da privada. Na área, despeja todo o conteúdo da caixa de areia num dos sacos. No segundo enfia a caixa e o amarra. Coloca os dois sacos ao lado de outro. É possível vislumbrar o corpo do gato morto embalado. Volta à janela e observa os pedreiros. Um deles grita a plenos pulmões. Não dá pra entender o que diz. Vai para a sala. Apanha um livro na mesa de centro e se larga no sofá encardido. Não consegue ler. Seus pensamentos estão agitados. Volta à cozinha. Lava a cafeteira. Prepara um café. Passa manteiga em duas torradas. Observa a cafeteira. Quando ela começa a emitir o som característico, ele desliga o fogo e fecha o registro do gás. Há tempo vem sentindo um cheiro forte. Desconfia de vazamento. Serve o café. Come a primeira torrada em duas mordidas. Bebe o café e acende outro cigarro. Come a segunda torrada entre as tragadas. Vai para a sala e liga o laptop que está sobre a mesa de seis lugares vazios. Enquanto o computador inicia, vai ao banheiro e se olha no espelho. Pensa na mulher alta, muito alta. Sente um frio no peito. O estômago dói. Se acomoda em frente ao computador. Aperta o YouTube na barra de favoritos. Clica em AMA Audiolibros no canto das páginas inscritas. Seleciona Hermes Trismegisto — Corpus Hermeticum (Audiolibro Completo en Español) "Voz Real Humana", no catálogo de vídeos. Dá play. Coloca o volume no máximo. A voz de Artur Mas toca fundo sua alma. Seu amigo imaginário. Abre em outra aba World of Solitaire e inicia uma partida. O audiolivro tem duração de três horas, dezenove minutos e trinta segundos. Assim sendo, joga e ouve durante quase todo esse tempo. Com apenas duas pausas para fazer mais café e fumar outros cigarros. Hermes divide conosco sua iluminação através da hipnótica voz de Artur, seu amigo e companheiro. Aquele que agora quebra o silêncio todas as sextas. Agora é ele quem lhe conta histórias. *"Tu mente es el Dios Padre."* Depois de se cansar de jogar repetidas partidas, fecha a página e carrega o laptop para a cozinha. O acomoda sobre a mesa de quatro lugares vazios e continua a receber toda a sabedoria daquele que é "três vezes grande" enquanto prepara o almoço. Pega na geladeira a panela com o resto de arroz que fez há dois dias e a coloca sobre a pia. No lado direito, próximo ao escorredor. Rala uma cebola. Pica o que dela sobra em pedaços pequenos e regulares. Fatia três dentes de alho. Prepara sua *mise en place* no lado esquerdo da pia. Próximo ao fogão. Separa manteiga, uma lata de sardinha, um pacote de molho de tomate, azeitonas pretas e verdes sem caroço. Dois nuggets que sobraram de outro almoço. Fatia um tomate. Põe água para ferver na mesma panela em que fez o chá. Noutra panela põe um ovo para cozer. Esses ingredientes fazem parte de um prato que inventou e chama de paella de pobre. A criação, ou adaptação, desse prato tem uma origem triste e bonita. Ele a desenvolveu durante uma época em que ele, a mulher e o filho viviam, com perdão da redundância, basicamente, da cesta básica. "No começo era eu, minha mulher e meu filho." Para eles, naqueles dias, esse prato era uma iguaria, um luxo. Coloca uma colher de sobremesa rasa de sal na cebola ralada para ela ir soltando suco. Limpa as sardinhas que tirou da lata. Fatia os nuggets em tiras. Quando a água que cozinha o ovo começa a ferver, ele liga o timer no celular. Quinze minutos. Se perde no Instagram até o alarme tocar. Unta com azeite a grande panela que comprou como sendo especial para yakisoba. Quando a panela começa a fumegar, rega com azeite. Aumenta o fogo. Acrescenta manteiga. Refoga o alho. A cebola picada. O suco de cebola ralada com sal. Junta a sardinha e o nugget. Um pouco de água fervendo. Despeja o arroz e mexe. Molho de tomate. Azeitonas. Um pouco de chimichurri e uma pitada de orégano. Pimenta-do-reino. Mistura. Insere o molho e mais um pouco de água. Desliga o fogo. Enche um prato fundo. Coloca o ovo cozido e cobre tudo com pimenta. Come ouvindo o audiolivro. Fuma um cigarro. Lava a louça. Curte a página que acaba de ouvir. "*Muchas gracias, Artur, mi amigo. Tu voz es música.*" Escreve na caixa de comentários. Fecha o laptop. Deita no sofá e retoma o livro que estava na mesinha. *John Cage e a poética do silêncio*, de Alberto Andrés Heller. Apesar de ser um maravilhoso estudo sobre a obra de Cage, Mauro adormece. Foi justamente nesse livro que soube pela primeira vez, quase no rodapé, sobre *A semântica de deixar*, livro de Augusto Soares da Silva. O livro trata, em mais de setecentas páginas, de duas mil oitocentas e cinquenta e oito ocorrências do termo em língua portuguesa. A edição, hoje rara, da Fundação Calouste Gulbenkian, 1999, teve apenas mil exemplares impressos. Mauro conseguiu comprar um exemplar num sebo de Lisboa. Entre o livro e a postagem gastou sessenta e nove euros. Nessa época houve uma longa greve nos correios brasileiros. O livro nunca chegou. Mauro se contentou com o que conseguiu no *Aurélio* sobre o assunto que tanto o interessa.

> Retirar-se para o exterior de algo; sair. Não fazer mais parte de algo. Cessar o esforço, a dedicação. Fazer com que algo seja esquecido; não querer lembrar; esquecer. Abandonar vícios, hábitos, ações ou comportamentos. Afastar-se; geralmente, após a morte. Deixar de estar ligado. Deixar de lado; não levar em consideração. Dar autorização para; permitir. Fazer com que seja possível; dar possibilidades para; possibilitar.

Acorda com os sinos da igreja de São Domingos. Sabe que são seis da tarde. O estômago dói. Desperta de um sonho que nunca lembrará.[126] Liga o aparelho da TV. Procura algo na Netflix e não encontra. Volta à cozinha. Abre o gás, acende o fogo. Numa panela coloca um copo de leite e três colheres de aveia. Mexe por cinco minutos. Despeja a mistura numa vasilha redonda e deixa esfriar sobre a pia. Fuma. Leva o mingau para a sala. Liga novamente a TV. Netflix. Escolhe um programa na sessão Assistir de Novo. Come. Adormece. Acorda para ir dormir no quarto. Tira toda a roupa. Enche a boca de pedras e se deita.

III

É o homenzinho vestido de branco quem o recebe.
Bom dia, senhor.
Bom dia. Geralmente é uma moça quem me recebe, não é?
Não sei, senhor. É?
Eu não sei o seu nome.
O da moça?
Não, o seu.
Pompeu.
Pompeu é o meu nome também.
Eu sei, senhor.
Somos homônimos.

126
Embora Mauro nunca recorde seus sonhos, nesse cochilo, nessa sesta, ele sonha que olha para um lago e no lago há um peixe e na boca do peixe um pequeno paninho branco perfumado. E nesse paninho branco estava bordado o nome de todas as coisas.

De certa forma, somos.

Por que você está me recebendo hoje, Pompeu? Onde está a mocinha?

O senhor deve estar falando da Maria.

É possível. Tem a cozinheira também.

Sim. A Diva.

Isso mesmo. Diva. Sou péssimo com nomes, não consigo guardar.

Entre, senhor. Hoje o senhor Mauro vai recebê-lo no quarto.

No quarto?

Sim. Excepcionalmente hoje ele pediu para que o senhor o encontrasse no quarto.

Ele está bem?

Não, senhor, lamento informar, mas o senhor Mauro não se sente muito disposto hoje. Por isso pediu para que a sessão fosse no quarto.

Poxa vida.

Por aqui, senhor.

Pompeu segue o homenzinho até a porta do quarto de Mauro.

Ele bate antes de abrir. Não espera que Mauro responda. Abre a porta, espera que Pompeu entre e volta a fechar. O ambiente é pesado. O quarto é um breu. Há um abajur aceso coberto por um pano avermelhado. O quarto é amplo. Pé--direito alto. A vista vai se acostumando. Pompeu passa a perceber certos contornos. Mauro está deitado. Acena para ele. Pompeu acena de volta.

E aí, meu amigo? O que aconteceu?

Mauro aponta para o rosto. Naquela luz o rosto de Mauro parece deformado. Pode ser a luz, Pompeu procura se conformar.

Mauro indica a Pompeu que se acomode na cadeira que parece ter sido disposta próxima à cabeceira para recebê-lo.

A respiração de Mauro é pesada.

Não precisa mais procurar. Mauro ri. Como se fosse piada. Ri sem estardalhaço nem mosca. Há uma série de medicamentos no criado-mudo. Pompeu procura o copo de uísque, não encontra.

O que não preciso mais procurar, meu amigo? Pompeu tenta disfarçar.

Uma viúva. Uma viúva pra mim. É notável a dificuldade que Mauro sente para falar. Depois arfa e geme baixinho.

Eu te contei o que a gótica fazia com o bico do peito?

Mauro balança a mão como se não quisesse saber.

Pompeu não encontra posição na cadeira.

Me conta do seu pai.

As três metades?

A história que o jornalista publicou… Toma fôlego… A história que foi publicada… Puxa o ar fundo. No dia que ele… Parece exausto. Procura reunir forças. Morreu. No dia que seu pai morreu.

Quer ouvir essa história?

Acho importante você contar.

Tem razão. É importante.

Você ainda está aí?

Pompeu faz sim com a cabeça.

Você ainda está aí na cadeira?

Estou. Ainda estou.

Mauro solta um ai doloroso. Dói demais isso aqui. Cobre a boca com a mão delicadamente. Como se fizesse um carinho em si mesmo.

Por instinto, Pompeu ergue a mão e delicadamente acaricia o rosto do amigo. Mauro arde em febre. Mais perto, Pompeu pode ver a ferida que agora, além de inchar metade do rosto, escapa e se espalha pra fora da boca.

Eu sinto esse gosto de sangue o tempo todo. Gosto de ferro.

Você vai melhorar, meu amigo. Você vai melhorar.

Mauro desdenha com as mãos.

Eu te falei da cigana?

A cigana antes de você... Tomando fôlego.

A cigana antes de eu chegar ao metrô. Pompeu se antecipa tentando poupar o amigo.

Mauro faz joia com as duas mãos e assente com a cabeça como se dissesse: Essa mesma.

Ah! Antes tem um detalhe muito importante. Ainda mais pra você que ama os detalhes. Naquela manhã, quando fui à padaria, passei pela banca de jornais e vi a revista em destaque. Tinha saído naquele dia.[127] Comprei e li enquanto tomava café. Você não imagina minha decepção ao ver que ele tinha publicado a história. Depois entendi. Se eu fosse jornalista, provavelmente faria o mesmo. Não perderia uma história dessas. E meu pai morreu naquele mesmo dia. Jamais leu a matéria. O que me incomoda é o fato dele ter romanceado tanto a história. Usar termos do tipo "corredores labirínticos" para descrever uma delegacia é coisa de quem nunca entrou em uma. E olha que eu conheci os corredores do Dops. Meu pai me levou para conhecer. Claro que na época já estavam desativados. "Plástico queimado", nunca falei isso. Mas o que mais me doeu foi ele colocar em minha boca que a partir daquele episódio eu me tornei um artista. Eu odeio esse rótulo. Jamais me considerei artista. Sempre fui um artesão. Nunca fui ou quis ser um artista. Mas vamos lá. Pra variar,

---

[127] *Revista Trip*, edição de junho de 2001. R$ 7,90. Na capa, Daniella Cicarelli, que tinha vinte e dois anos na época.

eram dias muito difíceis. Nós estávamos muito sem dinheiro. Eu não tinha nem conta em banco, só a Lucimar tinha. Estava passando a maioria dos meus dias no hospital, acompanhando meu pai. Tinha voltado para dormir em casa. Tomar banho, mudar de roupa, essas coisas. E nesse dia voltaria ao hospital pra ficar até quando pudesse. Por isso a Lucimar me deu o cartão do banco. Tínhamos uma merreca em casa em dinheiro e pouco mais de cinquenta reais, ou qual fosse a moeda da época, na conta. Realmente não lembro se era real.

Em 1994, 94, se fez o real. Mauro corrige.

Bom, então era isso. Real. Nós morávamos muito perto da estação Carrão do metrô, mas, como precisava passar no banco, fui até a estação Tatuapé. A agência ficava ali perto. Eu devia ter uns doze reais na carteira. Quando fui sacar no caixa eletrônico, só tinha cédulas de cinquenta. Então foi isso que saquei e enfiei no bolso da calça e segui para o metrô. Pouco antes de chegar, havia um grupo de ciganas. A mais velha olhou pra mim e disse: "Filho, deixa eu ler a tua mão". Eu fiz que não. Ela disse: "Espera". Eu aleguei que estava sem dinheiro. Ela falou: "E essa nota de cinquenta no seu bolso?", apontando para meu bolso. Ela apontou justamente para o bolso em que eu tinha guardado a cédula. Enquanto eu tentava me recompor pensando o que dizer, ela disse: "Fica tranquilo. Ele vai descansar hoje". Eu tirei a nota e dei a ela.

Mauro aplaude. Não com a emoção de sempre, mas aplaude.

E foi isso. Naquele dia ele se foi. Na primeira dose de morfina.

Eu quero ir assim, eu quero... Mauro sussurra antes de soltar um longo gemido de dor.

Quanto à matéria, o jornalista, eu nem o conhecia na época, passou umas quatro horas em casa fazendo a entrevista. Num dos intervalos em que fui fazer café na cozinha, a Lucimar lhe contou a história. Quando ouvi, corri para a sala e disse: "Essa história não pode ser publicada". Disse enfaticamente. Ele disse que não publicaria. E então eu a li completamente distorcida nessa edição da *Trip* enquanto tomava o café da manhã. Pior do que isso é ele me chamar de mitômano. Dizer que a história é mentira. Eu queria tanto que esses que duvidam de mim tivessem dormido no meu berço. Queria isso porque não posso desejar nada mais cruel a eles. Será que eu posso ir buscar um copo d'água?

Mauro sorri e aponta para a cômoda que está atrás de Pompeu. Então, balança o indicador e o anelar. Como se dissesse: Serve duas doses.

Pompeu avista uma jarra de água, a garrafa de White Horse, o balde de gelo, dois copos. Um cinzeiro com dois charutos e a caixa laqueada.

Tem certeza que vai beber? Pompeu procura se certificar.

Mauro faz sim com a cabeça dando um sorriso de orelha a orelha. E depois gesticula como se fumasse um cigarro imaginário.

Pompeu serve os dois copos. Um caubói e outro com três pedras de gelo.

Fuma comigo. Mauro pede.

Mas... Pompeu hesita.

Acha que vai me fazer mal? Dessa vez Mauro gargalha. Projetando uma chuva de sangue e cuspe.

Pompeu acende os charutos. Entrega o primeiro a Mauro.

Conta? Pede Mauro soltando a primeira baforada.

Eu tinha dezessete anos. Estava procurando uma bolsa de couro, na época a gente chamava de bolsa a tiracolo. Porque eu sempre andava com um livro, o maço de cigarros, os documentos e mais alguma parafernália. Sempre usava uma de um amigo, mas ele resolveu pedir de volta.

Como chamava? Como chamava o amigo?

Jacaré.

Mauro gargalha e geme.

Eu estava comentando isso em casa, isso de que queria uma bolsa, e meu pai falou que tinha uma, outro termo datado, "feirinha hippie", em frente à delegacia. Na época ele trabalhava no décimo primeiro distrito, Santo Amaro. E assim foi. No dia seguinte ele estava de plantão e eu passei lá. Fiquei um tanto surpreendido ao ver que realmente tinha uma feirinha ali, mas não era uma feira hippie. Era uma feira do Norte. Não havia nem artesanato sendo vendido lá. Era mais uma feira gastronômica. Havia algumas barracas vendendo comida regional. Eu adoro isso, mas não era o que procurava. De qualquer forma, comi um prato de carne-seca com mandioca na manteiga de garrafa. Que, por sinal, estava delicioso.

Mauro sorri enquanto esfrega a mãozinha na barriga. Pompeu vê o próprio Rei Momo, por um instante. A imagem faz um calafrio elétrico percorrer sua medula.

Eu já te contei minha história com o Rei Momo?

Não perde o fio, não perde o fio. Mauro, impaciente.

Tá certo. Já que estava lá, resolvi dar um oi ao meu pai. Acho que é importante dizer que eu era, novamente como se dizia na época, um bicho-grilo.

Mauro ri e geme. Ai, ai.

Assim eram chamados os hippies tardios. Os que chegaram depois do movimento. Era cabeludo. Usava sempre uma camisa xadrez. Sempre a mesma. Minha franja cobria o meu rosto. Era o escudo para minha timidez. Entrei na delegacia e disse no balcão na entrada que tinha ido ver meu pai. O investigador me perguntou de forma muito agressiva: "Teu pai foi preso por quê?". Eu disse que meu pai não havia sido preso. Disse que meu pai era o delegado. Ele me ofereceu um cafezinho. Aceitei e ele foi chamá-lo. Voltou dizendo que meu pai pediu para que eu entrasse. Entrei. Tem um detalhe curioso que talvez deva antecipar. Eu amava Black Sabbath, desde os meus catorze ou quinze anos. Certa vez, enquanto ouvia a faixa "Am I Going Insane",[128] do álbum *Sabotage*, meu pai entrou no quarto quando tocava o finalzinho da música, no qual alguém chora enquanto muitos riem, e disse: "Que bacana, uma tortura". Eu realmente não entendi seu comentário. Só pude entendê-lo naquele dia.

Mauro aplaude, dessa vez, talvez tocado pelo álcool, com mais energia.

Pompeu completa os copos até a boca e prossegue.

Embora para mim, no fundo, tudo pareça extremamente armado, talvez toda a situação tenha sido fruto das circunstâncias. De qualquer forma, meu pai me explicou, ele sempre me explicava, até mesmo quando ia me espancar, hábito rotineiro, ele sempre me esclarecia tudo. De forma calma, serena. Então ele disse que eles precisavam prender, ou ao menos entregar, um bandido fodão. Algo assim, e que não conseguiram pegar o tal elemento. Sendo assim, na espécie de um rito

---

128

"Am I Going Insane": "*Everybody's looking at me/ Feeling paranoid inside/ When I step outside I feel free/ Think I'll find a place to hide// Tell me people, am I going insane?/ Tell me people, am I going insane?...*"

"Estou ficando louco": "Todo mundo está olhando para mim/ Estou me sentindo paranoico por dentro/ Quando eu piso lá fora eu me sinto livre/ Acho que irei encontrar um lugar para me esconder/ Diga-me, pessoal, eu estou ficando louco?/ Diga-me, pessoal, eu estou ficando louco?..." ⟨www.letras.mus.br⟩, tradução: Flavius.

de passagem, ele disse: "Hoje, vou te mostrar como se transforma um homem inocente em culpado". Disse que realmente não conseguiram pegar o tal cara, mas que haviam prendido um ladrãozinho de merda que foi pego roubando uma calça num drive-in. Você lembra dos drive-ins?

Mauro aplaude a valer.

Pois é. Era uma espécie de estacionamento com pequenas vagas delimitadas por tapumes de madeira e com uma cortina. A gente parava nesse boxe, e havia dois tipos de serviço, o simples e o com drinque. Nessa versão VIP, com drinque, que hoje deveria custar uns dez reais, além do tempo para uma foda, serviam duas doses de Dreher. Geralmente a gente pegava uma prostituta ou travesti que faziam ponto nas ruas próximas e levava até lá.

Aplausos frenéticos.

Então, meu pai explicou que esse ladrãozinho tinha roubado algo como um par de calças com a carteira de alguém que estava distraída numa chupeta ou coisa que o valha. Aí ele me conduziu ao segundo andar, a delegacia era um predinho de dois andares. Em frente a uma porta ele colocou uma cadeira. A cadeira de costas para a porta. E pediu que eu me sentasse. Eu me sentei ali. De costas para a porta. Pouco depois ele trouxe um homem, pouco maior que esse seu garçom, visivelmente apavorado, e o levou para a sala. Meu pai estava acompanhado de mais três policiais civis e na sequência entraram mais uns cinco policiais militares. Foi então que entendi a alusão que meu pai havia feito à música do Sabbath. Basicamente a história é essa. E eu, que a vida inteira estive e permaneço preso por alguma maldita ligação familiar que me impossibilita ir, me impossibilita deixar, não consegui sair dali. E lá estou até hoje. Depois meu pai veio, me deu um tapa nos ombros e disse: "Assinado. Ele assinou a bronca". O que eu ouvi e ouço até hoje foi exatamente o final de "Am I Going

Insane". Sem corredor ou labirinto. Sem me tornar nada além do que sempre fui. Apenas aprendendo a interpretar melhor uma canção. Apenas isso. E essa é a porra da minha maldita vida, ou melhor, essa é só mais uma das historinhas contadas por meu pai.

Posso te pedir uma coisa, Pompeu?

O que você quiser.

Você pode continuar a vir?

Eu virei. Claro que virei.

A vida é maravilhosa, não é?

É. Pompeu responde com dificuldade. Com um nó estrangulando sua garganta.

A vida é maravilhosa. Mauro repete com dificuldade.

Pompeu faz sim com a cabeça. Os olhos cheios de lágrimas.

Mas tudo anoitece. Mauro completa.

Pompeu faz sim com a cabeça. As lágrimas pingam em sua coxa.

A vida é maravilhosa antes de anoitecer. Mauro complementa.

Pompeu balança a cabeça afirmativamente. Sem parar.

IV

Observo aflito o homem se debatendo no chão.

Ele tenta levantar.

As costas contra o piso frio.

Seu braço direito está numa tipoia improvisada amarrada sobre o peito.

Outro homem cujos olhos são iguais aos meus se aproxima de mim. Você reconhece esse homem que está morrendo? Ele, esse que tem meus olhos? Pergunto.

Ele consente com a cabeça.

Sim. Eu o reconheço.
Como ele se chama?
Ele guarda o meu nome.
Ele guarda o seu nome?
Sim, senhor.
Não seria o contrário?
Não entendo o que diz, senhor.
Não é você quem guarda o nome dele?

Já não invejo sua juventude. Aquele que morre diz para mim.
Eu o entendo. Digo. Realmente o entendo.

Eu voltarei aqui um dia trazendo meu verdadeiro nome.
Voltarei com a lembrança mais bela para dividir com você.
A experiência mais profunda dividirei com o outro Mauro.

Pompeu escreve num pequeno caderno que apanha na gaveta do criado-mudo. Olha o relógio, são três[129] horas em ponto. Apaga o abajur e, mesmo sabendo ser inútil, tenta voltar a dormir.

129
"Os seres e as coisas se aplainam no sono./ Três horas./ A cidade oblíqua/ Depois de dançar os trabalhos do dia/ Faz muito que dormiu." Mário de Andrade.

As crianças se agitam. Despertaram quando ele acendeu a luz.

Nessa hora medonha, durante a insônia, as horas passam muito rápido. Ele consegue às vezes ter quase sonhos lúcidos, mas na maioria das noites é tomado por uma nuvem que obscurece toda a sua razão e turva seus pensamentos, enchendo sua cabeça de ideias ruins.

É assim, e assim tem sido, todas as noites.

Por quase não dormir, ele sofre de enxaquecas diárias. Muitas vezes com mais de um ataque por dia. Há algo errado com seu corpo e ele sabe disso. Contudo, assim como Mauro, evita ir ao médico. Sabe que a insônia tem relação direta com seu alcoolismo, que a cada dia foge mais ao controle. Os pensamentos que mais quer evitar o invadem na madrugada desperta. Pompeu não os consegue evitar ou deter. As coisas mais absurdas parecem reais nessa hora.

Pior é fazer sentido. Essa é a frase que anota.

Salta da cama com o coração disparado.

Vai para a sala.

Apanha o velho dicionário.

Dessa vez o maior, pega o *Houaiss*. Abre.

Não consegue dormir? Antes que o verbete salte, ouve sua voz.

Eu acordei.

É sempre nessa mesma hora.

É. É sempre por volta das três.

Ficar deitado não ajuda, né?

Não. Piora. Aí venho brincar no dicionário para tentar me distrair.

Qual palavra te escolheu?

Nenhuma. Você falou comigo na hora que ia olhar para a página que abri. Me desconectou.

Desculpa.

Imagina. Tá tudo bem. Pompeu fecha o dicionário. Daqui a pouco faço de novo. Quer um chá?

Dizem que chá também não é bom para insônia.[130] A não ser que seja de ervas.

Eu garanto a você que não vai ser isso que me tirará o sono. Sabe o que podia ser bom?

Diga. Pompeu fala enquanto vai para a cozinha.

Terapia.

Ah, não. Isso não dá.

Você podia pôr pra fora isso que te aflige.

Eu tô fazendo isso. Fiz terapia por mais de dez anos seguidos. Não dá mais. E, de qualquer forma, estou narrando minha vida ao inscritor. É parecido.

O inscritor não contra-argumenta, imagino.

Não. Ele apenas escreve daquela forma compulsiva que faz com que minha vida se torne um borrão. Uma mancha. O que não deixa de ser. Pompeu pega as xícaras no armário, enche de água e despeja na chaleira.

Sabe o que eu estava pensando hoje?

Não, o quê?

Você acredita realmente que a melhor lembrança da vida do seu pai tenha sido ele poder andar de mãos dadas com a amante?

Bom, foi o que ele me disse. Pompeu apanha o chá e um pequeno prato branco. Pouco maior do que a boca na qual

---

130

"Eu sempre me lembro de um episódio do *Chaves* em que o Seu Madruga diz que quando toma café não consegue dormir. Então o Chaves diz que com ele é o contrário, quando está dormindo não consegue tomar café." *O Grifo de Abdera.*

ele aquece a água. E ele me disse naquelas circunstâncias. Literalmente à beira da morte. Talvez ele tenha pesado muito bem sua vida, ou o desamparo o fez acreditar que aquele tenha sido o melhor momento.

Seu pai teve a sua mãe, três filhos, conquistou um alto posto dentro do que fazia. Eu acho difícil acreditar que esse tenha sido de fato o melhor momento de sua vida.

Foi o que ele disse.

E ela?

Ela quem?

Sua amante. Você acha que ela se lembra desse momento? Acha que para ela esse momento também tem o mesmo valor?

Poxa, é uma excelente pergunta. Nunca tinha pensado nisso. É uma pergunta realmente muito boa.

E o que você acha?

Provavelmente não deve ter para ela o mesmo peso. Ou o mesmo significado. Talvez, realmente, ela nem se lembre.

Provavelmente não. Talvez, para ela, seu pai tenha sido só mais um.

É possível. Mesmo assim, isso me faz pensar nas pequenas coisas, sabe? Nos pequenos gestos. Já te contei a história do meu professor de matemática e o origami?

Não me lembro.

Pompeu desliga o fogo. Joga o saco de chá, um só, e abafa a panela. Eles se sentam à pequena mesa enquanto o chá fica em infusão. Eu devia estar no primeiro ou segundo colegial. Acho que no segundo. O primeiro eu fiz em outra unidade, esse foi em Sondra Porfírio, já era 1981. Era o segundo colegial, isso mesmo. Tinha um professor de matemática, cujo nome naturalmente não lembro, que vivia com a expressão mais amarga e desgostosa que já vi na vida. Ele parecia que tinha se cagado. Sério. Ele sempre tinha uma expressão de nojo e desprezo como se tivesse cagado na calça. Ele nos olhava com essa cara de total menosprezo. Nessa época, início dos anos 1980, começou essa moda de origami por aqui. Uma garota que estava sentada na primeira fila fez um tsuru[131] e o deixou enfeitando sua carteira. Eram aquelas carteiras universitárias com um pequeno apoio do lado direito no qual colocávamos o caderno para escrever. Os destros, naturalmente. Os canhotos sofriam muito para conseguir escrever ali. De qualquer forma, foi isso. Ela fez aquele pequeno pássaro de papel e o deixou ali na frente de seu caderno. Então o professor, ao ver o pequeno pássaro, pareceu entrar em transe. Ou sair de seu transe, sei lá. Ele estava anotando algo na lousa e, quando se virou e viu o origami, sorriu. Seus olhos se encheram de lágrimas. Ele se aproximou lentamente. Pegou o passarinho com cuidado. Trouxe para bem perto dos olhos e, sem que se desse conta, disse: "Olha, um cavalinho". E chorou. Depois rapidamente se recompôs. Devolveu o tsuru e voltou à aula. Essa foi uma das cenas mais bonitas que já vi. Uma das que mais me tocaram. E nem ao menos se relacionava diretamente comigo. Eu era apenas um espectador.

Você também gosta daquela historinha do documentário.

É verdade. O documentário[132] do Arvo Pärt. É verdade. É parecida com essa história. Eles estão andando numa pequena estrada e Pärt igualmente entra ou sai de transe e se desvia da estradinha para colher, se não me engano, groselhas.

131

Foi meu amigo Carlos Renato Vieira de Freitas quem me ensinou o nome desse pássaro.

132

Arvo Pärt: 24 Preludes for a Fugue, direção: Dorian Supin.

Enquanto come alguns frutos, começa a contar essa história. Essa pequena fábula.

Que no fim a mulher diz: "Não sei de onde ele tira essas histórias".

Exatamente. É de lá que eles tiram. Desse lugar. Do mesmo lugar que despertou meu professor ao ver o passarinho. Que ele nem ao menos reconheceu como um passarinho. Para ele era um cavalo.

Como era a história que o Pärt contava? Era mesmo bonitinha.

Era uma vez um homem curvo, que andava numa rua curva. Ele se curvou e achou uma moeda curva. Com ela comprou um gato curvo que caçava ratos curvos. Eles viviam numa casa curvada e tomavam sopa num pote curvo.

V

Eu voltarei aqui um dia trazendo meu verdadeiro nome.

Não posso dizer que acordo com essa frase na cabeça, pois não estou dormindo. De qualquer forma, essa frase me vem à mente. Também não estou desperto. Estou nesse lugar da insônia. Estou nesse espelho d'água que não consigo transpor. Aprofundar. Isso está cada vez mais recorrente. Cada vez mais terrível. Então, no centro do meu campo visual, mesmo estando de olhos fechados, nesse olhar para dentro, ou, como bem disse William Burroughs, em minha "tela mental", uma imagem começa a se formar. Um pequeno fragmento de algo. Isso se dá agora, enquanto luto para atravessar esse portal. Meu portal hipnagógico. Estou nesse espelho d'água. Assim costumo chamar este lugar. Porque não consigo mergulhar no sono. Antonin Artaud, na belíssima tradução de Claudio Willer, diria... "estados semissonhados". A frase, no texto que

compara o peso das palavras entre o teatro oriental e o teatro ocidental. Em dado momento, quando se refere mais especificamente aos pesadelos da pintura flamenga, Artaud diz: "Suas fontes são os estados semissonhados". É assim que tenho vivido, é assim que tenho dormido. Nesse "entremundo",[133] essa palavra não consta nos dicionários. Não consta no meu tão querido *Houaiss*. Nele, os verbetes saltam de "entremostrar" (deixar(-se) mostrar) para "entremurmurar" (murmurar de forma confusa).

Luís de Lima usaria o mesmo termo ao traduzir *Sílvia*, de Gérard de Nerval. "Esta recordação semissonhada me explicava tudo." Curiosamente o livro narra a história de um homem que vive em seu semissonho e ama duas mulheres ao mesmo tempo. E essas duas, às vezes, se fazem três. Tudo se amarra em meu semissonho.

No *Houaiss* só encontro "semissono".

133

Vale aqui voltarmos a Charles Fort e seu *Livro dos danados*. Há também um forte paralelo com o conceito de "ser" e "movimento" como pensou Zenão de Eleia, caso queira aprofundar seu pensamento entre ser e movimento, "porque aquilo que se desloca deve chegar antes à metade do que ao fim". Leiamos Fort: "Mas tudo que chamamos 'ser' é movimento: e todo esse movimento é expressão não de equilíbrio, mas do equilibrismo, ou seja do equilíbrio não alcançado; os movimentos da vida são expressões de equilíbrio inatingido; por conseguinte o que é chamado ser no nosso quase estado não significa existir no sentido positivo, mas significa ser intermediário entre Equilíbrio e Desequilíbrio". Tradução: Edson Bini (lhe agradeço por tanto que me há revelado) e Marcio Pugliesi.

De qualquer forma, anoto a frase num pequeno bloco que deixo no criado-mudo. Essa que me vem à mente enquanto transito nesse semissonho. Nunca mais estive desperto ou sonhando.

Meu criado-mudo está repleto de livros.

O chão do meu quarto, a mesa, as prateleiras.

Tudo transborda livros. Busco, desesperadamente, ajuda.

Com medo, olho o relógio.

Três e onze.

O medo vem justamente nesse horário.

Quando acordo por volta das três, não consigo voltar a dormir. Se volto, é perto da hora que preciso acordar.

Durante minha insônia as horas voam. E minha cabeça fica ruim. Muito ruim. Uma nuvem turva minhas ideias, escurece meus pensamentos. Essa é a minha hora medonha. Assim a defino.

Por quase não dormir, sofro de enxaquecas diárias.

Muitas vezes com mais de um ataque por dia. Há algo errado com meu corpo e sei disso. Contudo, assim como Mauro, também evito os médicos.

Sei que minha insônia tem relação direta com meu alcoolismo.

Sei que cada vez me foge mais o controle.

Os pensamentos que quero evitar me invadem nesse estado.

Por mais que lute, não consigo evitar ou detê-los.

E as coisas mais absurdas parecem reais nessa hora.

Salto da cama com o coração disparado.

Vou para a sala.

Apanho o velho dicionário.

Dessa vez o *Houaiss*.

Abro.

VI

O que faz por aqui?
Fujo.
Pompeu ri.
Ela ri.
Onde você está quando não está aqui? Ela pergunta.
Eu fico sentado num banco enquanto um cachorro rói meus ossos.
Que coincidência.

Quem preza tanto a verdade é porque não a conhece.
Não foi William Blake quem disse que "a estrada do excesso leva ao palácio da sabedoria"?[134]
Antes de qualquer dia tem aquele que o antecede.
Antes de qualquer coisa há isso.
Amar não é uma escolha.

134

Um pouco antes, só para não deixar passar, Blake faz uma importante alusão à Trindade: "Em Milton, porém, o Pai é o Destino, o Filho uma Proporção dos cinco sentidos & o Espírito Santo o Vácuo!". "Provérbios do Inferno", *As núpcias do Céu e do Inferno*, tradução: Oswaldinho Marques.

VII

Pompeu entra no labirinto de espelhos.
Naquele que Borges construiu.[135]

135

Laberinto
"No habrá nunca una puerta. Estás adentro
Y el alcázar abarca el universo
Y no tiene ni anverso ni reverso
Ni externo muro ni secreto centro.
No esperes que el rigor de tu camino
Que tercamente se bifurca en otro,
Tendrá fin. Es de hierro tu destino
Como tu juez. No aguardes la embestida
Del toro que es un hombre y cuya extraña
Forma plural da horror a la maraña
De interminable piedra entretejida.
No existe. Nada esperes. Ni siquiera
En el negro crepúsculo la fiera."

"Não haverá nunca uma porta. Estás dentro/ E o alcácer abarca o universo/ E não tem nem anverso nem reverso/ Nem externo muro nem secreto centro./ Não esperes que o rigor de teu caminho/ Que obstinadamente se bifurca em outro,/ Tenha fim. É de ferro teu destino/ Como teu juiz. Não aguardes a investida/ Do touro que é um homem e cuja estranha/ Forma plural dá horror à maranha/ De interminável pedra entretecida./ Não existe. Nada esperes. Nem sequer/ No negro crepúsculo a fera." Tradução: Carlos Nejar e Alfredo Jacques.

Sem "externo muro nem secreto centro".
O mesmo em que seu irmão se perdeu.[136]

136

Nos anos 1970, mais especificamente, me recorda a Wikipédia, em 27 de julho de 1973, é inaugurado em São Paulo um imenso parque de diversões chamado Playcenter. O Playcenter, para a maioria das crianças da minha geração, e também das que a sucederam, era o ponto da realidade mais próximo dos sonhos. Ir a esse parque era realmente um evento para uma criança da minha classe social. Lá, entre quase infinitos brinquedos, havia um labirinto de espelhos. Uma das coisas mais divertidas desse "brinquedo" é que uma das paredes, justamente a que dava para fora, era de vidro. Ou seja, quem estava fora podia ver o(s) temporário(s) Teseu(s) buscando seu(s) Minotauro (só há um). Numa dessas passagens, meu irmão devia ter, realmente não sei dizer, oito? Seis? Dez anos? Não sei dizer, mas entramos juntos, eu, mestre em labirintos, fiz o percurso o mais rápido que pude, corri pra fora e fiquei assistindo meu irmão. Foi a primeira vez que percebi que havia algo errado nele. Ele começou a se desesperar, a ficar confuso. A bater de frente com os espelhos tentando atravessá-los. O mais perturbador foi quando ele começou a se debater sem usar as mãos como forma de proteção. Ele enfiava o rosto, a cabeça, com força. Foi quando corri para resgatá-lo. Meu irmão, assim como meu pai, foi policial. Exonerado e preso por uso de entorpecente. Meu irmão é usuário de crack há mais de vinte e cinco anos. Em sua infância e começo da juventude, ele foi o ser mais silencioso que vi. Meu irmão quase não falava. Hoje ele diz: "O crack é o Senhor meu Deus, minha religião". Os colégios religiosos nos quais estudamos realmente não conseguiram nos educar.

Seu pai toca o realejo.

"Piroca dentro, piroca fora."

O papagaio alterna o peso das pernas de uma para outra.

Com que você anda tão cismado, Júnior?

Com tudo. Com todos.

É, meu filho, quem é da polícia aprende a não confiar em ninguém. Quem tá te sacaneando?

Me sacaneando? Acho que eu mesmo. É isso. Eu mesmo e mais ninguém. Eu tenho sentido algo que nunca senti antes. Sinto que as coisas, você sabe, tudo isso não me cabe na cabeça.

Tá de cabeça cheia. O pai ri.

Tô cansado. Sabe do que eu me dei conta, pai?

Me diz.

Eu sou como você. No fundo você não era viciado em corrida de cavalos, você era viciado em perder. Ou, ao menos, no risco de perder tudo. Eu sou assim. Descobri isso. Na verdade, apenas amo ver o fim das coisas. Assisto em adoração e agonia. Por isso vivo tanto. Para assistir tudo ruir.

É, filho, a gente tem que se distrair até chegar a nossa hora.

Minha primeira psicóloga era argentina, você lembra dela, pai?

Já não posso lembrar.

Não tenho a menor dúvida de que ela se lembra de mim.

Você já reparou que podemos contar tudo, filho?

Seu nome era Rosalia.

No princípio foram os números. Não é assim? Não é assim que está escrito?

Tá ouvindo o telefone tocar? Tá ouvindo, pai?

Deve ser uma daquelas loucas que diziam que você entrava no pensamento delas. Lembra quantas enlouqueceram dessa forma? Lembra disso, Júnior? Lembra de entrar em suas mentes?

Pompeu Júnior ri.

Pompeu sênior ri enquanto gira a manivela.

Por falar em pensamentos, pai, eles têm voltado.

Aqueles?

Aqueles pensamentos, pai. Eles têm voltado a me assaltar.

Não deixe, Júnior, não deixe.

É foda falar o tempo todo com esse monte de pedras na boca.

"Piroca dentro, piroca fora."

Tá fodendo minha boca toda.

Sênior ri mais. "Maria da cachaça." Gargalha.

Pai, você lembra quando a mamãe me perguntou o que eu queria de aniversário e eu disse que queria ir no psiquiatra?

Sênior agora é Momo.

Imenso.

Pompeu está vestindo um fraque e camisa branca.

Calça preta.

Gravata-borboleta verde incandescente, chapéu-coco com fita no mesmo tom. Suspensório da mesma cor.

Então, a Rosalia me mandou fazer aquilo que me sairia tão caro.

O Rei Momo quase morre de rir.

E eu, tão obedientemente, fiz.

Você sempre foi um bom menino. Momo diz em meio ao riso convulsivo.

Não fui?

Sempre, sempre, sempre servindo seu Mestre.

Agora é Pompeu quem gargalha. Sempre, sempre. Sempre servi meu Mestre. Diz ao recuperar o fôlego.

Momo tira o pau mole pra fora e bate punheta.

"Piroca dentro, piroca fora!" "Entrei no bonde, esbarrei na manivela!"

Vamos beber, pai, vamos chapar o coco!

Os dois riem de forma ensaiada.

Pai, pai, toda a família da mamãe era xarope.

Sênior engasga e cospe sangue enquanto bate punheta.

Pai, pai, toda a família da mamãe era xarope. Era tudo doente mental!

Caralho, Júnior, você estava cercado, caralho. Diz Momo.

Pai, o senhor lembra daquilo que fiz no clube? Lembra da menininha que eu apedrejei?

Momo põe a mão sobre a barriga e gargalha feito um boneco de circo.

Júnior solta uma gargalhada estridente. Estrepitosa.

Os deuses pedem sacrifícios!

É isso, é isso, pai! Caralho!

Pare de acreditar que você é apenas você.

Pai, o senhor lembra o som que fazia quando a pedra batia na cabeça da menininha?

Hahahahahahahah. Uníssono.

E você me chamava de pai? Momo gargalha e cospe sangue e saliva. Enquanto bate uma punheta meia-bomba. "Piroca dentro, piroca fora."

Eu fui na Rosalia e ela disse que eu estaria curado se dissesse que te odeio.

O Rei Momo não consegue parar de rir.

Caralho, pai!

Caralho, filho!

Eu disse e não me curou.

VIII

Na parede, ladeadas, as reproduções bem impressas das duas versões pintadas por Briton Rivière de *Daniel na cova dos leões*.

Cada qual está centrada acima de um sofá. No sofá à esquerda sete mulheres espectrais, translúcidas, riem sentadas. À direita uma mulher lúcida está sozinha com um livro nas mãos. Ela interrompe a leitura assim que Pompeu entra na sala. Ela o encara de forma profunda. Intimidado pelo olhar, Pompeu baixa a cabeça e repara que o tapete é quase idêntico ao da antessala do tribunal. A diferença é que, em vez de um leão, no centro se estampa uma macaca. Há também algo escrito que Pompeu se esforça em decifrar. Toca uma música baixinho. Pompeu tenta compreender a letra apesar de seu inglês limitado. Ao erguer a cabeça, percebe que a moça do sofá ainda olha para ele. Além de mover os lábios cantarolando a canção. Isso o impulsiona a se aproximar.

Com licença?

Oi.

Você conhece essa música?

Sim, é "Westron Wynde".

Westron?

É. É uma canção ou poema anônimo de quatro versos que acreditam ser do século XV ou XVI.[137]

Você estava cantando?

Estava? Agora ela baixa a cabeça, sem graça. Não sei dizer. Estava. Quer dizer, cantarolando. Acompanhando.

137

"'Westron Wynde' é um fragmento que sobreviveu numa única fonte, fólio 5r do manuscrito da Biblioteca Britânica, Apêndice Real 58 (RA58)." Early Music Muse. Early music performance and research. <https://earlymusicmuse.com/westron-wynde/>

Westron wynde, when wyll thow blow
The smalle rayne downe can rayne?
Cryst yf my love were in my armys,
And I yn my bed agayne!

Agora ela canta para ele.
Espera, eu me lembro de você. Então, Pompeu repara na capa do livro que ela segura. Procura ler o título. Nossa! Que coincidência. Eu preciso ler esse livro.
É seu.
Meu?
Sim. Eu estava te esperando para entregar. Lá em cima eu lhe entrego.
Lá em cima? Isso é um sonho, não é?
Você sabe o que dizem, não sabe?
Pompeu sorri. Sei. A única maneira de saber se é um sonho é acordar.
Exatamente.
Não consigo lembrar de onde te conheço, mas sei que te conheço.
Nós já nos encontramos antes em três tempos.
Três tempos? Eu achava que só existisse um.
Ela volta a cantar. Feito sereia.
Um vapor púrpura começa a sair de suas narinas. Aquilo o atrai. Pompeu se aproxima e traga o vapor.
Você terminou de ler o *Sonho de Polifilo*?
Não. Não consigo. Eu odeio ser obrigado a ler. Me lembra a escola. Eu odiava a escola. Eu era obrigado a ler livros insuportáveis. Insuportáveis. E eu tenho um problema terrível, não consigo guardar nomes. Então quando ia fazer a prova ainda me dava mal. Como eu poderia lembrar que Baleia era o nome da cachorra? Não lembro o nome das pessoas

do mundo real, como posso lembrar o nome de personagens de livros? Por falar nisso, como é o seu nome?

Você precisa entender que certos livros são mais do que livros. Alguns livros são na verdade chaves.

Posso me sentar?

Claro.

Pompeu se acomoda a seu lado.

Chaves? É, talvez devesse pensar assim. Sabe, uma vez o Pereio me disse que usa a memória para esquecer. Talvez seja por isso que não consiga guardar nomes. Porque a memória que usaria para guardá-los, acabo usando para esquecer. Eu preciso esquecer tanta coisa. É tão desgastante isso.

Termine de ler *Polifilo*.

Vou terminar. Prometo.

Ela volta a cantar.

Sua voz é tão linda. O que quer dizer "Westron Wynde"? Vento do Ocidente? É isso? Vento ocidental?

É. Isso. É que a letra mantém a grafia original do século XV.

E o que diz a letra? São só esses quatro versos?

São. São apenas quatro versos. A tradução seria mais ou menos: "Vento ocidental, quando você soprará para que a pequena chuva possa cair? Cristo, se meu amor estivesse em meus exércitos e eu na minha cama de novo".

É isso, ele também dorme. Estar de volta na cama seria acordar, é isso?

Não sei. É?

Também não sei. Pompeu sorri sem graça. Será que ele quer voltar a dormir? Ou acordar?

Você quer acordar, Pompeu?

De jeito nenhum. Nunca mais. Agora é Pompeu quem olha profundamente para ela.

Venha. Ela se levanta. Vamos.

Pompeu a segue.
Ela sobe a escada que surge de onde surgem todas as coisas.
Contra a luz seu vestido se torna translúcido.
Pompeu reconhece seu corpo.
Pompeu reconhece seu corpo em adoração.
É o corpo que foi representado na tampa da velha lata de caramelos franceses.
Pompeu. Na escada, a cada degrau ela pronuncia seu nome.
Pompeu, Pompeu, Pompeu, Pompeu...
Acho que eu devia ter feito como meu pai. Deveria ter contado os degraus, não?
Seguem por um corredor escuro no primeiro andar.
Param diante de uma das inúmeras portas.
Há uma inscrição nela.
A mesma inscrição de outro lugar.
De outro espaço. De outro tempo.
É Pompeu quem abre a porta.
Ao entrarem, ela o abraça.
Eles se fundem.
Sua pele é a mesma que a dele.
Sua pele é a pele de Pompeu agora.
Sobre a mesa no canto esquerdo
um cálice de sangue.
Uma pequena ampola metálica.
Dois pães.
Um par de luvas.
Um molho de chaves.
Primeiro ela parte o pão e lhe entrega a metade.
Eles comem juntos.
Comem enquanto se olham.
Então ela lhe entrega o cálice.
Pompeu vira de golpe.
Bebe todo o sangue e com o dedo limpa qualquer vestígio.

Pompeu comunga
o sagrado profano.
Em pacto e aliança.
Lambe os próprios dedos.
Então ela lhe entrega o livro.
Eu estava guardando para você.
Pompeu agradece.
Sabe o que é mais bonito em todo esse livro?
Me diz. Eu preciso ler. É a segunda vez que me passam esse título.

É que, das duas mil oitocentas e cinquenta e oito ocorrências do termo "deixar" em língua portuguesa, oitenta e uma de *laxare* do latim clássico, trezentas e setenta e quatro de *laxare* do latim pós-clássico, novecentas e sessenta de *leixar* do português antigo, e seiscentas e noventa e oito de "deixar" do português clássico, Augusto Soares subentende que "deixar" pode significar tanto "abandonar" como "perdoar".

Agora ela destampa e lhe oferta a ampola.
O que tem aí? Pergunta Pompeu.
Calce as luvas para tocar a ampola.
Pompeu calça as luvas
e percebe que são feitas de carne.
Meu deus! Ele exclama em êxtase. Queria poder descrever o que senti ao calçar essas luvas.
Descreva.
Não me vem nenhuma palavra. Eu... só poderia dizer que sinto... o contrário da dor.
Beba. Ela lhe entrega a ampola metálica.
O que tem aqui?
Beba.
Pompeu prova o Letes.
No livro você escreverá cento e setenta e seis vezes a palavra "mãe" e duzentas e sessenta vezes "pai".

IX

Pompeu toma fôlego para abrir a porta.
Como se fosse mergulhar fundo.
Procura não fazer barulho.
Vai para a cozinha e acende a luz.
Enche um copo de água e joga uma Aspirina.
Senta num banquinho e acende um cigarro.
Alguém grita lá fora.
Pompeu não consegue entender o que o homem furioso grita.
Apaga a luz e segue para o quarto com a lanterna do celular.
Percebe que há alguém deitado em sua cama.
Quando o ilumina
vê que é ele mesmo.[138]

138

"Recorrendo ao elaborado repertório de artimanhas do diabo, eles podiam explicar aparentes impossibilidades, como peças pregadas à mente e aos sentidos humanos. As ações do diabo, recordemos, ou eram naturais ou não eram nada. A prole demoníaca monstruosa poderia ser instantaneamente substituída por bebês paridos por bruxas grávidas. Ou, pelo menos, representadas em formas para iludi-las. Réplicas suficientemente exatas para enganar seus próprios maridos poderiam ser deixadas nos leitos de bruxas enquanto voavam — corpo e alma intatos — para sabás. Seres humanos licantrópicos poderiam ser substituídos por lobos reais tão rapidamente que parecia ocorrer a transmutação, e lobos ilusórios poderiam ser apresentados aos sentidos, ou se seres humanos reais fossem 'embrulhados' na forma necessária, ou se o ar entre o olho e o objeto fosse apro-

X

Pompeu não consegue dormir quando as crianças estão na cama.
Elas se mexem muito.
Ele queria conseguir descansar um pouco.
Esquecer. Queria esquecer tanta coisa.
Se levanta e vai para a sala.
Pega o *Dicionário Aurélio* e abre ao acaso.
Temporal.

> Que passa com o tempo; opõe-se ao que é eterno; transitório, passageiro, provisório: a existência temporal do homem. Relativo ao mundo ou às coisas materiais; opõe-se ao que é espiritual, imaterial: os bens temporais.
> Sem caráter religioso; profano, mundano. Que não é militar nem religioso; leigo, civil, secular [...] Grande tempestade, com muita chuva e ventos muito fortes. Substantivo feminino [...] [Anatomia] Osso par da região inferior e lateral do

---

priadamente condensado para produzir o que Guazzo [Francesco Maria Guazzo, sacerdote italiano, escreveu o *Compendium maleficarum*] chamou de 'uma efígie aérea'. Na melhor hipótese, o diabo poderia realizar o que Nodé [Pierre Nodé, *De l'Imposture*] chamava de 'transfigurações', modificando não a substância mas os acidentes de coisas para lhes dar a aparência de uma alteração mais drástica." Stuart Clark, *Pensando com demônios*, tradução: Celso Mauro Paciornik.

crânio [...] Antônimos de Temporal. Temporal é o contrário de: eterno, espiritual, imaterial.

Não consegue dormir?

Não consigo transitar, sabe? Na hora que vou passar da vigília para o sono, exatamente nesse instante, acabo voltando. É tão desgastante.

Você precisa descansar.

Preciso tanto. E às vezes também acabo vendo uma imagem terrível que gela todo o meu corpo e me traz de volta. Justamente nessa hora.

Isso lembra o que Jung escreveu sobre a visão de Bruder Klaus. Isso que te apavora deve ser o mesmo. Você deve vislumbrar a Trindade. Isso apavorou Bruder Klaus.

Somos sempre três, não é mesmo?

Você deve ter pesadelos terríveis se o que vê é a Trindade. Isso é horroroso demais para a nossa compreensão.

Eu mal me lembro dos sonhos.

"No segundo ano de seu reinado, Nabucodonosor teve sonhos que lhe agitaram tanto o espírito que perdeu o sono."[139]

Nabucodonosor... puxa vida. Até hoje me lembro da dona

139

Antigo Testamento, Profecia de Daniel 2,1. (Importante destacar a primeira nota em Daniel 1 da Bíblia Sagrada, nova edição papal, 1971, diz: "Nabucodonosor neste momento não era rei. Só virá a ser no quarto ano de Joaquim. *O autor do livro descuida várias vezes a fidelidade histórica* [grifos meus] (cf. c. 5, Baltasar, filho de Nabucodonosor; 6,28; 10,1; 11,1). O interesse do autor é teológico e não histórico".

Adail, minha professora do ginásio. Acho que sexta série, 1976. Era incrível a paixão com que ela falava do Egito e da Babilônia. E era lindo o jeito como falava do amor com que Nabucodonosor construiu os jardins suspensos para a sua amada. E ela dizia que o jardim, ao contrário do que se diz, não fora construído para Amitis. Foi construído para outra de suas mulheres.

XI

Pompeu, é sua vez de escolher uma música. Diz a rainha anfitriã.

Ah, que difícil.

Por favor. Vai, não pensa. Diz o que vier.

Ah! Então bota Lucienne Boyer cantando "Parlez-Moi d'Amour", a gravação dos anos 1930 se tiver, por favor.

Mauro, a mosca, se junta a eles.

Posso?

Por favor. A rainha.

Depois de sentar, Mauro tira do bolso interno do paletó um enorme charuto. Do bolso direito do lado de fora tira um pequeno papel dobrado em quatro e coloca sobre a mesa de ferro. Continua a procurar algo nos bolsos. Inquieto. A mesa e as cadeiras são pintadas de amarelo. Que noite linda. Olha essa lua. Diz enquanto segue procurando.

Pompeu esvazia o enorme copo.

Copo vazio de jeito nenhum. Regina se levanta. Copo vazio não para em pé. Apanha o copo de Pompeu e entra para repor o uísque.

Que festa bonita, hein? Finalmente encontra o que procura no fundo do bolso esquerdo. Achei a danada!

É mesmo. Muito agradável aqui. Muito generosa a Regina.

Isso é para você. Mauro estende uma moeda niquelada com um furo no meio a Pompeu.

O que é isso?

Vamos dizer que é... Mauro parece procurar algo no fundo da mente. Digamos que é... Há sofrimento em sua expressão. Uma moeda! Isso. Isso é uma moeda.

Sim, eu vejo que é uma moeda, mas por que está me dando isso?

Por esse instante compartilhado. Para quebrarmos a ilusão temporal.

Pompeu observa a moeda confuso.

É só uma coroa dinamarquesa.

Muito obrigado. Pompeu, confuso e meio sem graça.

Você assistiu a um filme de Raúl Ruiz intitulado *As três coroas do marinheiro*?

Não, nunca vi.

Quando assistir, vai entender.

Vou procurar assistir. Pompeu anota o título no aplicativo de notas de seu celular.[140]

Daqui a pouco é a minha vez de recitar algo. O que você preparou?

Não preparei nada. Não sabia que precisava apresentar algo. É preciso fazer isso? Digo, todos os convidados?

Vá de improviso. É lindo também.

Podemos ler?

Claro. Pode ler, cantar, fazer mágica, mímica, faça o que

140
Nunca se lembrará.

quiser. Uma vez o Miró, não o pintor, o poeta, você sabe, Miró da Muribeca, em vez de declamar seu clássico "Elza caga na rua", simplesmente se acocorou no centro da roda e cagou.

Jesus!

Eu vi aquela estante maravilhosa quando entrei. Acho que vou procurar algo para ler. O que você vai apresentar?

Vou declamar um poema de Goethe.

Que poema?

Canção do rei de Thule. Traduzido por Guilherme de Almeida.[141]

Bacana. Não conheço. De qualquer forma, Mauro, sei que não se lembra de mim, mas queria agradecer pelo convite. Essa é a melhor festa em que já estive.

Nos conhecemos? Peço desculpas, sou um péssimo fisionomista.

Não tem problema. Só queria agradecer.

141

"Houve um rei de Thule, que era mais fiel do que nenhum rei. A amante, ao morrer, lhe dera um copo de oiro de lei. Era o bem que mais prezava e mais gostava de usar: e quanto mais o esvaziava mais enchia de água o olhar. Quando sentiu que morria, o seu reino inventariou, e tudo quanto possuía, menos o copo, doou. Depois, sentando-se à mesa, fez os vassalos chamar à sala de mais nobreza do castelo, sobre o mar. E ele ergue-se acabrunhado, bebe o último gole então e atira o copo sagrado às ondas que embaixo estão. Viu-o flutuar e afundar-se, que o mar o encheu de seus ais. Sentiu a vista enevoar-se: E não bebeu nunca mais!"

Regina volta trazendo o imenso copo e minissalgados numa bandeja.

Pompeu agradece.

Vou dar um pouquinho de atenção aos convidados que acabaram de chegar e já volto. Ela pede licença e entra.

Por falar em conhecer, você conhece o conde de Gleichey, não conhece? Mauro pergunta a Pompeu.

Não, não conheço.

É mesmo uma pena não estarmos mortos agora, não é?

Por que diz isso?

Seria uma grande alegria, porque aí sim isso seria eterno. Seria uma festa sem fim. Estaríamos aqui na casa da Rê festejando para sempre.

Você reparou que interessante a expressão daquela mulher? Mauro aponta para um grupo de mulheres que conversam no outro extremo do terraço.

Qual delas?

A de cabelos curtos. Ela tem uma cara de quem está fazendo contas. Mauro ri. Não parece? Eu estava olhando para ela e me deu essa impressão. De que ela está o tempo todo tentando resolver algum cálculo.

Ela é muito bonita. Talvez ela seja míope e esteja sem os óculos.

Não, acho que ela está pensando na resolução de algum complexo sistema de equações.

Pompeu observa a moça. Ela lhe parece familiar. Pompeu come um minicroquete e uma minicoxinha.

Meu avô fazia um croquete de carne delicioso.

Avô materno?

Não, paterno. Meu avô materno morreu muito cedo.

Morreu de quê?

Sabe que só há poucos anos vim a saber a real causa da morte? No começo diziam que era uma doença neurológica. E então, há uns quatro anos, todas as peças se encaixaram. Porque havia um fato estranho que para mim não batia. Quando meu avô adoeceu, em vez de minha avó cuidar dele, não por ser mulher, não é disso que estou falando...

Claro, você fala do tal "na saúde e na doença".

É mais ou menos isso. O que aconteceu de realmente estranho foi que ela o devolveu à família.

Como assim?

Ela mandou o marido para a casa dos pais dele. Pra mim isso era quase como se dissesse: Leva, assim doente eu não quero.

Imagino que ela precisasse trabalhar e cuidar dos filhos, e isso seria impossível se tivesse que cuidar de um doente. Mas o que ele tinha? Quais eram os sintomas?

Ele foi degenerando. Mal se movia. Ficou cego. Então há pouco finalmente minha mãe me disse que era neurossífilis.

Claro. Terrível.

É. E aí fazia sentido minha avó tê-lo devolvido. O que ela não sabia é que, para a sífilis chegar nesse estágio, o terceiro estágio, pode demorar muitos anos. Mas ela deve ter se sentido traída e por isso o abandonou.

XII

O círculo se abre.

Pompeu toma o centro.

Com um imenso livro negro nas mãos.

"Mené, Teqél, Pharsin." O trecho que lerei agora se refere ao momento em que a misteriosa mão humana, na verdade os dedos humanos surgem e inscrevem estas palavras sobre o reboco do palácio. Então, o rei Baltazar convoca Daniel, que é também Baltazar, para decifrá-las. "Eis o sentido destas palavras: Mené: Deus mediu teu reinado e pôs-lhe um termo; Teqél: foste pesado na balança e encontrado muito leve; Pharsin: o teu reino foi dividido e entregue aos Medos e aos Persas."

Profecia de Daniel. Capítulo 5, versículos 25, 26, 27 e 28.

Esse é o meu filho. Sondra Porfírio sussurra a Pereio. Ele não tem um coração humano, sabia? Ele tem um coração de animal. Meu filho viverá sete tempos. Sete tempos passarão por ele.

Pereio arrota. O desgraçado recita em aramaico. Preciso encher meu copo, minha senhora.

XIII

Vem, Júnior.
Eu tenho medo.
Eu estou com você. Me dê a mão, eu entro com você.
Eu tenho medo, mãe.
Não tenha medo. Vem.
O mar está muito agitado.
Vamos.
Pompeu se aproxima da mãe.
Vem. Ela segura sua mão com força. Vamos.
A praia está deserta.
Vem, Júnior, vem.
Eu tenho medo, mãe.
Não tenha, vem.
O mar está muito bravo, mãe.
Vem.
Mãe, quem era aquele que era casado com duas mulheres? Era seu tio?

Era você, Júnior. Vem, a água está uma delícia.
Eu tenho medo, mãe.
Pompeu luta contra a correnteza. As ondas são imensas.
Pompeu se agarra às mãos da mãe, desesperado.
Ela é muito mais forte do que ele.
Sondra Porfírio segura forte as mãos do filho. Com suas garras.
O mar tenta arrastá-lo.
Ela consegue o segurar.
Eu estou com medo, mãe.
Não tenha medo, meu filho. Não há ninguém pior do que você.
Mãe, mãe, a gente tá indo muito fundo. Eu não sei nadar direito.
Eu te conheço, Júnior. Eu te conheço. O mar é que deveria temer.
Sondra afunda a cabeça de Júnior.
Júnior engole água.
A água é extremamente salgada.
Sufoca.
Percebe, então, que só lhe resta escolher um momento.
Um único momento vivido para abraçar.
Apenas um momento.
Feito seu pai.
Feito o monstro que foi feliz andando na praia de mãos dadas com a mulher de seu chefe. Pompeu se debate, por um instante, o último.
Consegue se desvencilhar das mãos da mãe.
Sai da água, respira.
Toma fôlego.
Pompeu está lá agora.
Pompeu está lá enquanto o Letes o engole.
Enquanto tudo se apaga, o desgraçado se fixa no momento escolhido.

As garras voltam a abatê-lo.
Pompeu afunda.
Sal.
Se apega ao único momento escolhido de sua miserável e maravilhosa vida.
Pompeu está lá
para sempre.[142]
A vida é um acidente maravilhoso.

142

"GLAUCO E DIOMENES
Assim como na noite o dia se contém
e o sol ao fim da trajectória em lua se resolve
assim emerge o homem dessa mesma terra mãe
que o há-de receber com mãos de quem o absolve
Assim de dia em dia assim de longe em longe vem,
como mar que onda a onda se dissolve
na praia do início, a dúvida que alguém
sobre si mesmo tem e todo se revolve

Assim a noite, assim o mar também
e se alguém nasce doutrem e se um filho
começa pela mãe, assim do filho a mãe
renasce, assim redondo sai o trilho

E por maior cadáver que na carne leve
a ave retransmite à ave tudo quanto vive"
Ruy Belo

LIVRO II

... um dos homens teve um pesadelo tenaz: na penumbra do galpão, o grito confuso acordou a mulher que dormia com ele. Ninguém sabe o que sonhou...

Jorge Luis Borges
Tradução: Davi Arrigucci Jr.

1
Até que a morte nos separe

|

O que sei sobre as minhas mortes:
foram duas
me foi dito.
Me contaram.
Em três
diferentes
versões.
Eu
aquilo que julguei ser eu
não estava lá.

Lourenço, fica com a gente.[143]
Eu preciso dormir. O sono traga Pompeu, com força.
Não dorme, fica com a gente.
Ele parece normal. É outro quem diz isso.
Está falando normalmente. Ele insiste.
Eu preciso dormir. Pompeu implora.
Não durma!
Só um pouquinho. Implora.
Não, Lourenço! Fica com a gente. Você não pode dormir.

143
"[...] Eu queria correr, ir para o inferno,
Para que, da psique no oculto jogo,
Morressem sufocadas pelo fogo
Todas as impressões do mundo externo![...]"
Augusto dos Anjos, *As cismas do destino*, IV.

Quem é Lourenço? Pompeu pergunta.

II

Um homenzinho muito pequeno abre a porta.
Não sei por que eu estava ali parado.
Parado diante de uma porta fechada.
Eu não estava lá de certa forma.
Estava em meus pensamentos.
Então a porta se abre.
Um homenzinho muito, muito pequeno, abre a porta e quase sorri para mim. Ele não é propriamente um anão. Pois apesar de muito pequeno seus membros são proporcionais.
Sua cabeça é proporcional.
Eu sorrio[144] de volta. Como quem boceja.

144

"Entre os símios antropomorfos somente os machos têm os caninos completamente desenvolvidos; mas no gorila fêmea, e um pouco menos no orangotango fêmea, estes dentes sobressaem notavelmente com relação aos outros; por conseguinte, a afirmação que me foi feita de que às vezes as mulheres possuem caninos que sobressaem consideravelmente não representa uma séria objeção à ideia de que seu ocasional grande desenvolvimento no homem constitua um exemplo de reversão para um antepassado semelhante aos símios. Quem rejeita com desprezo a crença de que o aspecto dos seus caninos e o seu ocasional grande desenvolvimento nos outros homens se devem aos nossos primeiros antepassados, que haviam sido dotados destas armas formidáveis, com o seu menosprezo provavelmente revelará o fio da sua descendência. Embora não queira e não tenha mais o poder de usar estes dentes

Entre. Ele o aguarda ansioso.

Eu o sigo.

O apartamento é grande.

Iluminado por imensas janelas de ferro fundido e lâminas de vidro lapidado. Os móveis são antigos. Trabalhados com muitos detalhes. Feitos sem pressa. Em outro tempo.

Uma moça corre por uma entrada fazendo gesto de quem pede silêncio pra mim.

Tocando com o indicador os lábios. Ela está eufórica. Feliz. Procura se conter. Segura minha mão direita entre suas mãos.

É quando percebo o inchaço.

Minha mão parece um balão.

"Ferjúnior, Ferjúnior."[145] Ela diz. E beija meu rosto.

Seus olhos estão mareados. Ela se desculpa e corre para a porta da qual surgiu.

Por aqui, por aqui. O homenzinho me apressa.

---

como armas, inconscientemente contrairá os seus 'músculos que arreganham os dentes' (assim ditos por C. Bell, *The Anatomy of Expression*), de maneira a mostrá-los prontos para agir, como um cão disposto à luta." Charles Darwin, *A origem do homem e a seleção sexual*, "Como o homem se desenvolveu de algumas formas inferiores" — "Reversão", tradução: Attilio Cancian e Eduardo Nunes Fonseca.

145

"Ferjúnior" era como a Diva nos chamava. A mim e ao meu irmão. Ela confundia nossos nomes. Eu era Júnior, meu irmão Fernando, Luiz Fernando. Então, para não errar, ela chamava a nós dois dessa forma, "Ferjúnior". Diva foi minha segunda mãe. Ela trabalhou com minha mãe desde que éramos crianças até 2019, quando morreu. Em 27 de abril de 2019.

Chegamos em outra porta. Uma porta dupla de correr.

O homenzinho bate e se ouve uma voz poderosa vinda de dentro.

Entra! Entra! Alguém grita.

O homenzinho corre a porta e faz um meneio para que eu entre. Entro. Aquilo que aparenta ser um homem imenso está sentado todo torto numa gigantesca poltrona de couro preto.

Há um enorme charuto em sua mão esquerda e um generoso copo de uísque na mão direita. A garrafa está ao lado de uma caixa laqueada numa mesinha.

Ele não se levanta.

Não se move.

Só então, com os olhos mais adaptados à penumbra, percebo ser um boneco. Um manequim.

Mesmo assim me acomodo na poltrona em sua frente.

Entre nós há uma mesa de centro. Negra.

Sobre ela um envelope lacrado com um sinete vermelho.

Me sinto tão distante.

Tão desconectado.

Exausto.

Me levanto e apanho um copo no oratório.

Aproveito e puxo de trás do *ushebti* (a imagem em terracota de Osíris) a pequena bolsinha de pano que guarda o velho anel e a mecha dos cabelos de minha ex-namorada.

Desenrolo o barbante e acaricio o cacho de cabelo loiro.

"O fim e o começo." Mauro diria.

Me sirvo de uísque e volto a sentar.

Hoje vai ser caubói. Não vou pedir gelo.

É tudo tão confuso pra mim. Sabe aquilo que você falava, aquilo daquele domingo?

Domingo? Os domingos no clube?

Não. Aquilo que você falava sobre um escritor. Que está escrevendo tudo isso num domingo...

De que diabos você está falando? Que escritor?

Você falou isso uma vez. Usou essa metáfora.

Eu nunca falei isso. Não sei do que está falando. E, se falei, devia estar bêbado feito uma jumenta.

Bom... é isso. É tudo tão irreal.

Mas me conta o que lembra, fala do que viveu. E morreu, naturalmente. Essa é a parte que mais me interessa. Como é morrer?

Eu não sei. Realmente não sei. Não lembro de nada. De quase nada. Me contaram três versões diferentes. Sei que morri duas vezes.

Claro! Tinha que ser duas. Você e seu Duplo,[146] sempre.

É. É verdade.

"Todo homem é dois e o verdadeiro é o outro." Não foi algo assim que Borges escreveu?

146

"Já montado a cavalo, apertei a mão de Friederike. Ela tinha lágrimas nos olhos e eu me senti muito mal. Apressei-me pelo caminho de Drusenheim e de repente fui assaltado pelos mais estranhos pressentimentos. Porque eu me vi — não com os olhos do corpo, mas com os do espírito — voltando a cavalo pelo mesmo caminho e, aliás, vestido com um terno como nunca havia usado antes: era de cor cinza levemente dourado. Assim que me recuperei desse sonho, a figura desapareceu. O estranho é que depois de oito anos percorri o mesmo caminho, vestido com a mesma roupa que sonhei e casualmente usei para visitar Friederike. Quanto ao resto, e qualquer que seja o pano de fundo dessas coisas, a visão maravilhosa me deu paz de espírito naqueles momentos de separação." Relato assinado por Goethe no livro de Jesús Callejo Cabo, *Enigmas literarios: Secretos y misterios en la Historia de la literatura* (em livre tradução).

Eu não sei.

Diz logo, homem, como é morrer?

É isso. Eu não sei.

Mas como foi?

Há variações em cada versão. Mas uma moça, uma jovem muito gentil, que me acompanhou o tempo todo, me contou a versão que julgo ser a verdadeira. Porque ela estava lá. Testemunhou tudo. Eu... eu... eu não estava mais lá. E depois vão mudando os turnos e um médico conta para o outro que conta pra outro e vira um telefone sem fio dos infernos. Mas essa moça, que creio que se chama Samili, e imagino que fosse uma residente, viu tudo e me contou.

E o que ela viu? O que ela viu?

Eu te falei que estou sem plano de saúde, não falei?

O que ela viu? O boneco não se move.

Eu estava com aquela dor terrível. Insuportável. Vinha sentindo essa dor desde que a minha mulher, na época, sofreu o primeiro surto psicótico. Ela achava que eu, o Ferréz e o PCC queríamos matá-la. Te contei essa história?

Fala da morte, fala da sua morte!

Ela realmente acreditava nisso. Por isso foi tão difícil levá-la ao pronto-socorro. Aí, eu rompi com a realidade também. E, quando ela melhorou, eu passei a sentir essa terrível dor. Eu achava que era um câncer de pulmão ou alguma variz no estômago ou esôfago que ia estourar e eu ia vomitar sangue até morrer. Achava que era isso. Pela bebida, pelo tanto que bebo. Ou câncer de pulmão, por causa do cigarro.

Dou um comprido gole.

Faço um gesto como que pedindo permissão para me servir de outra dose. Aproveito e ponho um chorinho no copo que está na mão do manequim tosco.

Você precisa ler Artaud. Precisa ler.

Eu vou ler, vou ler.

Leia tudo. Tudo o que ele escreveu. "O real e o irreal se misturam como no cérebro de um homem em vias de adormecer, ou que desperta de repente, tendo se enganado de lado."[147]

Prometo ler.

Leia Borges, leia Borges.

Lerei. Eu achava que era isso. Essa dor. E essa dor foi se tornando frequente. Começava sempre no pulmão esquerdo e subia até se bifurcar na garganta. Uma dor terrível. Tremenda. Mas, até então, passageira. Chegava no ápice e sumia. Eu tomava um Fluimucil e um antiácido e melhorava. Até julho. Dia 19 de julho ela não passava de jeito nenhum. Durou todo o dia e a noite inteira. Me bombardeei de analgésicos, benzodiazepínicos e uísque. Até apagar. Isso foi em julho de 2020, meu primeiro infarto.

Doía muito?

147

Projeto de encenação para a *Sonata dos espectros* de Strindberg, tradução: Nils Skare. *Linguagem e vida*, Antonin Artaud, tradução: J. Guinsburg, Sílvia Fernandes, Regina Correa Rocha e Maria Lúcia Pereira. Amarrando com o próprio August Strindberg: "O Diabo, como potência autônoma igual a Deus, não deve existir, e as aparições inegáveis do Maligno sob a forma tradicional não devem passar de um espantalho suscitado pela providência única e boa, que governa em meio a uma administração imensa, composta de defuntos. Consolai-vos, portanto, e sede orgulhosos da graça que vos foi concedida, ó vós afligidos e perseguidos pelas insônias, os pesadelos, as aparições, as angústias e as palpitações [grifos meus]! *Numen adest* ['A deusa está aqui', segundo o Google tradutor]. Deus vos deseja!". *Inferno*, tradução: Ivo Barroso.

Demais. Doía demais. Então aconteceu de novo em novembro. Eu estava voltando do mercado. Carregando muito peso. Tive que vir parando tamanha era a dor. Cheguei em casa e a dor continuou ininterrupta por duas horas. Eu suava demais. Queria morrer de uma vez. Troquei quatro vezes de camiseta de tão ensopadas que ficavam. Ensopei três toalhas de rosto. Então a dor começou a se refletir no ombro esquerdo. Isso chamou minha atenção. Pouco depois começou a doer também o antebraço esquerdo. Foi quando me dei conta de que era o coração. Me despedi da minha mulher. Na época eu estava casado com duas mulheres. Duas mulheres incríveis. Então pedi para o Antônio, o zelador do meu prédio, me levar ao Hospital São Paulo. Era perto de casa.

Ele te salvou. Salvou sua vida.

Foi. É fato.

E então? Você morreu no caminho?

Não. Morri no hospital. SUS. Peguei fila. Fiquei acocorado esperando a minha vez. Digo, para ser atendido. A dor estava no limite. Quando fui atendido, relatei o que estava passando. A médica perguntou como era essa dor, quente ou fria? Eu disse que era quente, muito quente. Ela perguntou de zero a dez quanto doía. Eu disse entre nove e dez. Fizeram um ultrassom e atestaram. "Você está tendo um infarto", foi o que a médica disse. Me colocaram numa cadeira de rodas. Correram ao elevador. Chegando num piso, me botaram numa maca e fui vendo aquela cena clássica dos filmes. O teto e os lustres. Então a dor chegou no limite máximo. Foi tanta a dor que entrei em convulsão. Aí meu coração parou pela primeira vez. Injetaram adrenalina, deram choque. Eu voltei depois de dois minutos. Então o coração parou de novo. Dessa vez levaram muito mais tempo pra me trazer de volta. Eu não sabia que tinha morrido ou convulsionado. Peguei o celular enquanto tiravam minhas roupas e avisei que havia infartado. Avisei as duas mulheres que amava. E pedi para que avisassem meus alunos. Na época eu dava um curso online. Quando começaram o procedimento do cateterismo, senti que estava morrendo. Eu estava calmo. Tinha medo de deixar desamparados aqueles que, de alguma forma, dependiam de mim. Então pensei: tenho tantos amigos. O Ferréz, Marcelino, Alcimar, Rodrigo, Carlinhos... eles não iam deixar minha família desamparada. Então me preparei para ir. E ia em paz. Mas eles não deixaram. Eles não deixaram. Ficavam me fazendo acordar. Me traziam de volta. Foi isso. Três artérias entupidas. Em janeiro passei por outra angioplastia. Ainda resta uma artéria entupida.

Impressionante. Deve ter sido terrível. E você não viu nada? Nenhuma experiência mística?

Nada. A cada dia me recordo melhor de tudo o que aconteceu. Ou imagino lembrar. Nada. Não há nada lá. Mesmo assim posso garantir que algo veio comigo.

Como assim?

Algo veio comigo. Algo veio em meu corpo. Veio da morte.

Mas o quê? De que diabos está falando?

Talvez disso mesmo. Algo veio comigo. Não sei o que é, mas sei que não é bom.

III

Então ele está numa pequena sala decorada de forma pretensiosa, com uns móveis metidos a bestas.

Pompeu retira uma bala do bolso.

Mastiga enquanto observa o desenho da embalagem.

Chama a atenção de Pompeu a forma quase precisamente

simétrica como está disposta a mobília. Como se os móveis se espelhassem.

    Seus pais entram na sala.
    Cada um surge de um lado.
    Simultâneos.
    Caminham de forma artificial, mecânica, teatral.
    Seu pai bate palmas.
    Alguém vestindo uma velha e tosca e encardida roupa de Mickey Mouse entra e se aproxima de Pompeu.
    O traje tem mau cheiro.
    Preciso tirar seu sangue. Mickey sussurra com uma voz doce.
    Faça o que deve ser feito.
    Mickey enfia a agulha e começa a retirar o sangue.
    Coleta dez ampolas e volta a guardá-las no bolso do colete da fantasia. Seus pais se entreolham.

    Certa vez, um japonês muito, muito velho, que nunca tinha visto um médico e com medo de tanta idade, encontra um cidadão vestido de Mickey Mouse. Seu pai conta a história com uma voz afetada. Fininha. Como se fosse alguém querendo fazer voz de mulher de forma muito caricatural. Então ele olha para o Mickey e diz: "Doutor, doutor"...
    Seu pai ri como se fosse a piada mais engraçada de todas.
    Sua cabeça chega a ficar roxa de tanto que ri.
    Sua mãe mede Pompeu da cabeça aos pés com ar de desagrado. Então, lhe pergunta: Vai deixar a barba?

IV

    Pompeu empurra o portão que parece emperrado. Sobe as escadas do sobrado. As escadas são revestidas de cacos vermelhos e pretos ou azuis. Se aproxima do velho que está sentado numa dessas cadeiras de praia de plástico colorido. Ele está sentado na soleira desse sobrado. Pompeu puxa do canto da varanda outra cadeira de armar e se instala bem próximo ao velho.

Os cotovelos quase se tocam.

Eu costumava vir aqui quando era pequeno.

O velho não diz nada.

Faz um movimento com a língua como se estivesse acabando de comer algo.

O senhor tinha um papagaio, não tinha?

Agora que disse, tenho. O velho responde desanimado.

Mas nos realejos se costuma usar periquito em vez de papagaio, não?

Agora que disse, sim. Sempre periquito.

Pompeu olha para o velho.

Sempre se usou periquito nos realejos?

O velho faz sim com a cabeça.

Aqui na sua casa eu senti um cheiro tão peculiar, sabia? Senti um cheiro que lembro até hoje. E só senti aqui. Mesmo assim ultimamente tenho sentido esse cheiro sair do meu peito. Daqui do peito. Na maioria das vezes o cheiro que tem saído é de formol. Conheço bem o cheiro de formol porque embalsamava insetos quando criança. Mas, recentemente, tenho sentido o cheiro da sua casa exalando do meu peito.

Ao menos o cheiro é bom?

Nas primeiras vezes que senti, não posso dizer que era bom. Nem ruim. Diria que era estranho. Exótico. Quantas vezes eu vim aqui quando criança? Quantas vezes o visitei?

Não sei dizer. Para ser sincero, não me lembro de você aqui.

Você sempre usava um casaco de couro. Você não era da família, não é mesmo? Você era, talvez, realmente não consigo me lembrar... cunhado de alguém. É isso?

Agora que disse, sim. Eu era cunhado de alguém.

Você sabe dizer de quem? Sabe ao menos dizer com quem era casado?

Não. Se você não me disser com quem eu era casado, não saberei dizer.

Entendo... vou ter que ligar para minha mãe e perguntar.[148] Eu não gosto de ficar perguntando essas coisas para ela,

---

148

Em 22 de fevereiro de 2021, ligo para a minha mãe para saber qual o grau de parentesco dessa pessoa em questão. Nossa família sempre foi muito distante e restrita a um pequeno núcleo. Segue transcrição:

Alô.

Oi, mãe.

Oi, Júnior, tudo bom?

Tudo bem, e você?

Tudo bom. E aí, você está bem?

Tô bem. Não, é que eu tô com... tô... (*risos*) estou escrevendo umas memórias... e algumas coisas assim...

Ahn...

E eu lembro de um cheiro muito característico de um lugar, eu sei que nossas memórias não casam muito...

Humnnn.

Mas, quando eu era pequeno, eu fui uma ou duas vezes na casa do Peão. E eu não sei...

Ahhhh...

E eu não sei quem é o Peão.

É, lá tem um cheiro esquisito...

É um cheiro que eu só senti lá.

É...

Eu não posso nem dizer que era ruim... mas era um cheiro que só senti lá. Outro dia eu passei num lugar, faz um tempo, e me lembrou um pouco aquele cheiro.

Ah, eu lembro daquele cheiro. Mas eu acho que era o Campanille, o pai dele, que preparava [sic].

Humnnnn... [preparava o cheiro?]

Eu... eu sei que, que eu lembro bem daquele cheiro. Eu não gostava daquele cheiro.

Ééé... e quem era o Peão? Eu já te perguntei isso, mas eu não lembro. Quem que ele era...

Ele está vivo ainda...

Ele tá vivo?

Ele queria que eu fosse lá, eu e a Alaíde, mas eu ia dirigindo... primeiro ele falou que era uma hora, é Santa Bárbara d'Oeste, uma coisa assim...

Sei.

Eu falei, uma hora, tudo bem, vamos de manhã e voltamos logo depois do almoço...

Ééé...

Aí, depois, falou que, sei lá... aí eu falei, ah, é muito longe pelo que eu ouvi. Eu não vou dirigindo sozinha e pegar de noite a estrada na volta, né?

É.

Ele queria que a gente dormisse lá. Eu não vou dormir lá, não.

É...

O Peão é o filho da tia Olga. É o único filho que ela teve.

Ah, então ele era da família mesmo.

É, ele é meu primo.

Eu achava que não. Achava que ele era cunhado de alguém. Não conseguia lembrar quem ele era.

Não, ele é primo mesmo. Filho da tia Olga, a irmã mais velha da sua avó. [...] E por que você está perguntando isso?

porque tenho medo que ela acabe desconfiando que eu estou escrevendo uma autobiografia. Você sabe.

Agora que disse, sim. Eu sei. E acho que ela já sabe que você estava inscrevendo o seu livro. O seu *Livro dos mortos*.

Isso ela sabe. É verdade.

Agora que disse, você realmente costumava vir aqui.

Eu me lembro vagamente. Poderia ter visto num filme, entende? Não tenho certeza se é uma recordação ou se vi em algum filme.

Agora que diz, é a cena de um filme.

V

HOSPITAL SÃO PAULO
SPDM — Associação Paulista para o Desenvolvimento da Medicina.
Universidade Federal de São Paulo
Internação

Eu queria comentar isso de um lugar assim. Porque não é uma questão que é ruim, é muito característico, sabe? É um cheiro que há um tempo atrás eu senti e me lembrou.

Ahn...

Mas eu estava pensando isso e não sabia quem era o Peão. Quem ele era na família.

[...] Tá escrevendo? (*risos*)

(*risos*) Não, mas não é nada, é só que eu queria lembrar disso para uma... para uma...

Fico até com medo...

Não, não fica. (*risos*) [...]

RESUMO DE SAÍDA — ALTA

Identificação do Paciente
Nome: **LOURENÇO MUTARELLI JÚNIOR**
RHHSP:0010503349
Sexo: Masculino   **Idade:** 56 anos 7 meses 13 dias
Data internação: 25/11/2020   **Dias de Internação:** 6 dias
Alta Médica em: 01/12/2020 **Hora:**10:00
Saída do Hospital em:__/__

Histórico Clínico Anterior
##HD: IAMCSST INFERIOR +VD — Killip 1->TIMI 2/ GRACE 120/ CRUSADE 9 BACIT — REVERTIDO PCR[149] na admissão (FV 2 minutos) **Tempo: Porta-Agulha: 3h 27min** CATE25/11/20: ADA 50% terço proximal ao médio/ ACX: subocluída em terço médio/ ACD: ocluída em terço médio (ATC 01 stent farmacológico) HMA na admissão: Paciente refere que iniciou dor torácica hoje por volta de 13hrs, opressiva, irradiando para pescoço, associada a sudorese intensa e dispneia. Refere dor agora, intensidade 9/10. AP: Nega comorbidades e uso de medicações Nega IAM

149

Parada cardíaca com ressuscitação bem-sucedida. "Alguns mortais, em vez de receberem a visita dos mortos, conseguiram descer aos infernos. Privilégio raro, pois *não se deve voltar do país sem regresso*" (grifos meus). Georges Conteneau, comentando a conversa entre Enkidu e Gilgamesh, *Grandes civilizações desaparecidas: A civilização de Assur e Babilônia*. (Círculo do Livro, sem créditos para tradução.)

prévio Hábitos: Tabagista 40 anos-maço Etilista[150] (destilado diário) HF: Pai IAM 57 anos ECG ADMISSÃO: SUPRA D2, D3, AVF, V3R, V4R. BAVT. INTERCORRÊNCIA: 25/11/20 — 15:15: Após ser admitido em sala de emergência, evoluiu com crise convulsiva seguido de PCR (duração de 2 minutos) em FV, sendo reanimado conforme protocolo ACLS. Recebeu 2 choques e adrenalina. Retorno a circulação espontânea em ritmo sinusal e GLASGOW 15. Iniciada noradrenalina e encaminhado à sala de hemodinâmica, sendo angioplastada ACD, e posterior desmame de DVA sendo desligada a nora em seguida. No pós cate, evoluiu com estabilidade hemodinâmica e elétrica, sem uso de DVA. Transferido para sala da dor.

Evolução Clínica na internação

Paciente em leito semi-intensiva, mantendo estabilidade hemodinâmica, sem uso de DVA e eupneico em ar ambiente. Sem novos episódios de BAVT. Nega dor torácica, dispneia, palpitação, tontura e demais queixas.

Exames Realizados

26/11/2020 14:39 — ECOCARDIOGRAMA, 26/11/2020 08:53 — TÓRAX: P.A.

---

[150] "Na Grã-Bretanha, principalmente, os indivíduos acometidos de patologias cancerosas ou cardiovasculares, acerca das quais é estabelecido com certeza que são consecutivas a vício grave (álcool, tabaco etc.), não estão mais sob os cuidados da medicina com os mesmos direitos que os outros pacientes." Nota de Elisabeth Roudinesco, em seu *A parte obscura de nós mesmos: Uma história dos perversos*, tradução: André Telles.

Cirurgia e Procedimentos Realizados
0406030030 — ANGIOPLASTIA CORONARIANA COM IMPLANTE DE STENT
Tratamento(s) Realizado(s)
— ATC DE ACD — TRATAMENTO CLÍNICO DE IAMCSST
Diagnóstico Principal
l21 — INFARTO AGUDO DO MIOCÁRDIO
Orientação e Terapêutica
— Conforme discutido com Dr Caixeta — tratamento de lesão crônica de ACX posteriormente — agendado para 08/01/2021. — Paciente estável hemodinamicamente, sem queixas cardiovasculares — alta hospitalar — prescrição de alta: Carvedilol 12,5 mg 12/12h, enalapril 10 mg 12/12h, Aas, Clopidogrel, Atorvastatina 40 mg — Realizo processo de alto custo para clopidogrel e atorvastatina — Encaminho a ambulatório de angioplastados — Oriento cessar tabagismo.
Encaminhamento
RESIDÊNCIA
Local: Condição de ALTA: MELHORADO

No telefone sem fio entre residentes, estagiários e médicos, foi assim que ficou:

RESUMO DA HISTÓRIA CLÍNICA E EXAME FÍSICO:
Paciente com IAM parede inferior + VD, com BAVT + PCR 2 min na entrada. Fez ATC de ACD, restando lesão residual em ACX, com angioplastia de lesão residual agendada para 08/01/2021.

VI

(56 anos 8 meses 21 dias)

Pedido.....: 0006566630   Data Pedido...: 08/01/2021
Unidade...: HEMODINÂMICA E CARDIOLOGIA INTERVENC.
Exame.....: ANGIOPLASTIA
RHHSP....: 0010503349   **Cód. Paciente:** 0004332436
Paciente..: LOURENÇO MUTARELLI JÚNIOR
Sexo: MASCULINO   **Leito:**
Idade: 56 anos 8 meses 21 dias
C. Custo Requisitante..: 0040003380 —
EX. CARDIOLOGIA INVASIVA-HEMOD
Médico Requisitante..: 153392 MARCOS DANILLO PEIXOTO OLIVEIRA
ANGIOPLASTIA
ATC: 70.825

INDICAÇÃO: Paciente encaminhado para tratamento de oclusão crônica em ACX.
TÉCNICA RADIAL: Puncionada artéria radial direita. Utilizando introdutor 6F.
MANOMETRIA (mmHg): Aorta: 120 X 90

ANGIOPLASTIA CORONARIANA:
Lesão-alvo: ACX

1. Pré-tratado com AAS, Clopidogrel e heparina não fracionada 9000 UI IV.
2. Cateterizado óstio do TCE com um cateter terapêutico XB 3.5 6F.
3. Tentativa de posicionado um fio-guia BNW 0,014" distalmente em ACX, sem sucesso.
4. Posicionado um fio-guia Whisper Extra Support

0,014" distalmente em segundo ramo marginal (MG2) com auxílio de cateter balão Mini Trek 1.5 x 15 mm.

5. Posicionado fio do item 3 em ADA proximal.
6. Realizada pré-dilatação com um balão Mini Trek 1.5 x 15 mm insuflado a 10 ATM.
7. Realizada nova pré-dilatação com balão Pantera Leo 2.0 x 30 mm insuflado a 16 ATM.
8. Posicionado um 1º stent farmacológico Orsiro 2.25 x 35 mm sob estenose médio-distal e liberado a 8 ATM.
9. Posicionado um 2º stent farmacológico Orsiro 3.0 x 22 mm sob estenose proximal em overlapping com o anterior liberado a 10 ATM.
10. Realizada pós-dilatação com um balão Pantera Leo 2.0 x 30 mm e insuflado até 20 ATM.
11. Reposicionado o fio-guia Whisper Extra Support em terceiro ramo marginal (MG3) e tentativa de passagem do balão Mini Trek 1.2 x 12 mm, sem sucesso.
12. A coronariografia de controle evidenciou bom resultado angiográfico com stents bem expandidos. Ausência de imagem de dissecção nas bordas dos stents. Ausência de trombos. O fluxo distal é TIMI III.
13. Término do procedimento sem intercorrências.

CONCLUSÃO

Angioplastia coronária (recanalização de oclusão crônica) de ACX com dois stent farmacológico com sucesso angiográfico.

Solicito acompanhamento.

VII

Desce no oitavo andar.
Toca o 82.
Desculpa vir sem avisar.
Entra.
Mauro está sem os dentes. Vamos para a sala. Diz cobrindo a boca.
Pompeu se instala no sofá.
Me dá um minuto, já volto.
Pompeu olha a paisagem marinha.
Quer um café? Mauro volta com os dentes.
Eu prefiro algo mais forte.
Devo ter um pouco de cachaça.
Se não se incomodar, tenho uma garrafa de uísque aqui na mochila.
Puxa. É um tanto cedo para isso, mas faz tempo que não tomo um *uiscão*.
Pompeu coloca a mochila no sofá e corre o zíper.
Vou buscar copos. Você quer gelo?
É sempre bom.
Eu trago. Mauro grita da cozinha.
Pompeu abre a garrafa de JEB.
Ué, pensei que só tomasse Cavalinho Branco.
Eles cagaram meu uísque. Adicionaram um sabor defumado nele. Ficou horrível. Já era uma decepção não vir mais a miniatura do cavalinho, agora foi o prego do caixão. O uísque que eu tomava desde criança.
Mauro aproxima os copos com gelo. Segura um em cada mão. Sorrindo. Pompeu os serve com generosidade. Mauro diz: Tim-tim, batendo no copo de Pompeu. O gole acentua o sorriso de Mauro.
Puxa vida! Exclama. Vamos fumar um cigarro?

Vamos. Não está na minha hora, mas vamos.

Fumou há pouco?

Não fumo mais de hora em hora.

Por quê? Como faz agora?

Agora tento fumar três cigarros durante o dia. Acabo fumando entre quatro ou cinco. Às vezes nove. Essas coisas.

Uau. Deve ser difícil isso. Admiro sua força de vontade.

Eu morri, Mauro. Eu morri.[151]

Bem, tem aquele ditado: "Quem não morre não vê Deus".

Não, eu morri de verdade. Dia 25 de novembro do ano passado tive um infarto e duas paradas cardíacas. Morri duas vezes.

Você está brincando!? Caramba! É sério? Eu não sabia. Você parece bem. Como você está?

Eu ainda tenho uma artéria entupida, mas estou bem.

Ainda tem uma artéria entupida? Mauro pergunta como se pensasse em voz alta. Está perplexo. Tenta assimilar as informações.

Está tudo bem. Só estou te contando. Imaginei que não soubesse.

Eu não sabia. Realmente não sabia. Mauro esvazia o copo.

Mas não é por isso que estou aqui. Pompeu diz isso enquanto completa o copo do amigo. Mauro acende o cigarro. Pompeu resolve o acompanhar. Eu a vi.

Como foi morrer?

151

"CLOV Você acredita na vida depois da morte?/ HAMM A minha sempre foi." *Fim de partida*, Samuel Beckett, tradução: Fábio de Souza Andrade.

Você ouviu? Eu a vi.
Eu quero saber sobre a sua morte.
Suas, você quer dizer. Eu morri duas vezes.
Me conta. Como foi? Como foi essa experiência?
Dolorosa. Dolorosa demais. Tem gente que não sente dor quando infarta. Eu senti tanta dor que entrei em convulsão. Desmaiei de dor.
E você viu alguma coisa?
Nada. Não há nada lá, meu amigo.
Mauro esmaga o cigarro insistentemente no cinzeiro.
Embora eu tenha trazido algo de lá.
Como assim?
Algo veio comigo. Um pouco da morte veio em mim.
Você ao menos deu um gole?
Oi?
Provou das águas do Letes?
Puxa. Não... eu ainda lembro de tudo.
Ora, Pompeu, só lembramos do que não esquecemos.

VIII

É tarde.
Pompeu se apoia num poste.
Bebe de uma garrafa de bolso enquanto observa o prédio do outro lado da rua. Todas as luzes do prédio estão apagadas.
Sente algo incômodo.
Se surpreende ao ver um homem muito pequeno o observando.
O homenzinho está alguns passos atrás dele.
Porra! Você me assustou.
Desculpa, senhor, não era a minha intenção.

Não? Então qual era a sua intenção? Ficar aí atrás me espionando? Pompeu diz irritado. Suas palavras saem um pouco emboladas. É notável sua embriaguez.

A bem da verdade, eu não o estava espionando. Era o senhor que espionava o prédio aí em frente. Como sempre faz, por sinal.

Me deixa em paz, vai. Pompeu balança a mão mandando o homenzinho embora.

O senhor quer gelo?

Por um acaso você tem gelo aí?

Tenho, sim, senhor.

Só então Pompeu percebe que o homenzinho está vestido todo de branco. Um elegante fraque branco e carrega um balde de gelo numa bandeja de prata. Nesse momento o homenzinho lhe parece familiar.

Você me lembra alguém. Novamente gesticula. O mesmo gesto que fez antes, mas dessa vez não o está mandando embora. Faz o gesto como se isso o ajudasse a lembrar. Mesmo que aceitasse seu gelo, onde eu ia pôr? Não tenho a porra de um copo aqui. Agora, na bandeja, além do balde, há dois copos. Pompeu joga duas pedras num dos copos e despeja o uísque.

Só então percebe a coroa na cabeça do homenzinho. Por que você está usando isso?

Ah! Eu vou a uma festa. É uma fantasia.

É? Você está fantasiado de rei?

Estou fantasiado do quarto filho da noite.

Da noite? Eu gosto da noite. Só não consigo dormir.

A noite nos deu muitas coisas.

Eu queria tanto poder dormir. Sinto que durmo num espelho d'água. Consegue entender?

"É preciso reconciliar-se consigo para poder dormir."[152]
Não foi algo assim que teria dito Nietzsche?
Não consigo mergulhar. Fico nesse espelho d'água.[153]
Preso nesse *entremundo*.
Reconcilie-se.
Mas me diz, quem são teus irmãos, ó filho da noite?
Ah, somos tantos.
Diz. Nomeia teus irmãos, ó filho da noite.
Segundo Homero, primeiro foi Moro, o destino
Tânatos, a morte
Hipno, o sono
Momo,[154] o sarcasmo

152
"Honrai o sono e respeitá-lo! É isso principal. Fugi de todos os que dormem mal e que permanecem acordados à noite [...] Dez vezes devem reconciliar-se consigo mesmo, porque é difícil vencermo-nos, e o que não estiver reconciliado dorme mal." *Assim falava Zaratustra*, Primeira parte: "Das catedrais da virtude", tradução: Eduardo Nunes Fonseca.

153
"Cada criatura humana traz duas almas consigo: uma que olha de dentro para fora, outra que olha de fora para dentro..." Machado de Assis, "O espelho". "Dois caminhos estavam diante dele:/ o do infinito de fora,/ o do infinito de dentro." Antonin Artaud, "O cocô (aqui rugido)", tradução: Claudio Willer.

154
"No panteão grego, onde os deuses riem tão livremente entre si, o riso é curiosamente o atributo de um personagem obscuro, o trocista e sarcástico Momo. Filho da noite, censor dos costumes divi-

Hespérides. As Hespérides eram três.
Egle, a brilhante
Erítia, a vermelha
e Hesperaretusa, a do poente. Princípio, meio e fim.
Então a noite gerou Moira, o destino
Queres, a destruição
Nêmesis, a justiça distributiva
Gueras, a velhice
Éris, a discórdia, a rivalidade.
Esses foram os primeiros dentre os incontáveis filhos que nascem um a um a cada noite. Segundo Hermes Trismegisto, não necessariamente a noite, mas sim a lua,[155] nos deu o medo, o silêncio, o sonho e a memória.
Então foi ela…

---

nos, Momo termina por tornar-se tão insuportável que é expulso do Olimpo e refugia-se perto de Baco. Ele zomba, caçoa, escarnece, faz graça, mas não é desprovido de aspectos inquietantes: ele tem na mão um bastão, símbolo da loucura, e usa máscara. O que quer dizer isso? O riso desvela a realidade ou a oculta? Enfim, não é possível esquecer que, segundo Hesíodo, suas irmãs são Nêmesis, deusa da vingança, Angústia e a 'velhice Maldita'." Georges Minois, *História do riso e do escárnio*, tradução: Maria Elena O. Ortiz Assumpção.

155

"Depois de roubar um gemido do silêncio, depois de amar a razão sensível das coisas, a lua se despede debaixo da terra; as canções aglomeram-se na ruidosa partida do ser que muda o mundo, que aceita renascer em momentos trágicos sem poder dormir." *Pacto con el Diablo: Los hermanos de la sombra*, Gustavo Acosta, Héctor Escobar, Orlando Villanueva e Víctor Raúl Jaramillo (em livre tradução).

Foi ela?

Quem nos deu a memória.

Foi. Para ruminarmos quando vagamos insones pela noite. Noctâmbulos. Assim como você faz agora.

Tô cansado. Pompeu se escora nos ombros do homenzinho para se sentar na sarjeta.

Não quer me acompanhar à festa?

Não, eu só preciso me sentar um pouco. Quem não dorme direito nunca desperta completamente. Eu tô muito sonado hoje.

Você não está aí
mas nada te abandona
você conservou tudo
exceto a si mesmo.[156]

É isso. Deve ser isso, homenzinho.

Me acompanhe à festa.

Talvez eu o acompanhe. Se eu pudesse dormir um pouco antes de ir. Me recompor.

Deite aí. Eu cuido de você. Descansa um pouco.

Sabe, às vezes eu só preciso apagar e voltar. É como reiniciar a máquina, me entende? É rápido. Só desligar e voltar. E então fico novo. Quinze minutos. Eu preciso de quinze minutos.

Faça isso. Eu cuido de você.

Eu não consigo. Bato nesse espelho d'água e volto. Não consigo. Acho que meu corpo desaprendeu a dormir.

156
Fragmento de Artaud, *O Momo*, tradução: Claudio Willer.

E por que volta aqui?

Eu não vou mais voltar. É hábito. Vou lutar contra isso.

Você já disse isso tantas vezes.

Para onde mais posso ir?

Você lembra da casa da Cynthia? Lembra das lágrimas de sangue?

As lágrimas de sangue. Feito Cristo. Pompeu diz com olhar perdido.

Lembra do que encontrou no terreno baldio?

Pompeu cobre o rosto.

Lembra da garotinha? Como era seu nome?

Pompeu deixa o corpo deslizar lentamente na calçada.

Você nem lembra o nome da garotinha. O que você fez com ela?

Pompeu se aconchega em si mesmo. Abraça os próprios ombros.

Me leva daqui.

Vamos para a festa.

Me tira daqui.

Vou esperar você mergulhar e voltar.

Dizem que os mergulhadores, depois de um tempo submersos, não sabem se a superfície está pra cima ou pra baixo.

Pompeu tenta se erguer com dificuldade.

Se apoia nos cotovelos e permanece ainda meio deitado no chão.

Sabe o que ela deixou pra mim quando se foi?

Uma mecha de cabelo?

Não, a cabeça inteira. Uma pequena cabeça à moda dos Jívaro.

Ela te presenteou?

Não. Ela largou ali na mesa quando entendeu que eu já estava envolvido com outra pessoa. Era horrível olhar para aquela pequena cabeça. Ela deixou o anel também. O anel que se abria e guardava um pequeno compartimento secreto. Sabe quem tinha um igual?

Não. Quem?

A gótica. Tinha um anel idêntico. Com a mesma pedra preta. Eu acho, muitas vezes, acredito realmente nisso, embora nunca tenha dito isso a ninguém, que as pessoas se duplicam em distintas formas. Deu pra entender?

Claro, posso entender tudo.

Mas eu não consegui me explicar. O que quero dizer é que a gótica, antes de ser gótica, ou já sendo, porém antes que eu a conhecesse em sua forma gótica, era a garotinha. Quem sabe? E era também essa aí que mora no segundo andar, e eu volto para observar sua silhueta através da sombra que se projeta na cortina.

É possível. Eu acredito no que diz. Olha lá! Olha lá. O homenzinho aponta agitado para a janela do segundo andar. Dá para ver a sombra na longa cortina branca. Feito um teatro[157] de sombras.

Levanta, levanta! A festa vai começar.

Talvez meu pai seja também o homem do realejo e aquele que me julga.

Vamos, vamos, não podemos perder a abertura da festa!

157

"[...] o teatro me deu consciência e superação, o disfarce ideal, isso, por exemplo, que está acontecendo comigo não é comigo que está acontecendo, quem está aqui dentro, olhando para mim, é outra pessoa, além, sou um outro ator em cena já faz um bom tempo." Marcelino Freire, *Nossos ossos*.

É como Peter Sellers, ou esses atores que faziam vários personagens no mesmo filme.

Veja! Ela nos chama!

Pompeu ergue a cabeça e a vê.

Ela faz sinal para que subam.

Gesticula como se os puxasse com a mão.

Faz um movimento com as mãos feito uma onda.

Uma onda invertida.

A onda os puxa em direção a ela.

Venham.

Vamos. Diz o homenzinho. Vai começar a festa.

Eles sobem. A porta está aberta. Pompeu se acomoda no sofá. No lugar onde ele costumava sentar quando eram namorados. Então ele olha o velho quadro na parede. Ela surge vindo da cozinha, trazendo na mão esquerda um copo vagabundo cheio de uísque e na direita uma coroa de papelão vagabunda coberta por um papel laminado e reluzente de um amarelo idêntico ao ouro.

Ela lhe entrega o copo.

Então o coroa.

Beija sua boca e se deita no colo de Pompeu.

O homenzinho se acomoda numa poltrona e os observa sorrindo.

Então ela já é outra.

IX[158]

Aparência[159]
Meu amigo imaginário me dá vida.
A casa da Cynthia e a lágrima de sangue. O sudário de Turim na carteira de meu pai. Uma casa de chá. Réplicas. No jogo dos sete erros (sempre) só encontro seis. O boneco gigante que me atacou (imobilizou) quatro vezes. Um atraso. A lua cheia. Uma bicicleta de roda branca. Camarão empanado. Uma calça branca. Dor de cabeça. Cinema. O esforço por ocultar. Um short jeans. Bebendo rum com febre. Desejos e sombras. Selos e maços de cigarro. Cigarros. Caubóis. Lentes. Um biscoito de Jacareí. Microscópio(s). Drogas. Caixas de madeira. Um urso de plástico. Esconderijo. A estátua de Netuno. Pássaros numa gaiola. Guarda-roupa. Convulsões. Parentesco. Casas. Lesões. Enfermidades. Perdoar. Cogumelos e alucinações. Exércitos. Excessos. Vacina. Meningite. Surpresas. Aquilo que eu já sabia. Mentira. Fala. A outra mente. O outro pensar. O poder de dar vida ao imaginário. Criar. Reproduzir-se. Coisas de plástico. Objetos. Aquele que encolhe cabeças. Uma pequena mão no

―

158
Este subcapítulo não precisa ser lido. Não fará diferença alguma.

159
"Aparência ■ 1 aspecto: ar, expressão, feição, fisionomia ⟨*a. de cansaço*⟩ 2 figura: apresentação, forma, imagem, porte, vista ⟨*na moda, a boa a. é tudo*⟩ 3 fingimento: disfarce, fachada, fantasia, ficção, ilusão, quimera, sonho, superficialidade ⟨*vive de aparências*⟩ ↶ realidade, sinceridade, verdade." *Dicionário Houaiss, sinônimos e antônimos.*

fundo do mar. Um mundo abaixo do vidro. Miniaturas. Livros antigos. Histórias policiais. Minha vida poderia ser uma história policial. Meu Aleph[160] particular. Partidas. Segredos. Uma vida dupla. Tripla. Morrer e voltar. Morrer e voltar. Vhsk-7cd. Black Sabbath. Current 93. Glass. Cale. Cage. Pärt. Um periquito chamado Lilico. O circo. "Renegado." Um lago e o fundo do lago. Um passeio. Outono. Os outros. *Indinho*. Forte Apache.[161] Caranguejeira. Cascavel. A família do viajante. A rã. O soldado. A loteria. Tambor. Três Marias. Dalva. Lúcifer. Luz da manhã. O Diabo. Guarda-chuva. "Se conhece um

---

160

"Inclinei os olhos a uma das vertentes, e contemplei, durante um tempo largo, ao longe, através de um nevoeiro, uma coisa única. Imagina tu, leitor, todas as paixões, o tumulto dos impérios, a guerra dos apetites e dos ódios, a destruição recíproca dos seres e das cousas. Tal era o espetáculo, acerbo e curioso espetáculo. A história do homem e da Terra tinha assim uma intensidade que lhe não podiam dar nem a imaginação nem a ciência, porque a ciência é mais lenta e a imaginação mais vaga, enquanto que o que ali via era a condensação viva de todos os tempos. Para descrevê-la seria preciso fixar o relâmpago. Os séculos desfilavam num turbilhão, e, não obstante, porque os olhos do delírio são outros, eu via tudo o que passava diante de mim [...]" Machado de Assis, *Memórias póstumas de Brás Cubas*.

161

"*Playthings in an old game, the little toy soldiers are covered with rust, shaped to fill a forgotten empty space.*" "Brinquedos de um antigo jogo, os soldadinhos estão cobertos de ferrugem, moldados para ocupar um espaço vazio esquecido." William S. Burroughs, *The Place of Dead Roads* (em livre tradução).

homem pelos sapatos." A mão. O bêbado. O velho. Meu avô. Sondra Porfírio. Todas as ruas por onde andei. Sereia. Jasmim. *El cotorro*.[162] Melancia. Um presente que nunca entreguei. Peg-Pag.[163] Ibirapuera. Anhangabaú. O dia em que criança bebi brincando. Roleta-russa. Reler "O Aleph" trinta anos depois. Passiflora. Assistir a terceira temporada de *Twin Peaks* vinte e cinco anos depois. Brindar por telefone com um amigo que completa setenta anos. Quando nos conhecemos, ele tinha pouco mais de trinta. Absurdo. Rio. Dois rostos em negativo. Traição. Mato. Terreno. Lúcifer sorriu para mim. Cigarros. Coca. Magia. Desencanto. Gatos. Rancor. Nada. Meu tempo. Disciplina. Mancha. Descrença. Itapevi. Beja. Voar. Houve. Lucidez. Dentes. Três. Quinze. Cinco, sete. Osíris. Pingente peruano. Cisma. Rancor. Meio. Favela. Padre. Réplica do sol. Transubstanciação. Ralo. Tarô. Domingo. Abril. Tonopan. Sintozima. Lorax.[164] Tempo. Labirinto. Pastel de feira. Pássa-

162
O papagaio.

163
"Supermercados Peg-Pag S.A., mais conhecida apenas como Peg-Pag, foi uma rede de supermercados de São Paulo, o primeiro da cidade, inaugurado em 1954. Foi um dos nomes mais conhecidos do ramo até 1978, quando foi incorporado pelo Grupo Pão de Açúcar." Wikipédia

164
Em *Destinos piores que a morte*, tradução: Fábio Fernandes, Kurt Vonnegut cita logo no início alguns seres mitológicos que parafraseio agora: "Aqui vamos nós mais uma vez com a vida real e opi-

ros na amoreira. Ameixa. Ilusão. Convento. Rua. Carro. Passat. Herpes. Zóster. Trem. Periférico. Trabalho. Música. Depressão profunda. Sequestro. Aniversário. Brincadeira. Brinquedo. Sexo. Pescador. Pecador. Mulher do próximo. Propriocepção. Câmera. Insônia. Espelho. Burro. Burra. Casa. Rua. Trincheira. Sarjeta. Laje. Eclipse. Cavalo. Cavalo branco. Celular. Laptop. Sexta-feira. Sesc. Maurício. Nome próprio. Coração. Terapia. Nome de mulher. Mercúrio. Deus. Chave. Cromo. Nhoque. Esquecimento. Cuidar dos meus. Impróprio. Itália. Lilás. Flor de lis. Meias pretas. Peixe. Dezenove de setembro de 2021. Desejo. Punheta. Você. Aventura. Música. Toque. Desenho. Desenho. Memória. Imagem. Tato. Escrita. Luva. Vaso de flores. Escarlatina. Nanquim. Insônia. Alecrim. Oliva. Sapo. Água. Revistas. Caracol. Amonite. Irmão. Maçom. Pai. Filho. Verde. Momo. O Rei Soberbo. Coleção de insetos. Mar. Praia. Dois. Três. Trezentos. Café. Moeda antiga. Soberbo. Coleção de insetos. Praia. Dois. Três. Trezentos. Café. Agora e antes. Eu pensava que longe era outro lugar. Setecentas e oitenta e duas de noventa mil, setecentas e cinquenta e nove.

Crio um personagem e este dá vida a outros.

niões feitas para se parecer com um daqueles enormes e grotescos animais do tipo inventado pelo dr. Seuss, o grande escritor e ilustrador de livros infantis, como um ubleck ou um grinch ou um lorax, ou quem sabe um snich". Fui dependente por vinte e oito anos de Lorax® (lorazepam), um benzodiazepínico do laboratório Wyeth, que em meus insones trocadilhos bilíngues e sonoros muito se assemelha ao (igualmente mitológico ou lendário) léti, ou Yeti, mais popularmente conhecido como Abominável Homem das Neves.

X

Me conta um segredo. Ela pede.
"*Es war ein König in Thule*
Gar treu bis an das Grab."[165] Canta o homenzinho de sua poltrona.
Você é alemão? Pompeu pergunta.
Não. Você é?
Não.
Então por que pergunta?
Perguntei porque você falou em alemão.
O fato de falar alemão não me torna alemão. "*Ach, die Erinnerung tötet mich. Vergäb sie mir nur noch in diesem Leben!*"[166]
O que quer dizer?

"*Hier träumte Magnus früher Größe Blütentag*"...[167]

165
"O rei de Thule", balada escrita por Goethe em 1774. Musicada por Schubert, Schumann, Liszt, entre outros (em nota de Marcus Vinicius Mazzari).

166
"Cruéis memórias que me comem! Perdoasse-me ainda a minha mulherzinha." Na tradução de dona Jenny Klabin Segall. E/ou: "Oh, a memória me mata. Apenas me perdoe nesta vida!". Google tradutor. Mefistófeles, *Fausto*, "A casa da vizinha", Johann Wolfgang von Goethe.

167
"Aqui Magnus sonhou com a glória de horas findas." Na tradução

XI

Tem uma coisa muito importante que eu costumo esquecer. É algo que hoje pode parecer insignificante. Algo que poucas vezes me vem à mente mas que merece ser lembrado. Quando eu era pequeno, o mundo era outro. E maior. Você sabe do que estou falando. Não é nada saudosista ou esse papo de velho. Porém, os valores eram muito diferentes. Por exemplo, nós brincávamos na rua. Sozinhos. Desde muito pequenos. Havia menos carros. Atravessávamos ruas. Brincávamos até a noite sem a supervisão de um adulto. É isso! Não éramos tão controlados, digo, as crianças. Quer dizer, pensando melhor, também os adultos. Os mundos eram distintos. Havia lugares de adultos e lugares de crianças. Não compartilhávamos tanto os espaços. Lembra disso? Eles nos diziam: "Vai pra lá, isso não é assunto de criança". Era assim. Comíamos em mesas separadas. Tinha sempre esse "vai brincar pra lá". E, então, tudo se misturou. Os pais invadiram o espaço das crianças e as crianças invadiram o mundo dos adultos. E também nos arriscávamos mais. Não éramos superprotegidos, ao contrário, estávamos sempre expostos. Uma das brincadeiras corriqueiras que fazíamos era irmos em pé no estribo do carro, nos segurando na janela, enquanto nossos pais aceleravam para ver até onde iria nossa coragem, até que pedíssemos para que desacelerassem ou simplesmente saltássemos. Você brincava disso? Lembra disso? Lembra o que é um estribo? Acho que hoje os carros nem ao menos têm estribo. Os fuscas

---

de dona Jenny Klabin Segall. E/ou: "Aqui Magnus costumava sonhar com um grande dia de floração". Google tradutor.

tinham. Não só os fuscas. Agora acho que só as caminhonetes têm. Bem, uma vez, numa estrada de terra no clube em Itapevi, eu brincava disso. E meu pai começou a acelerar cada vez mais. Quando o medo tomou conta de mim, eu saltei. O carro deixava uma nuvem de fumaça. O pó da estrada. Assim que toquei o chão, me desequilibrei devido à velocidade e bati a cabeça, a parte de trás, com toda a força. Quando me levantei, não sabia onde estava. Um halo mágico cercava cada ser ou coisa que me rodeava. Cada ser ou coisa tinha um halo diferente. Cada qual tinha uma cor distinta. Durante alguns minutos fui tomado por essa irrealidade. Naturalmente, devido à cortina de pó levantada pelo veículo, meu pai não viu minha queda e por isso seguiu seu destino. Ele estava com a minha mãe e iam a algum lugar. Aos poucos fui recordando as coisas. Vencendo aquele lapso. Aquela breve amnésia. É só isso. Acho que esse episódio merece ser inscrito.

XII

Chupo uma bala de hortelã pra acalmar a vontade de fumar.
Há algo diferente aqui.
Além de mim, naturalmente.
Sinto.
Então ouço alguém chamar o nome pelo qual me chamam.
Os outros.
Um homem de terno escuro gesticula.
Faz sinais apressados.
Me ergo, sem pressa, e caminho em sua direção.
Pode entrar. Não fale nada a menos que lhe seja perguntado.
Ele gira a maçaneta e sinaliza com a cabeça para que eu entre.

O lugar já me é familiar.
Sua pretensa sobriedade.
Sua decadente e cafona tentativa de ser luxuoso.
A antessala.[168]
Os móveis que se espalham. Se espelham.
O vaso com jacintos roxos. As cadeiras. O tapete.
Espero.
De pé.
Parado.
Meus pais entram na sala.
Cada qual por um lado.
A mesma coreografia patética.
Cada um surge de um lado.
Simultâneos.
Caminham de forma artificial. Mecânica. Teatral.
As roupas recém-passadas.
E a tintura nos cabelos.
Eles me olham com sua arrogância.
O silêncio pensado.
Os encaro.
Eles, esses outros, se entreolham.
É tudo tão artificial. Ensaiado.

168

"A morte é doce, sua antessala cruel." DrossRotzank, Youtuber e escritor venezuelano, num de seus programas, citando Camilo José Cela Trulock, escritor espanhol, Prêmio Nobel de Literatura em 1989 e, segundo alguns (muitos), informante do regime de Franco.

Meu pai, ridículo,[169] bate palmas.
Um palhaço fantasiado de Momo entra.
Caminha até mim.
O imbecil[170] olha para os imbecis esperando o sinal.

169

"Ridículo *adj*. 1 digno de riso, merecedor de escárnio ou zombaria, por desviar-se de modo sensível do que se considera socialmente ⟨*indivíduo r.*⟩ ⟨*atitude r.*⟩ 1.1 destituído de bom senso, de ponderação ⟨*comentário r.*⟩ 2 que se presta à exploração do lado cômico; que tem por efeito suscitar o riso; risível, bufo, cômico ⟨*representava, na peça, o papel de um sujeito r.*⟩ 3 que denota mau gosto, que possui ornamentação ou aspecto exageradamente espalhafatoso, sem harmonia; que tende à vulgaridade ⟨*roupa r.*⟩ ⟨*quadro r.*⟩ ⟨*decoração r.*⟩ 4 que tem pouco valor; insignificante, irrisório ⟨*vendeu os bens por uma quantia r.*⟩ 5 *infrm*. Que tem muito apego ao dinheiro; sovina, avarento ■ *s.m.* 6 indivíduo cujo comportamento, opinião etc. são dignos de zombaria 7 *p.met*. aquilo que, numa pessoa, coisa ou situação, se presta ao riso, ao escárnio, ao sarcasmo ⟨*o r. de sua atitude*⟩ ⟨*o r. daquele caso*⟩ 8 modo risível de ser e/ou de se comportar 9 ato pelo qual se critica alguém ou algo com zombaria; comentário, dito com que se ridiculariza pessoa ou coisa; escárnio ⟨*não se furtava à zombaria e insistia em marcá-lo com o r.*⟩ [...]" Dicionário Houaiss.

170

"Imbecil (*1589 cf. Arrais*) 1 que ou aquele que denota inteligência curta ou possui pouco juízo; idiota, tolo 2 *obsl*. Que ou aquele que é fraco, sem forças 3 *p.ext.; obsl*. que ou quem não tem coragem; covarde, pusilânime 4 PSIQ que ou quem apresenta retardo mental moderado (imbecilidade) ■ 5 relativo a ou próprio de imbecil ⟨*atitude i.*⟩ ⟨*expressão*⟩ [...]" Dicionário Houaiss.

Eles balançam a cabeça como verdadeiros... energúmenos.

Preciso que arregace a manga esquerda. Momo sussurra com sua doce voz.

Arregaço.

Momo tira do bolso o estojo que contém o punhal.

Preciso te marcar. Ele sussurra quase dentro da minha orelha. De modo quase sensual.

Dessa vez o punhal é uma lâmina fina e comprida.

Faça o seu trabalho, filho. Não deixo que ele desconfie que sinto medo de sua fantasia. Temo Momo desde a minha infância. Não posso contar o motivo.

Momo enfia sem dó.

Enfia bem fundo a navalha no meu pulso direito.

Posso senti-la entrando.

Posso senti-la invadindo meu corpo.

Posso senti-la atingir meu coração.

Para fugir da angústia, leio o tapete.

Caramelos Picados

Sejamos diretos. Fala o gordinho com voz de boneca.

Ok. Digo.

Chegou a um veredito?

Culpado. Afirmo.

Os dois fingem um choque. Ou se chocam de verdade. Não sei. Imagino que nem mesmo eles saibam. Tudo é tão artificial.

Posso saber o que te levou a tal decisão? Pergunta mamãe.

Culpado. Repito.

Sim, você já disse. O que lhe pergunto é: o que o levou a esse veredito?

Culpado. Repito, novamente.

A imbecil balança a cabeça desnorteada.

O que ela lhe pergunta, Júnior, é o que te fez chegar a essa conclusão. Papai procura esclarecer com sua vozinha irritante.

Culpado.[171]

171

Embora muito se diga sobre o fato de Sócrates, apesar de defender sua inocência, aceitar sua condenação ("[...] a defesa de Sócrates na corte de Atenas perante um júri de quinhentos e um atenienses no ano 399 a.C., quando contava com setenta anos. Sócrates fora acusado e indiciado pelos crimes de sedução da juventude e de impiedade, o mais grave de todos, pois consistia na descrença dos deuses do Estado"): "Para ele (Sócrates), nenhum cidadão está acima da lei, e esta tem que ser cumprida, mesmo que seja injusta" (Edson Bini). O que pouco se comenta é sobre o maravilhoso rancor que expressou ao receber tal sentença. Por isso gostaria de deixar aqui esta lembrança: "E agora quero fazer uma predição para vós, vós que me condenastes, pois me vejo agora no momento em que os seres humanos mais profetizam, ou seja, quando estão na iminência de morrer. E vos digo, a vós, ó homens que me condenastes à morte, que a vingança vos atingirá imediatamente após minha morte, uma punição, por Zeus, muito mais difícil de suportar do que a que reservastes a mim". Platão, *Apologia de Sócrates*, tradução: Edson Bini. Para ilustrar: "'Justiça', ele reflete. Grande palavra. Pode-se realmente traçar uma linha entre justiça e vingança". J. M. Coetzee, *O mestre de Petersburgo*, tradução: Luiz Roberto Mendes Gonçalves.

XIII

O caminho para casa é cheio de desvios, não é mesmo? Claro. Me surpreendeu o fato dele estar calçando apenas um pé do sapato.[172]

172

Voltemos (com todo o meu carinho, agradecimento e respeito) ao senhor Claudio Willer, traduzindo e contextualizando Antonin Artaud, no maravilhoso *Escritos de Antonin Artaud*: "Artaud passa a residir na clínica de Ivry, nos arredores de Paris, como paciente voluntário e não mais como internado compulsório. Morou e morreu no mesmo quarto *onde teria morrido* Gérard de Nerval" (grifos meus). [Embora Willer mencione isso, é sabido por diversas fontes o que segue, citado na introdução da edição portuguesa de Armando Guimarães a sua tradução de *Sylvie*, novela de Nerval: "Desde 1841 [Nerval] sofreu de acessos psicóticos, que se intensificaram a partir de 1852, obrigando-o a vários internamentos em clínicas psiquiátricas, e que terminaram com o seu suicídio por enforcamento na noite de 25 a 26 de janeiro de 1855, *numa rua escura perto do Châtelet, em Paris*" (grifos meus). E a *Enciclopédia britânica*: "Os anos de miséria e angústia de Nerval terminaram em 1855, *quando ele foi encontrado pendurado num poste na Rue de la Vieille Lanterne, em Paris*" (grifos meus). Para amarrar, o mesmo verbete destaca: "Nerval produziu uma notável tradução francesa do *Fausto* de Goethe que o próprio Goethe elogiou e que o compositor Hector Berlioz utilizou livremente para sua ópera *La Damnation de Faust*".] Pois bem, Artaud (que estava internado havia nove anos em hospitais psiquiátricos) é então encontrado morto: "A 4 de março de 1948, Artaud é encontrado morto em seu quarto de Ivry, caído aos pés da cama, agarrando um sapato. O diagnóstico é câncer de reto ["câncer no cu", diria Rogério Skylab]. O doutor Ferdière, que o tratara

Ele se parecia com meu pai.
Se parecia com o meu pai mais jovem.
Ou com meu irmão.
Ou comigo mesmo.
Fazia um típico dia de outono.
Por isso fui me sentar ao sol.

Quer dizer, fazia um típico dia de outono de quando os dias foram típicos. Um inconfundível dia de outono da minha infância. Quando as estações eram definidas.

---

em Rodez, insinua que na verdade morreu envenenado, intoxicado pelas quantidades de heroína e morfina que tomava". Também podemos associar a Jasão e sua busca pelo Velocino de Ouro, que é descrito no verbete de Junito Brandão da seguinte forma: "Sua indumentária era estranha: coberto com uma pele de pantera, levava uma lança em cada uma das mãos e tinha apenas o pé direito calçado". E o oráculo já tinha advertido a Posídon: "Desconfie do homem que usar apenas uma sandália", o que, segundo Apolodoro, seria um "monosándalos". Não esqueçamos de Empédocles e suas sandálias de bronze expelidas pelo Etna depois dele ter se jogado no vulcão. Nem de nosso querido Adoniran Barbosa: "de lembranças, guardo somente suas meias e seus sapatos/ Iracema, eu perdi o seu retrato". Letra da canção "Iracema". Para terminar, deixo aqui um microfragmento da tradução de Nerval de uma edição de 1964 da Garnier-Flammarion: Goethe: "*Laß das Vergangne vergangen sein, Du bringst mich um*". Nerval: "*Laisse là le passé, qui est passé! Tu me fais mourir*". Tradução de dona Jenny Klabin Segall: "Deixe o passado ser passado, estás me matando". Dizem que um dia antes de se enforcar naquele poste da Rue de la Vieille Lanterne, Nerval enviou uma carta a sua tia que terminava da seguinte forma: Não me espere hoje, pois a noite será negra e branca".

Que já viveste? Novamente se dirigindo a mim.

Oh, já vivi. Respondo.

Veio visitar alguém?

Não. Na verdade, vim enterrar um amigo.

Nada mais triste do que enterrar um amigo.

Enterrar um filho deve ser muito pior. Respondo.

Há tantos pais que matam seus filhos.

É verdade. Bem observado.

Elizabeth Ramsey matou o enteado de fome. Ela e o marido, Aaron, o pai do garoto. De fome. Foi no Texas em 2011, nunca consegui esquecer essa notícia.

Claro. Há pais que matam seus filhos.

De fome!

Obviamente não é desses que estou falando.

Tranquilo, tranquilo. Ele diz forçando um sotaque castelhano. Estava apenas comentando. Não se aborreça com isso.

Não me aborrece. Só estou explicando.

Então do nada ele parece feliz.

Não, ele não parecia feliz, ele parecia aquecido. O ar estava realmente gelado. Ele parece sentir conforto.

Eu amo o frio. E amo me aquecer ao sol nos dias frios. Ele tenta retomar a conversa de forma mais leve.

Ele sorri pra mim.

Eu sorrio de volta.

Éramos dois camaradas num cemitério procurando nos manter aquecidos e lembrando daqueles que deixaram de ser.

É tudo ao contrário, você sabia?[173]

173

Breve (não tão) ensaio (delirante) sobre o(s) contrário(s), remorso (culpa) e/ou erro × justificativa. Ou, também, aquela velha "simpatia", e/ou (ainda) as (desesperadas) desculpas para boi dormir: Quando eu era pequeno, achava que Fausto fosse sinônimo de Diabo. Não podia imaginar que o verdadeiro significado, como nos ensina o maravilhoso *Dicionário latino português*, por Francisco Torrinha, é justamente seu oposto. "1. Faustus, 1. Feliz (no crescimento); próspero; ditoso. 2. Que faz crescer prosperamente; favorável; propício. 2. Faustus, [id], *m*. 1. Fausto, sobrenome de Sila. 2. Filho de Sila. 3. Nome de outras pessoas." O dicionário não traz seu oposto, ou seja, Mefisto, *Mephisto*, porém traz: "1. mephitis, Exalação pestilencial. 2. Mephitis, Mefite, deusa dos Hirpinos". Estudei em colégio de padres e depois em colégio de freiras. Aprendi com meu avô paterno, Francisco Mutarelli, que ninguém era obrigado a acreditar em Deus. Ele não acreditava. Infelizmente, na escola as coisas não eram tão simples assim. Tive muitos problemas com dona Luzia, a professora de religião. Porque eu dizia não acreditar e ela não aceitava. Dizia que eu era muito pequeno para afirmar tal coisa. O pequeno, obviamente, tinha um sentido bastante depreciativo, o que me levava, inutilmente, a debater. Ainda muito jovem, igualmente, nunca acreditei na existência de Cristo. (Caberia aqui no mínimo uma nota, mas, já que estamos em uma, vou fazer caber em um parêntese. Sempre me lembro de Edmond Blattchen, que abre uma entrevista a Jean-Yves Leloup, citando Ibn Arabi, 1165--1241, filósofo muçulmano andaluz: "Aquele cuja doença se chama Jesus é incurável". Tradução: Maria Leonor F. R. Loureiro. Leloup também sofreu uma morte clínica e ao voltar se tornou crente em Jesus, e explica nessa entrevista: "A palavra Deus vem do latim *dies*, que quer dizer o 'dia', a 'luz'". Realmente, se procurarmos no supracitado dicionário de Francisco Torrinha [o verbete é longo, vou selecionar os trechos mais relevantes]: "*Dies*, 1. Dia (espaço de tempo desde o nascer até ao pôr do sol). 2. Dia (espaço de vinte e quatro horas, de meia-noite a meia-noite). [...] 5. Dia (do nascimento, da morte, da febre)...". Ao mesmo tempo, no mesmo dicionário, se procurarmos Lúcifer, encontraremos: "1. lucifer,

1. Luminoso; que dá claridade; que traz luz, uma luz. 2. Lucifer, A estrela da manhã, o planeta Vênus; Lúcifer. 2. Dia"). Porém, eu argumentava a dona Luzia que, se ela acreditava na existência de Jesus, não devia se preocupar. Pois, quando ele, supostamente, foi morto, redimiu todos os pecados. Estávamos no crédito. Tava tudo quitado. Sempre que lia a Bíblia, tinha a forte sensação de que nos ensinavam tudo ao contrário. Achava que o Diabo era de fato o mocinho. Era quem realmente compreendia os fracos, os renegados e afins. Mas o trabalho de nos manipularem pela culpa e pelo remorso faz, indubitavelmente, marcas profundas. Naturalmente, fui procurando ler aqueles que de alguma forma me ajudavam a entender meus sentimentos mais profundos. E nessa estrada é impossível não passar por William Blake. Blake, em seu fundamental *As núpcias do Céu e do Inferno*, diz: "*Those who restrain desire, do so because theirs is weak enough to be restrained; and the restrainer, or reason, usurps its place & governs the unwilling*". Essa seria a voz do Demônio que, na tradução de Oswaldinho Marques, se tornou: "Aqueles que refreiam o desejo assim procedem porque o que possuem é bastante débil para ser reprimido, e o repressor, isto é, a razão, usurpa o lugar do que anelam & governa os relutantes". Já meu amigo Claudio Ellovitch traduziu e sintetizou, para usar como epígrafe em seu curta *Os enamorados*: "Aqueles que refreiam o desejo, assim fazem porque o desejo deles é fraco o suficiente para ser refreado". Freud diria: "Não é fácil ver por que um instinto humano profundo necessita ser reforçado por uma lei. Não existe lei ordenando que os homens comam ou bebam, ou proibindo-os de pôr as mãos no fogo. Os homens comem e bebem e mantêm as mãos longe do fogo instintivamente, por medo de penalidades naturais, não legais, que seriam trazidas pela violência feita a esses instintos. A lei os proíbe apenas de fazer o que seus instintos os inclinam a fazer; seria supérfluo que a lei proibisse e punisse o que a natureza mesma proíbe e pune". *Totem e tabu, contribuição à história do movimento psicanalítico e outros textos*, tradução: Paulo

César de Souza. Prometo avançar só mais um pouco. Carl Gustav Jung, logo de cara em seu *Liber primus*, a primeira parte do *Liber novus*, ou *O livro vermelho*, escrita a partir de seu "confronto com o inconsciente", que mais tarde chamou de "imaginação ativa", inspirado, também, no processo de Herbert Silberer, que "conduziu experimentos em si mesmo em estados hipnagógicos" (citado por Sonu Shamdasani na introdução de Gentil A. Titton e Gustavo Barcellos ao *Liber novus*, tradução: Edgar Orth), da seguinte forma: "A imagem de Deus lança uma sombra que é tão grande quanto ele próprio". Muito bem, no *Liber primus*, capítulo III, "Sobre o serviço da alma", Jung apresenta a visão, para mim, mais profunda e reveladora a respeito desse tema na seguinte passagem (se referindo aos quarenta dias que Cristo passou com o Demônio no deserto com consentimento divino): "Cristo venceu a tentação do demônio, mas não a tentação de Deus para o bem e o razoável. Cristo está pois submetido à tentação". Ou seja, assim como o Demônio, Deus o tentou. Seguindo com William S. Burroughs: "Então eu não me importo com Você ou com Aquele que Te enviou. Porque Te enviou para fazer dos homens menos do que eles são, não mais. Ele O enviou para criar escravos, não homens livres. Ele O enviou para cegar nossos olhos e tapar nossos ouvidos". E conclui: "Se estima que cem milhões morreram devido à Enfermidade de Cristo. Mas aqueles que morrem não são nada comparados aos que sobrevivem". *Ghost of Chance* (em livre tradução). Num discurso dominical na Rotunda, um edifício arruinado na margem sul do Tâmisa, Robert Taylor ("o sacerdote apóstata") teria declarado: "Deus e o Demônio... são um e outro o mesmo ser... O Inferno e o fogo do inferno... são, em suas origens, nada mais que os nomes e os títulos do Deus Supremo". Adrian Desmond & James Moore, *Darwin: A vida de um evolucionista atormentado*, tradução: Cynthia Azevedo. E, naturalmente, não poderia deixar de fora o célebre pensamento de Epicuro: "Deus, ou quer impedir os males e não pode, ou pode e não quer, ou não quer nem pode, ou quer e pode. Se quer e não

Tudo? Pergunto dando corda.

Tudo. Quer dizer, tudo o que nos ensinaram. O que aprendemos por nós mesmos é certo.

Ele faz uma pausa enquanto balança a cabeça. Então continua. Você só deve levar em conta aquilo que aprendeu de forma empírica, não é assim que se diz? Não é assim que os bacanas falam?

Então ele tira um cigarro do bolso e, antes de acender, aponta para algo. Por exemplo, aquilo não é a porra de uma águia, aquilo é um corvo negro.

Fico desnorteado com sua fala. Não existem águias, ou corvos, onde vivemos. E tampouco estavam ali na praça. Porém, ele falava e apontava como se lá estivessem. Como se as aves estivessem ali e só eu não as pudesse ver. Porém, tive a sorte de avistar uma alma-de-gato pousando num dos galhos da amoreira.

Veja. Aponto. É uma alma-de-gato.

Vou começar do começo. Na verdade, eu estava ruminando essa história na cabeça e comecei a falar do nada. O que quero dizer é o seguinte: você conhece a representação da visão de Nicolau de Flüe?

---

pode, é impotente: o que é impossível em Deus. Se pode e não quer, é invejoso, o que, igualmente, é contrário a Deus. Se nem quer nem pode, é invejoso e impotente: portanto nem sequer é Deus. Se pode e quer, o que é a única coisa compatível com Deus, donde provém então a existência dos males? Por que Deus não os impede?". Para fechar com música, meu irmãozinho Mario Bortolotto canta: "Eu te ligo no meio da noite/ Pra dizer que o mal, o mal mora em mim/ O mal pula comigo na piscina e não se afoga/ O mal joga xadrez em tardes quentes e não se afoba...". "Nossa vida não vale um Chevrolet", Saco de Ratos Blues.

Puxa, desculpa, não sei quem é. Temo não poder acompanhar a história por minha ignorância.

Tranquilo, Nicolau foi um sujeito que gostava de meditar. Puxa vida, como ele gostava de ficar ali, em seus pensamentos. Mas a mulher dele gostava de meter. Aquela lá gostava mesmo da bagunça. E Nicolau, para ser o bom marido, acabou fazendo um montão de filhos. Dez filhos. Se bem que naquela época era normal ter um monte de filhos. Porém, ele foi se cansando daquilo tudo. Daquela vidinha doméstica. Da filharada. De tudo. Ele queria algo maior.

Em que época ele viveu? Tento me situar para poder acompanhar melhor a história.

Mil quatrocentos e pouco. Ele foi um místico suíço. Mas o lance do Nicolau era meditar. Ele queria se dedicar à reflexão, ficar numas com ele mesmo, sabe como é? Entende isso?

Claro. Ainda mais naquela época e sabendo que era um místico.

Só que tinha esse problema. Tinha a mulher e toda a filharada. Aí, quando ele estava com cinquenta e um anos... Quantos anos você tem?

Cinquenta e sete. Respondo.

Bom... vamos lá, ainda dá tempo. Depois dos cinquenta, a família, provavelmente de saco cheio de suas lamentações, permitiu que ele fosse. Então ele mudou de nome, aí que passou a se chamar Nicolau, antes seu nome era Bruder Klaus, o Irmão Klaus, algo assim. Então ele foi viver numa cabana abandonada no meio do mato. Dormia no chão e usava uma pedra de travesseiro.

Que bom que ele conseguiu o que queria. Digo para demonstrar algum interesse.

E o sujeito viveu lá por dezenove anos. Ele morreu no mesmo dia que nasceu, 21 de março.

Interessante.

Bom, enquanto ele vivia lá na sua cabana tentando entender os mistérios da existência, ele teve uma assombrosa visão. Ele viu a coisa mais espantosa e terrível que pudesse imaginar. Quer dizer, foi uma visão. Em sua imaginação ele jamais poderia vislumbrar algo tão assombroso assim.

Ele faz uma pausa enquanto olha para o nada, ou para os pássaros que não posso ver. Espero que ele conclua, mas ele se cala.

O que foi que ele viu? Procuro trazê-lo de volta.

Ele viu algo de uma monstruosidade inconcebível.

Entendo o suspense e a dramaticidade e resolvo esperar.

Sabe o que ele viu?

Não faço ideia.

Deus!

Levo um tempo pensando. Tentando elaborar minha pergunta.

Deixa ver se eu entendi. A coisa mais horrorosa que ele viu foi a imagem de Deus? É isso? A imagem era horrorosa? Deus era horroroso?

Dizem que ele ficou tão chocado com o que viu que acabou com o rosto deformado.

Caramba! Que história doida. Acho que nunca poderíamos imaginar que a cara de Deus fosse tão assustadora assim.

Na verdade, eu não fui preciso. Não foi apenas Deus que ele viu, ele viu a Trindade. Acho que, falando assim, deixo as coisas mais precisas.

Que de certa forma, na religião católica ao menos, seria a mesma coisa, não é?

Caso você tenha interesse, existe uma pintura que representa essa visão. É só dar um Google. Fica numa igrejinha na Suíça.[174] Não lembro o nome agora.

Ah, vou olhar, vou olhar.

Mas esse é o ponto. A representação foi toda adulterada. É tudo a porra do contrário. Pra ficar adequado, eu diria, eles mudaram tudo o que ele diz ter visto. Enquadraram nos moldes, entende?

Claro, claro.

Ele arremessa a bituca longe.

Ficamos um tempo em silêncio.

É inevitável eu pensar no Mauro agora. Relembrar tantas de nossas conversas. Ele me ensinou sobre a Trindade. Digo isso ao homem sem sapato.

Quem te ensinou sobre a Trindade?

Mauro. O amigo que vim enterrar hoje.

Ensinou, é?

É. Ele me ensinou sobre isso.

E o que foi que ele disse?

Ele disse que nos dividimos em três. E que sempre se dá dessa forma. Bom, vou tentar explicar o que lembro.

Espera! Espera um minuto, ele diz que todos se dividem em três?

É. Ao menos foi o que entendi. Seria assim: teria um que seria a gente. Eu mesmo seria esse um. Depois teria o outro, ou talvez, melhor dito, teria um outro que seria a espécie de um duplo meu. E, por fim, haveria um terceiro. E esse seria o mentiroso.

174

Na igreja paroquial de Sachseln há um pano com tal pintura, chamado "Sachsler Meditationsbild".

Que bobagem! Ele diz exaltado. Indignado. E isso a Maria Judia já falou há muito mais tempo e foi muito mais precisa.

Desculpa, quem?

Maria, a profetisa hebraica que viveu no Egito. Jung também falou sobre a natureza tripartite de sua alma. E o que me diz das três visitas misteriosas narradas no Gênesis?[175]

Não conheço.

Jung?

Não, Maria. Nem mesmo essa passagem do Gênesis.

Ela foi muito mais precisa. Caralho. Profundamente irritado.

Bom, como disse, ao menos é assim que me lembro. Procuro suavizar.

"Um torna-se dois, dois torna-se três e do três provém o um que é quatro."[176]

Tá. Hesito. Realmente não me parece tão diferente do que ele disse.

Isso foi dito trezentos anos antes de Cristo. E o que seu finado amigo fez foi distorcer a coisa toda. Continua visivelmente irritado.

Acho que você tem razão. O fato é que o Mauro não era um sujeito religioso. Então talvez ele tenha levado esse pensamento para outro campo.

E que campo seria esse? Ele questiona impaciente.

175
18,2: "[...] Ergueu os olhos e viu três homens de pé em frente dele...".

176
O axioma de Maria Prophetissa.

Não sei. Acho que falávamos sobre a realidade. Ou das possíveis brechas na realidade ou entre as realidades. Acho que falava sobre essa nossa transição entre vigília e sono. Falava do quanto banalizamos essa passagem.

Isso é verdade. A gente banaliza tudo. Mesmo assim aquele poeta[177] disse algo parecido e de forma muito mais instigante. Mas, voltando à visão de Nicolau, o que ele viu, tudo o que tentou trazer da terrível visão, foi formatado. Compreende? Não é o que está representado. E ele também falou sobre o mentiroso. No caso, Mentiroso com inicial maiúscula. Mas eu sei o que ele viu. Eu sei muito bem o que ele viu. O sujeito parece profundamente inflamado, perturbado. Um tanto ameaçador. Resolvo me despedir e seguir meu caminho. Foi um prazer conversar com o senhor. Fique bem.

Um casal conspira. Ele diz. Me detendo. Sinto que ele quer que eu o ouça. A mulher observa o que sai de seu corpo. E o que sai de seu corpo é ela mesma. E ela, em três, adora o Mentiroso que foi coroado. E então são seis pessoas que agem de forma perniciosa e lasciva. O Mentiroso agoniza e morre para renascer em mentira e ser coroado. E o corrupto é enrabado enquanto louva a imagem da mulher. A mulher que o pariu e pariu a si mesma. E o que ele louva é só imagem. Você foi só uma coisa que saiu de mim.

Eu não saí. Eu estou aí ainda.

Pompeu, o nome pelo qual me chamam, Respondo.

177

Aqui estou falando de T.S. Eliot em "A terra devastada".

XIV

Ele abre a porta e fica me encarando firmemente.
Não tenta dissimular.
Parece intrigado e visivelmente ansioso.
Entre, entre. Ele diz.
Não sei se é impressão minha, mas ultimamente todos parecem repetir o que dizem. Assim como ele fez agora: "Entre, entre". Acho que até eu tenho feito isso sem me dar conta. Deve ser algum desses modismos. Essas coisas de época que pegamos. O duro é que algumas nunca vão embora. Ficam para sempre. Por exemplo, eu uso "caramba" desde fim dos anos 1970. A expressão não ficou datada para mim. É ainda precisa. Eu fiquei datado, isso sim. De qualquer forma, entro. O encaro por certo tempo também. Preciso confessar que voltei a tomar calmantes[178] devido a minha insônia. E isso tem me deixado um tanto mais lento. Um tanto mais lento e fechado. Fiz uso de tarja preta por vinte e oito anos. Foi uma luta, uma luta intensa e pessoal sair dessa dependência. E agora, agora estou

---

178

"Por ter descoberto uma nova substância química no dia de Santa Bárbara, Adolph von Bayer combinou o nome da santa com o produto químico ureia para designar sua nova descoberta: barbitúricos." Nancy Almand Ator e Jack E. Henningfield, *Tudo sobre drogas: Barbitúricos* (Nova Cultural, 1989, não consta o nome do tradutor). Quando era pequeno, Pompeu tinha muito medo de trovões. Por isso Sondra Porfírio lhe ensinou que, se ele dissesse em voz alta: "Santa Bárbara", isso afastaria os trovões. De alguma forma, a santa tinha efeito ansiolítico.

caindo nessa de novo. Tem uma coisa também. Os benzodiazepínicos aumentam o efeito do álcool. E eu tenho precisado ficar cada vez mais alto. Chapado. Cada vez mais. Dipsomaníaco. Eu gosto dessa palavra. E gosto do trocadilho bilíngue que ela me sugere. Segundo o *Dicionário Houaiss*, dipsomania é uma psicopatologia que se caracteriza por uma "necessidade incontrolável de ingerir bebida alcoólica". Quanto ao trocadilho, sonoro e bilíngue, me sugere um cigano maníaco, *gypsy maniac*. Nas minhas insônias cada vez mais frequentes e terríveis, fico criando essas coisas, procurando fugir de uma psicose que me atormenta demais.[179] Evidência, ou *evil-dance*,[180] noutro

---

179

"'Antes de Joey sair de casa de manhã', escreveu-me Joe em 12 de junho de 1977, 'eu injetava nele meus sentimentos, meus impulsos e minha personalidade. Pela manhã, dava-lhe minha personalidade daquele dia para ele *preformar* [No original, *preform*, em lugar de *perform* (pôr em prática, executar).] minha personalidade. O produto final, ao término do dia, seria uma combinação de minha injeção e das aptidões de Joey capazes de levar ao *wonder lust* [a palavra correta, em termos vocabulares, seria *wanderlust*].' [...] *Wonder lust*, um neologismo ou palavra inventada típica de um esquizofrênico, era também símbolo da ânsia de Joe por divagações, num meio que paralisava sua imaginação. *Preformar* minha personalidade era a transformação de executar [*perform*] que levava em si a ideia da formação ou modelação de Joey segundo as necessidades psicóticas do pai." Flora Rheta Schreiber, *O sapateiro: A anatomia de um psicótico*, tradução: Vera Ribeiro.

180

Danço com meu próprio Diabo.

exemplo. Teu fel. É mais um desses trocadilhos bilíngues que me ocorreu nas insônias. No caso, trocadilho alemão. Teu fel. O *Houaiss* define "fel" como "bile", ou, num sentido figurado, "estado de espírito que reflete amargor". "Diabo" em alemão se diz *Teufel*. Um tanto óbvio.

Entro.

O apartamento é decorado de maneira quase fria.

Impessoal.

Como se tudo ali tivesse sido comprado e colocado ao mesmo tempo. Sabe? Coisa de decoradores. Eles, muitas vezes, compram tudo de uma vez. Os decoradores. Aquilo dá ao apartamento uma aparência de showroom. Ao pensar nessa palavra, depois do cigano e todo o resto, me lembro de Mauro. Mauro, o torto. Imagino o quanto esse anglicismo o teria irritado.

Os quadros nas paredes são serigrafias abstratas.

Toscas.

O homem gesticula para que eu me acomode no sofá.

O sofá é branco.

Imaculado.

Sinto saudade do outro Mauro.

Sinto saudade dele e da mulher que ele amava.

Sinto saudade de sua casa engordurada. Cheia de pelos de gato e de quinquilharias amontoadas. O boneco do palhaço. O cavalo do carrossel. A paisagem marinha que me gelava a espinha.

O homem se acomoda na poltrona ao lado.

Me olha ansioso.

Aguarda que eu comece a falar.

Está visivelmente aflito, de modo quase infantil.

Antes que possa começar, devido a essa minha leve letargia em função dos remédios, é ele que, não se contendo, começa a falar.

E então? Como funciona?

Bem... Embora faça isso há dez anos, é sempre difícil começar. Saber sobre você sempre me ajuda. Te conhecer minimamente que seja.

Claro, claro! O que posso dizer?

Ele ensaia. Sem conseguir disfarçar, agora sou eu quem o encara. Tem algo na cara desse sujeito que me incomoda. Me irrita. Sei que no primeiro encontro, principalmente na minha área, as pessoas procuram dissimular um tanto e parecer melhores do que são. É natural, é parte do jogo. É quase a dança do acasalamento. É patético, é natural. Por isso precisam de mim. Porque são patéticos. Preciso ressaltar que, quando faço uso dos medicamentos tarja preta, perco quase que por completo a empatia. A propósito, uma das definições de "empatia"[181] no *Dicionário Houaiss* é simplesmente maravilhosa. É realmente um grato passatempo folhear dicionários. Mas, como dizia, é isso. Trago histórias para distrair esses miseráveis de suas condições abjetas. Porque, no fundo, eles sabem muito bem o que são. É isso. Os remédios sempre me deixam mais frio e impaciente. Eles me fazem dormir durante a noite, porém agigantam minha misantropia.

O que eu queria mesmo entender é como se dá o contato físico? Me pergunta cheio de dedos. Com sua cara de bosta. Deve estar a seco há tempo pra caralho. Ou não haverá o contato físico? Eu fiquei na dúvida quanto a isso.

181

"Capacidade de projetar a personalidade de alguém num objeto, de forma que este pareça como que impregnado dela."

Não haverá. Realmente não haverá. As coisas se dão num terreno platônico, digamos assim. Geralmente é assim. Na maioria das vezes é assim. Preciso trabalhar.

Ah! Tanto melhor, tanto melhor.

Imbecil. Agora sou eu quem o encara. Também não devo estar com uma cara boa. Esse sujeito me irrita de verdade. Realmente não vou com as suas fuças. E ele fica me olhando com essa cara de bosta. O que ele está esperando? Eu já lhe expliquei tudo previamente.

Bom, o que é importante dizer sobre mim. O jeito arrastado que ele fala, ao mesmo tempo que tenta fazer cara de bom-moço, me dá muita vontade de enfiar um soco na sua orelha. Acho que o mais importante a ser dito a meu respeito é que. Ele toma fôlego enquanto eu me esforço ao máximo em deter meus impulsos. Bom, o mais importante que tenho a dizer é que sofro de uma insônia terrível.

Por um instante essa informação me desarma.

Mais do que isso, me desconcerta.

Tem algo muito peculiar na minha insônia. Ele ia continuar, mas o interrompo.

Há quanto tempo você sofre de insônia? Pergunto com real interesse.

Bem, sofro há alguns anos...

Quantos anos? Novamente o interrompo.

Eu diria que desde os vinte e poucos anos comecei a ter insônia. Porém, elas eram, como definir? Mais sazonais, eu diria.

E agora elas estão mais recorrentes? Pego meu caderno na mochila e começo a tomar notas.

Ah! Agora são terríveis. "No segundo ano de seu reinado Nabucodonosor teve sonhos que lhe agitaram tanto o espírito que perdeu o sono."[182] Não é o que dizem? Mas foi quando era jovem. Foi nessa época que começaram as insônias. Mas ela vinha por duas ou três noites seguidas no máximo e depois sumia por meses, às vezes por quase um ano inteiro. Agora não, agora não. Agora é um problema diário. E preciso confessar uma coisa. Não é algo que me orgulhe, mas sinto que o que afeta ainda mais esse meu quadro é quando bebo. E eu bebo. Eu realmente bebo muito e regularmente.

"Cigano maníaco." Penso enquanto começo a me interessar pelo sujeito.

182

Daniel 2,1. Para elucidar melhor, vamos a Daniel 2,4: "[1]†Eu, Nabucodonosor, vivia tranquilo em minha casa e aureolado no meu palácio. [2]Tive um sonho que me apavorou; na cama sofri horrores e as visões me perturbaram. [3]Dei ordem para que fizessem vir à minha presença todos os sábios da Babilónia, a fim de que me dessem a interpretação do sonho. [4]Vieram então os magos, os feiticeiros, a quem narrei este sonho, mas não me souberam indicar o seu sentido. [5]†Por último apresentou-se diante de mim, Daniel, apelidado Baltazar — conforme o nome do seu deus — e em que reside o espírito do Deus Santo. Contei-lhe o sonho...". É Dario, quando sobe ao trono da Babilónia, quem lança Daniel na cova dos leões, como vemos em Daniel 6: "[1]†Dario, o Medo, recebeu o reino com a idade de cerca de sessenta e dois anos [...] [17]O rei, então, mandou levar Daniel e lançá-lo na cova dos leões. 'Que o Deus que tu adoras com tamanha fidelidade — lhe diz — Ele mesmo cuide de te libertar!'". Veremos mais uma famosa interpretação de sonhos na próxima nota.

Mas não é sobre essas coisas que devemos falar, imagino. Isso é mais um desabafo. O que eu quero saber é realmente como funciona. Quanto tempo leva pra você encontrar alguém pra mim?

Fale mais sobre a sua insônia. Isso me interessa de fato. E pode ser útil para a nossa parceria.

Tá. Mas mais ou menos quanto tempo leva?

Para que eu encontre alguém para você?

Isso.

O tempo é relativo.

Eu tenho me sentido um tanto sozinho, sabe?

Claro.

E às vezes imagino que, se me apaixonasse, deixaria de ter certos pensamentos que me perturbam. O senhor me entende? Eu não posso ficar sozinho aqui dentro. Ele cutuca a cabeça com o indicador. Realmente não posso. Sou uma péssima companhia. Aí pensei que, se eu me apaixonasse, isso podia ocupar um pouco meus pensamentos.

Fale mais sobre essa insônia, por favor.

Eu não durmo. Não consigo dormir e isso vem se tornando cada vez mais persistente e assustador. Há um tempo vi um documentário, na verdade nem era um documentário, era um desses programas meio pseudocientíficos nesses canais que passam séries sobre acumuladores ou gente que vende velharias em casas de penhor, não sei se sabe ao que me refiro.

Sim, claro.

Pois é, há um tempo vi num desses canais um programa sobre um homem que desaprendeu a dormir.

Meu coração dispara.

Acho que o encaro assustado.

Não consigo disfarçar.
O pânico percorre meu corpo.
Sinto o coração bater na nuca.
Sinto a dor que brota como se fosse do pulmão esquerdo subir queimando e se bifurcando na minha garganta.

Eu não durmo e venho notando que, provavelmente por isso, venha desenvolvendo uma forma de pensamento que talvez seja patológica. O desgraçado continua.
O senhor aceita um café? Me desculpe, o senhor chegou e eu já desembestei a falar.
Se não for incômodo, um café seria ótimo. Procuro disfarçar o tremor que se apodera de meu corpo.
Não é incômodo algum. Vou trazer os sachês para que escolha.
Pode escolher por mim. Fique à vontade. Desde que não seja flavorizado.
Tá bem, tá bem. Só um instante e já trago.
Ao ouvir isso, "já trago", me dá uma vontade desgraçada de fumar. Devia ter fumado antes de entrar. Faço uma varredura pela sala e não encontro nenhum cinzeiro. Agora sou eu aqui narrando meu próprio livro e eu não gosto disso. Ao contrário do que pensam, eu não gosto de me expor. Na verdade, não ligo. Mas não posso, ainda mais nos dias de hoje, expor os meus pensamentos. Pior do que isso, muito mais grave seria expor meus sentimentos. Eu sinto tanto e ao mesmo tempo tão pouco. Por isso não narro meus livros. Crio personagens para fazerem essa parte e eu não precisar expor toda essa minha misantropia. Mas esse sujeito, esse cara com cara de bosta, me pegou. Ele me pegou de guarda baixa. Não posso me identificar com as pessoas porque aí me dobro. E eu não costumo me dobrar. Também não costumo me solidarizar ou

simpatizar, identificar, ou sei lá o quê, com quase ninguém. Mas esse cara com sua insônia tão próxima à minha me fodeu. Porque eu sei muito bem o que me desperta, o que faz com que eu não consiga atravessar aquele maldito espelho d'água. Justamente por ser um espelho. Sei muito bem o motivo que não vou revelar. Não vou assumir nesta minha pretensa autobiografia os terríveis crimes que cometi.

Como bem disse minha mãe, aqui só vou me vitimizar.

Não vou revelar os atos monstruosos que cometi. E, em vez disso, progrido em minhas noites insones criando paralelos absurdos, conspirações, sendo vítima de mim mesmo. Por sorte ele volta rápido trazendo o café. Apenas uma xícara de café. Agradeço e percebo que não adiantou o pedido. O café é aromatizado e tem sabor de amêndoas. Para me livrar, viro num só gole.

O senhor quer mais um?

Não, muito obrigado. O gosto amendoado me enjoa.

Pois bem, como dizia, sofro dessa insônia terrível que se torna a cada dia mais assustadora. Então pensei em contratar seus serviços porque, não sei, quem sabe, isso talvez pudesse me ajudar. Distrair minha mente, pois durante as madrugadas, não importa a hora que vá me deitar, desperto às três da manhã e, como dizia, sou assaltado por pensamentos medonhos. Cismo.[183] Cismo com coisas talvez sem sentido, mas

---

183

Penélope conta o sonho a Ulisses, que foi disfarçado de mendigo por Atena, e pede que o interprete. "'Estrangeiro, há só mais uma coisa pequena que quero perguntar. Pois está quase na hora do suave descanso, pelo menos para quem se entrega ao sono doce, apesar de acabrunhado. Mas a mim deu o deus um sofrimento ilimitado [...]. Porém quando chega a noite e todos vão dormir, então fico deitada na cama, e preocupações agudas se concentram em torno do meu coração palpitante' [...] conta sobre os vinte gansos mortos pela grande águia de bico recurvo, e então, chega o ponto que quero ilustrar:

"Respondendo-lhe assim falou o astucioso Ulisses:
"'Senhora, não é possível interpretar o sonho interpretando-o
De modo diverso daquilo que te disse o próprio Ulisses.
Ele disse como tudo acabará. Para todos os pretendentes
Virá a destruição: nenhum deles escapará à morte e ao
[destino.'
"'Estrangeiro, sabes bem que os sonhos são impossíveis
e confusos; nem sempre tudo se cumpre entre os homens.
São dois os portões dos sonhos destituídos de vigor:
um é feito de chifres; outro de marfim.
Os sonhos que passam pelos portões de marfim talhado
são nocivos e trazem palavras que nunca se cumprem.
Mas os que saem cá para fora dos portões de chifre polido,
esses trazem coisas verdadeiras, quando um mortal os vê.
Penso que no meu caso não foi de lá que veio o sonho
[horrível,
embora bem-vindo tivesse sido para o meu filho e para mim!'"
Homero, *Odisseia*, canto xix, tradução: Frederico Lourenço.

Recorro, mais uma vez, a Junito Brandão (recorto um breve fragmento de sua profunda dissertação a respeito) apenas para figurar o símbolo: "Na tradição judaico-cristã o chifre simboliza força e tem sentido de raio de luz, clarão, de relâmpago. Quando Moisés desceu do Sinai, seu rosto lançava *raios*, que a Vulgata traduz em seu sentido próprio por *cornos* (Êxodo 34,29-30 e 35)". *Mitologia grega.*

consigo dar lógica a todas elas. Passo a madrugada toda com ideias fixas, pensando em conspirações que tramam contra mim. Na verdade, talvez o que seja mais devastador na minha insônia é que acredito estar desenvolvendo uma psicose em virtude disso. O senhor me entende?

Meu coração bate muito forte. Sinto-o latejando em minha garganta. Transpiro sem parar.

O senhor deve saber que na paranoia. Ele continua. Nos quadros de paranoia existe, na cabeça de quem sofre, uma certeza muito grande. Uma certeza muito grande de que estão escondendo algo. De que estão tramando, conspirando, o senhor sabe do que estou falando, não é mesmo?

Procuro secar o suor que escorre em profusão da minha testa com as mangas da camisa. Minha camisa. A mesma camisa que minha ex-namorada roubou e eu consegui recuperar dizendo que estava com frio.

É um quadro psicótico. Ralph afirma. Eu não tenho dúvidas. Surge uma cisma e eu fico preso a ela. Mesmo que seja uma ideia delirante. Não consigo sair desse lugar. E, então, passo a noite tentando desvendar isso que me ocultam. Isso que todos a minha volta, mancomunados, tramam contra mim. E tem esse medo maior ainda. E se eu, meu corpo, sei lá, estiver desaprendendo a dormir?

Pompeu está pálido.
Desabotoa os dois primeiros botões da camisa.
Paulo parece não perceber que Pompeu não se sente bem.

Então. Ralph Abernathy continua. Nesse sentido, talvez você me trouxesse algo novo para pensar. Algo que me distraia dessa ideia única e persistente que me aprisiona. Porque venho pensando numa única coisa, numa única coisa o tempo todo. Durante todas as minhas noites.

Ralph Abernathy. Digo na lata.

Como?

Ralph Abernathy. Você é Ralph Abernathy, não é?

Quem?

Ralph Abernathy.

Paulo. Paulo é meu nome, por quê?

Eu estou sacando o seu jogo. Entendo muito bem por sinal.

Eu não estou entendendo.

Eu sei quem é você.

Bom... você pediu pra eu falar sobre mim.

Eu sei quem é você, seu filho da puta.

Ele se espanta quando me levanto. A camisa empapada de suor. Você joga bem. Devo admitir, você joga muito bem. Caminho em direção à porta e vou embora sem olhar para trás.

XV

O caminho para casa é cheio de desvios, não é mesmo?

Me surpreendo ao ver esse homem calçando apenas um pé do sapato.

Ele se parece com o meu pai quando jovem.

Ou com meu irmão.

Ou comigo mesmo.

Há uma série de bancos de ferro dispostos em círculo nessa espécie de praça, nesse campo-santo.

Faz um típico dia de outono.

Por isso me sento ao sol.

Já viveste? O homem com um pé descalço se dirige a mim.

Vivi. Pior é que vivi. E morri também. Respondo.

Ele ri. Por um acaso você é um fantasma? Brinca comigo.

Não deixo de ser. Não deixo de ser. Somos isso, não somos? Sombras do que fomos. Um vulto, é verdade. Mas eu morri de fato.

Ele ri como se eu continuasse brincando.

Sabe qual o pior fantasma que se pode ver? Me pergunta.

Acho que minha avó Norma dizia que os piores são os espíritos obsessores.[184] Ou possessores? Agora já não lembro.

O pior fantasma é o fantasma de um vivo.

Bom, é verdade. É o que dizem, não é? Que devemos temer os vivos.

As pessoas dizem isso, mas não é disso que estou falando.

184

O *Dicionário de parapsicologia, metapsíquica e espiritismo*, de João Teixeira de Paula, não faz distinção entre os dois temas. Encontra-se: *"Obsessor* (do lat. *Obsessorem*). Espírito que perturba, que persegue, que influencia mal, que obseda". O dicionário guarda termos e inclusive pensamentos, eu diria, muito curiosos. Por exemplo, algo que teve muita importância na época das Inquisições e hoje se considera sem sentido ou relevância, encontramos: *"Jetatura* (do it. *Jettatura*). Influência sobrenatural, de efeitos maléficos, que o olhar de um percipiente tem sobre indivíduos, plantas ou animais". E os mais curiosos ou divertidos seriam: *"Mediunidade Harpista.* É aquela em que o indivíduo, *mediunizado*, toca harpa". Ou *Mediunidade Interesseira.* É aquela em que o médium só trabalha por interesses materiais". Se atribui a Confúcio a seguinte frase: "Reverencio os seres sobrenaturais, mas os mantenho à distância".

É possível ver o fantasma de alguém que está vivo. Eu mesmo já tive essa experiência.

E como é isso?

Ontem mesmo, ao entrar em meu quarto, eu o vi. Ele estava sentado na cadeira. Na cadeira junto à mesa que uso de escrivaninha. Ele estava calmo. Nós conversamos um pouco. Me emocionou, sabe?

E... ele não estava lá? É isso que quer dizer?

É. Ele não estava lá. Era só seu fantasma. E ele é vivo.

E como você sabe que não era ele de fato?

Em primeiro lugar porque ele não poderia estar lá. Nós o mantemos internado.

Ele está doente?

É. Agora eles chamam isso de doença. Eu diria que talvez ele seja saudável demais para viver num mundo tão doente.

Entendo. Interessante essa história. Nunca tinha imaginado o fantasma de alguém vivo.

É. É sempre bom ter em mente.

Sabe, eu tive essa tal experiência de morte. Te incomodo falando sobre isso? Te cortei? Nem sei se tinha concluído sobre o fantasma do seu irmão.

Coma?

Oi?

Sua experiência de morte. Você esteve em coma?

Ah! Não. Parada cardíaca.

E como é lá?

Não me deixaram ver. Não deu tempo. Me trouxeram de volta. Embora na segunda parada tenham levado um bom tempo pra me trazer de volta.

Ele fecha os olhos sorrindo. Como se visse algo agradável. Como se visse algo agradável dentro de sua cabeça.

*

Pelo que vislumbrei, não há nada lá. Insisto. Não contei para quase ninguém isso que passei e sinto necessidade de falar. De contar essa experiência. Não há nada lá...
E por que voltou?
Me trouxeram.
Na marra? Ele ri.
Na marra, sim, senhor. Igual eu nasci. Na marra. Fórceps.
E como foi sua parada cardíaca? Doeu muito seu infarto?
Doeu demais. Doeu tanto que entrei em convulsão.
Alguns não sentem nada.
É. Acho que é parte do julgamento. Deve ser o preço. O ajuste final.
Ao menos foi rápido?
Não, sofri essa dor terrível por mais de duas horas. Eu havia sofrido outro infarto uns meses antes. Mas não sabia que era infarto. Achei que fosse uma úlcera. Nessa vez, nesse primeiro infarto não diagnosticado, embora não tenha doído na mesma intensidade, a dor durou umas vinte horas ininterruptas.
Mas você não acha que voltou pra resolver alguma questão, não é mesmo? Não acredita que voltou porque teve alguma chance ou algo assim. Ou acredita?
Não, de jeito nenhum. De jeito nenhum. Voltei pra continuar fazendo as merdas que fiz a vida toda.

Ele sorri. Veio visitar alguém?
Vim enterrar um amigo.
É triste enterrar um amigo.
Muito. Respondo. E você?
Sempre venho aqui. Dar um pega.
Assinto com a cabeça.

*

Ele parece feliz.

Tem sempre esse sorriso. Constante.

Deve ser porque está chapado.

Sorrio de volta. Infelizmente, sóbrio.

Eu amo o frio. E amo me aquecer ao sol nos dias frios. Procuro manter o papo. Afinal, éramos dois camaradas num cemitério procurando nos manter aquecidos, lembrando daqueles que partiram e contando histórias.

É tudo ao contrário, sabia? Ele pergunta.

Tudo? Brinco. Dou corda.

Tudo. Quer dizer, tudo o que nos ensinaram. O que aprendemos por nós mesmos é certo.

Entendi. Digo.

Eu conhecia seu amigo. Dei uma passada no velório dele. Fomos muito próximos durante uma época.

O Mauro? Você o conhecia?

Sim. Eu o conhecia.

Era uma pessoa formidável.

A gente diz isso quando eles morrem. Era um escroto. Manipulador. Desgraçado.

Era. Era tudo isso também. Ao menos, tive a chance de demonstrar meus sentimentos a ele enquanto era vivo. Ele foi meu convidado na cerimônia de encerramento do meu processo de inquisição.

Ah! Caíste na malha fina. Ironiza.

Caí.

Quem te deu?

Puxa... foi, no fundo, um grande mal-entendido.

Um mal-entendido?

É. Disseram que quem me entregou... foi meu barbeiro.

Ele começa a rir de uma maneira estranha.

Ah! Deixa pra lá. A pessoa que disseram que me entregou, eu não a conheço.

Segue rindo de uma maneira estranha. Cobre os olhos. Procura sem êxito se conter. E então deixa escapar. Puta que pariu, puta que pariu. Segue rindo baixinho e repetindo baixinho, quase balbuciando. Ralph Abernathy, Ralph Abernathy, caralho.

Ralph Abernathy! Ele mesmo! Você o conhece?

Deixa pra lá. É sempre assim. Qual foi o veredito?

Não, me diz se você o conhece. Por que estava rindo?

Já ouviu falar em Norman Macdonald?

Macdonald, igual às lanchonetes?

Isso, isso mesmo.

Não. Não sei quem é. Norma, como acabei de dizer, era o nome da minha avó. Uma pessoa muito importante na minha vida.

Norman Macdonald foi um comediante canadense. Tem um stand-up dele na Netflix realmente incrível. Talvez valesse a pena você assistir.

Eu não suporto stand-up.

Eu garanto que esse é bom. Procura lá. Norm Macdonald: *Hitler's Dog, Gossip & Trickery*. Netflix. Garanto que pode te surpreender. É algo como "O cachorro de Hitler, fofoca e trapaça".

Tá certo.

Veja.

Vou tentar lembrar.[185]

Veja. Mas me diga: qual foi o seu veredito?

185

Pompeu nunca se lembrará. Jamais assistirá.

Culpado, naturalmente. Fui meu próprio juiz.[186]
E que sentido faria sair da vida inocente, não é mesmo?

Ele apanha o maço de cigarros no bolso interno do paletó e tira um. Traja um terno azul-escuro ou preto e uma camiseta listrada por baixo. Parece ser de algum tipo de time. Não entendo nada de futebol. Ele veste o paletó assim, por cima dessa camiseta.

E, como já observei, calça um único pé de sapato.
O esquerdo.

186

Durante os seis dias que passei internado no Hospital São Paulo, pelo SUS, num quadro a princípio considerado gravíssimo, pedi que me trouxessem o livro que estava lendo em casa antes de minhas duas paradas cardíacas. Lia Octavio Paz, *Excursiones/Incursiones, Dominio extranjero & Fundación y disidencia, Dominio hispánico*. Gostaria de deixar apenas dois, dos inúmeros, grifos que fiz. "Escrevemos para ser o que somos ou para ser o que não somos. Nos dois casos, buscamos a nós mesmos. E se tivermos a sorte de nos encontrarmos — sinal de criação — descobriremos que somos um desconhecido. Sempre o outro, sempre ele, inseparável, alheio, com tua cara e a minha, você sempre comigo e eu sempre só" (em livre tradução). "Não sei qual dos dois escreve esta página", diria Borges. (Apenas como parêntese, Merleau-Ponty: "E desse outro diferente de mim que é o eu refletido para mim mesmo que reflito". *O visível e o invisível*, tradução: José Arthur Giannotti e Armando Mora d'Oliveira.) Para fechar, voltando a Octavio Paz: "Nossas criações nos julgam" (em livre tradução).

Fuma com enorme prazer.

Por impulso e com vontade de filar um cigarro, me sento ao seu lado.

Raimundo, prazer. Ele me estende a mão.

Pompeu. Sua mão é demasiado lisa. Lisa e morna.

Rei do Mundo. Ele diz soltando fumaça pelo nariz e sorrindo de olhos fechados.

Esse é o significado?

Não, é o meu nome verdadeiro. O escrivão era semianalfabeto. Em vez de "Raimundo", escreveu "Reimundo". O Rei do Mundo. Dá uma longa tragada. Raimundo, nesses livrinhos que pretendem revelar o significado dos nomes, seria "protetor ou sábio poderoso". Tudo se encaixa, não?

Pompeu Porfírio Júnior. E nesses mesmos livrinhos aprendi que Pompeu, segundo um dialeto italiano, seria "o quinto". E Porfírio significaria "revestido de púrpura". Posso serrar um cigarro?

Ele me entrega o maço.

"Aos homens está ordenado morrerem uma só vez, vindo depois disso o juízo."[187] Diz o rei do mundo.

Jorge Luis Borges, numa palestra sobre as *Mil e uma noites*[188] (conferências realizadas entre junho e agosto de 1977 no

---

187
Johan August Strindberg, *O pai*, tradução: Guilherme da Silva Braga.

188
Áudio disponível no YouTube ⟨https://www.youtube.com/channel/UCJcSEBNU4jjT9mSSzsEhCyQ/videos⟩.

teatro Coliseo, em Buenos Aires, sendo posteriormente coletadas no livro *Siete noches*), fala sobre os "confabuladores noturnos" (em livre tradução), que seriam contratados para contar histórias durante a noite para distrair Alexandre, o Grande e combater sua terrível insônia.[189]

No fim sempre fujo de/para mim.

Parece que chove.

---

[189] Alexandre III da Macedônia (356-323 a.C.).

APÊNDICE

(57 anos 5 meses 11 dias)

HOSPITAL SÃO PAULO
SPDM — Associação Paulista para o Desenvolvimento da Medicina.
Universidade Federal de São Paulo
Internação

RESUMO DE SAÍDA — ALTA[190]

▬

190

Depois de voltar da morte, li em Octavio Paz sobre uma peça nô, japonesa, atribuída a Zeami, com tradução de Arthur Waley: "Um jovem que deixou seu povoado em busca de fortuna chega a uma pousada onde encontra um velho vagabundo; o velho lhe oferece uma almofada para que descanse enquanto a estalajadeira cozinha um pouco de arroz; o jovem se deita numa esteira, reclina a cabeça na almofada e dorme; sonha então que chega a ingressar na burocracia imperial e lá alcança um alto posto; se casa, forma uma família, é destituído, os seus o negam, conhece a abjeção, retoma seus créditos, voltam a aceitá-lo, envia um exército que combate as fronteiras contra os bárbaros, sofre terríveis penalidades e alcança vitórias insignificantes, é novamente acusado de traição, o prendem, o julgam, o condenam à morte e, no instante em que ficaria sabendo se se salvaria ou não, desperta: o arroz ainda não foi cozido" (em livre tradução). O arroz se cozinha, em média, em vinte minutos terrenos.

Identificação do Paciente
Nome: **LOURENÇO MUTARELLI JÚNIOR**
RHHSP:0010503349
Sexo: Masculino   **Idade:** 57 anos 5 meses 11 dias
Data internação: 28/09/2021   **Dias de Internação:** 1 dia
Alta Médica em: 29/09/2021 **Hora:**10:00
Saída do Hospital em:__/__

Histórico Clínico Anterior
##HPMA
 Paciente admitido eletivamente para angioplastia de lesão residual de ADA

AP
IAMCSST INFERIOR/BAVT — REVERTIDO PCR na admissão (FV 2 minutos) >> 25/11/2020
HAS
-DLP
Tabagista ativo 80 a/m
Etilista (destilado)[191]

HF
Pai IAM 57 anos

MUC
AAS 100 mg
Clopidogrel 75 mg
Carvedilol 12,5 mg 12/12 h
Atorvastatina 40 mg x dia.

—

191

"Segundo minha própria experiência, as ferramentas de que preciso para o meu negócio são papel, fumo, comida e um pouco de uísque." William Faulkner, em *As entrevistas da* Paris Review, tradução: Christian Schwartz e Sérgio Alcides. "Jack London bebeu e bebeu durante toda a sua vida, sobretudo uísque que era a sua bebida favorita. Como para Poe, o álcool lhe servia de inspiração, mas também de degradação. Atingiu e ultrapassou o limite de um litro diário." Jesús Callejo Cabo, *Enigmas literários* (em livre tradução). Quando pequeno, meu filho Francisco Mutarelli me perguntou: "Pai, todo escritor é alcoólatra?". Eu respondi: "Não. Só os grandes".

Evolução Clínica na internação
Evolue [sic] com melhora clínica durante a internação
Exames Realizados
28/09/2021 09:26 — ALANINA AMINO TRANSFERASE, 28/09/2021 09:26 — ASPARTATO AMINO TRANSFERASE, 28/09/2021 09:26 — CREATINA, 28/09/2021 — CREATINOQUINASE, 28/09/2021 09:26 — HEMOGRAMA, 28/09/2021 09:26 — POTÁSSIO, 28/09/2021 09:26 — SÓDIO
Cirurgia e Procedimentos Realizados
0406030030 — ANGIOPLASTIA CORONARIANA COM IMPLANTE DE STENT
Tratamento(s) Realizado(s)
Angioplastia de ADA
Diagnóstico Principal
25.2 — INFARTO ANTIGO DO MIOCÁRDIO
Outros diagnósticos ou informações

Orientação e Terapêutica
Manter medicamentos de uso contínuo
Encaminho paciente para ambulatório de angioplastados
Orientações gerais
Encaminhamento
RESIDÊNCIA
Local: Condição de ALTA: MELHORADO[192]

192

Preciso agradecer a todos que cuidaram da minha volta. Deixo o meu amor a vocês: Antônio Rodrigues da Costa, Carlos Freitas, Claudio Ellovitch, Dexter (por seu áudio), Dri & Otinho & Lino, Ferréz, Francisco Mutarelli, Glauco Mattoso, Jorge Ialanji Filho-

(57 anos 5 meses 10 dias)

Pedido......: 0006770856   **Data Pedido...: 28/09/2021**
Unidade...: HEMODINÂMICA E CARDIOLOGIA INTERVENC.
Exame......: ANGIOPLASTIA
RHHSP...: 0010503349   **Cód. Paciente:** 0004332436
Paciente..: LOURENÇO MUTARELLI JÚNIOR[193]

lini, Luara França, Lucimar Mutarelli, Luiz Schwarcz, Marcelino Freire, Marília Scharlach Cabral, Martelinhas (Concha, Cris, Deborah, Flávia, Gabriela, Gabriela Colombo, Izilda, Lu, Paula, Rê, Sílvia), Pompeu Porfírio (e Mauros), Robson Sevilha, Romáryo Almeida Cavalcanti, Sandra Mutarelli, Stephen Cheng e Valmir da Silva Santos.

193

"Os tipos mais cruéis têm, sob a pele,
um traço humilde, frágil, desvalido.
São como um monstro tímido, saído
dos álbuns de Lourenço Mutarelli.

Ainda que sensível se revele,
nenhum de nós é santo, e não duvido
que até seja capaz de ter comido
o cu da própria mãe, a quem repele.

Carrasco arrependido enfim se mata.
Evita o masoquista a sopa quente.
O sádico tem medo de barata.

Sexo: MASCULINO **Leito:**
Idade: 57 anos 5 meses 10 dias
C. Custo Requisitante..: 040003380 — EX. CARDIOLOGIA INVASIVA-HEMOD
Médico Requisitante..: 66662 ADRIANO MENDES CAIXETA

ANGIOPLASTIA

ATC: 72.388
INDICAÇÃO: Paciente hipertenso, dislipidêmico, tabagista ativo, vem realizar angioplastia por história de angina instável.
TÉCNICA DE JUDKINS: Puncionada artéria femoral direita. Utilizando introdutor 6F.
MANOMETRIA (mmHg): Aorta: 130 X 60 mmHg

ANGIOPLASTIA CORONARIANA:

Lesão-alvo: ADA

1. Pré-tratado com AAS, Clopidogrel e heparina não-fracionada 7.000 UI IV.

2. Cateterizado óstio do TCE com um cateter terapêutico XB 3.5 6F.

3. Posicionado um fio-guia BMW 0,014" distalmente em ramo diagonal Dg1.

A fera raciocina como gente.
Adora flor o frio psicopata.
Nos pés o estripador cócegas sente."
"2373 Soneto lombrosiano", Glauco Mattoso.

4. Posicionado um segundo fio-guia BMW 0,014" distalmente em ADA.

5. Posicionado um primeiro stent farmacológico ORSIRO 2.5 x 35 mm sob estenose do terço médio de ADA e liberado a 12 ATM.

6. Realizado pós-dilatação com balão NC trek 2.5 x 12 mm insuflado a 22 ATM.

7. Posicionado um segundo stent farmacológico Orsiro 4.0 x 22 mm sob estenose proximal de ADA, em overlap com primeiro stent, e liberado a 8 ATM.

8. Realizado pós-dilatação do terço médio do primeiro stent até borda proximal do segundo stent com um balão NC trek 3.5 x 12 mm insuflado a 25 ATM.

9. A coronariografia de controle evidenciou bom resultado angiográfico com stent bem expandido. Ausência de imagem de dissecção nas bordas do stent. Ausência de trombos. O fluxo distal de ADA e do ramo diagonal é TIMI III.

10. Término do procedimento sem intercorrências.

CONCLUSÃO

2. Angioplastia coronária de ADA com dois stent farmacológico, com sucesso angiográfico.

Lourenço Mutarelli nasceu em 1964, em São Paulo. Publicou diversos álbuns de quadrinhos, entre eles *Transubstanciação* (1991), *Quando meu pai se encontrou com o ET fazia um dia quente* (2011) e a trilogia do detetive Diomedes (volume único publicado em 2012). Escreveu peças de teatro — reunidas em *O teatro de sombras* (2007) — e os livros de ficção *O cheiro do ralo* (2002, adaptado para o cinema em 2007); *O Natimorto* (2004, adaptado para o cinema em 2008); *A arte de produzir efeito sem causa* (2008, adaptado para o cinema em 2014); *Miguel e os demônios* (2009); *Nada me faltará* (2010); *O Grifo de Abdera* (2015), *O filho mais velho de Deus e/ou Livro IV* (2018) e *Jesus kid* (2021).

Copyright © 2022 by Lourenço Mutarelli

Grafia atualizada segundo o Acordo Ortográfico da Língua Portuguesa de 1990, que entrou em vigor no Brasil em 2009.

Capa e projeto gráfico
Kiko Farkas/ Máquina Estúdio

Imagem da capa
Lourenço Mutarelli

Foto do autor (p. 498)
Marcos Vilas Boas

Preparação
Márcia Copola

Revisão
Huendel Viana
Clara Diament

Os personagens e as situações desta obra são reais apenas no universo da ficção; não se referem a pessoas e fatos concretos, e não emitem opinião sobre eles.

Dados Internacionais de Catalogação na Publicação (CIP)
(Câmara Brasileira do Livro, SP, Brasil)

> Mutarelli, Lourenço
>   O livro dos mortos : Uma autobiografia hipnagógica / Lourenço Mutarelli. — 1ª ed. — São Paulo : Companhia das Letras, 2022.
>
>   ISBN 978-65-5921-162-3
>
>   1. Romance brasileiro I. Título.

22-112097   CDD-B869.3

Índice para catálogo sistemático:
1. Romances : Literatura brasileira   B869.3

Eliete Marques da Silva - Bibliotecária - CRB-8/9380

[2022]
Todos os direitos desta edição reservados à
EDITORA SCHWARCZ S.A.
Rua Bandeira Paulista, 702, cj. 32
04532-002 — São Paulo — SP
Telefone: (11) 3707-3500
www.companhiadasletras.com.br
www.blogdacompanhia.com.br
facebook.com/companhiadasletras
instagram.com/companhiadasletras
twitter.com/cialetras

Esta obra foi composta pela Spress
em Janson Text e Aaux e impressa
pela Geográfica em ofsete sobre papel
Pólen Soft da Suzano S.A.
para a Editora Schwarcz em agosto de 2022

A marca FSC® é a garantia de que a madeira utilizada na fabricação do papel deste livro provém de florestas que foram gerenciadas de maneira ambientalmente correta, socialmente justa e economicamente viável, além de outras fontes de origem controlada.